예비 컨설턴트를 위한 기초 입문서

절세 승계 프로젝트

예비 컨설턴트를 위한 기초 입문서

절세 승계 프로젝트

2019년 11월 19일 초판 인쇄
2019년 11월 22일 초판 발행

지 은 이 | 주인규 · 윤상철

발 행 인 | 송상근

발 행 처 | 삼일인포마인

등록번호 | 1995.6.26.제3-633호

주　　소 | 서울특별시 용산구 한강대로 273 용산빌딩 4층

전　　화 | 02)3489-3100

팩　　스 | 02)3489-3141

가　　격 | 19,000원

ISBN 978-89-5942-800-7 13320

예비 컨설턴트를 위한 기초 입문서

절세 승계 프로젝트

주인규 · 윤상철 지음

SAMIL | 삼일인포마인

가끔 컨설팅 목적으로 고객을 만나서 이야기를 나누다보면 회사 재무상황에 대한 문제점을 발견하고 지적하게 된다.

그때

"왜 우리 기장 세무사님은 가지급금이 이렇게 쌓일 때까지 놔두신 거죠?"

"왜 우리 기장 세무사님은 그런 이야기를 안 해주시는 거죠?

라는 질문을 받을 때가 있다.

필자는 솔직하게

"대표님께서 컨설팅 수수료를 지급하지 않고 있기 때문입니다."

라고 대답한다.

현재 우리나라 세무기장 서비스에 대한 월 수수료는 10만 원대 수준이다. 이러한 수수료는 정말 장부작성에 대한 수수료만 포함되어 있는 것이 사실이다. 직원 인건비와 임대료 수준을 생각해보면 장부작성 이외에 별도의 서비스를 제공하기 어려운 것이다. 한 회사를 담당하고 있는 기장세무사가 그 회사를 가장 잘 알고 관리해줄 수 있음에도 불구하고 장부 만들기에 급급하기 때문에 추가 세무관리가 이루어지지 못하는 것이다. 이러한 세무기장 환경은 결국엔 기업을 운영하는 대표에게 그 피해가 돌아갈 수밖에 없는 구조를 만들고 있다.

세금에도 전략이 필요하다. 대기업은 고도로 훈련된 관리자들이 회사의 미래를 예측하고 앞으로 발생할 세금을 줄이기 위한 전략을 수립한다. 그런데 중소기업은 그렇지 못하는 것이 현실이다. 중소기업은 기장세무사에게 자료를 모두 넘겨주고 장부를 만들곤 한다. 대표님은 세무사가 만들어주는 재무제표를 한치의 고민도 없이 우리회사의 장부로 인정해버린다. 어떤 대표님은 결산이 마무리 되어도 회사 재무제표를 받아보지도 않고 궁금해하지도 않는다. 세무사가 '세금 얼마 나왔으니 ○일까지 얼마 납부하세요' 하면 그냥 세금만 납부하는 것이다. 이러한 현실이 세무대리인의 한 명으로써 매우 안타깝다.

필자가 현재 세무기장 시장을 변하게 할 순 없다. 이미 오랜 기간 동안 굳어져온 관행이고 시장에서 자연스럽게 형성된 분위기이다. 이런 분위기가 나쁘다고 지적하는 것도 아니다. 어쩔 수 없는 상황이라고 충분히 받아들일 수 있다. 또한 필자가 중소기업 대표님들에게 재무담당자를 별도로 고용하여 재무/세무관리를 해야 한다고 이야기 할 수도 없다. 중소기업 대표님들이 추가로 한 명을 더 고용하는 부담이 얼마나 큰지 잘 알고 있기 때문이다.

그래서 필자는 이 책을 통하여 중소기업 대표에게 직접 회사의 재무상황에 관심을 가지고 관리를 해야 한다고 이야기하고 싶다. 그리고 세무사를 대신하여 중소기업 컨설팅을 하고 있는 여러 컨설턴트들에게 재무/세무관리의 방법을 제시하고자 한다.

세무업무를 하다보면 너무 안타까울 때가 있다. 전문가와 상담이라도 한번 받아보고 실행을 하였더라면 많은 세금을 아낄 수 있었을 때가 그렇다. 이미 엎질러진 물은 다시 주워담을 수 없다. 그래서 아무리 전문가라고 하더라도 이미 발생된 거래에 대한 사실관계를 완전히 바꾸는 것은 굉장히 어려운 일이다. 준비하는 것과 준비하지 않는 것은 매우 큰 차이를 유발한다. 그래서 회사의 재무상황을 예측하고 계획에 따라 철저하게 관리하는 것이 필요하다. 이 책이 그러한 계획을 수립하는데 작은 도움이라도 되길 희망한다.

Contents

PART
03

3. 주식은 챙길 것이 정말 많아요

PART
04

4. 자산의 증여나 상속은 세금을 고려해야 합니다

PART
05

5. 사례로 이해하는 세금전략

PART 01

회사는 이렇게 굴러갑니다

가. 회사의 구조

나. 이사회가 경영의사결정을 내립니다.

다. 주주는 어떤 일을 할까요?

라. 정관은 회사의 설립문서입니다.

마. 회사의 규모는 재무상태표를 보면 알 수 있어요.

바. 회사가 벌어들이는 이익은 손익계산서에 나와요.

가 회사의 구조

1 학습목표

학습내용	효 과
주식회사의 이해관계자	• 이해관계자별로 회사를 통해 얻고 싶은 것은 무엇일까? • 회사는 어떤 목표를 위해 사업활동을 수행할까?
주식회사의 기관	• 회사는 누가 직접 사업활동을 수행할까? • 회사의 기관은 어떤 권한과 책임을 가질까?
회사의 규모별 구분	• 회사의 규모에 따라 대 · 중 · 소기업의 구분 기준 이해하기

2 TALK

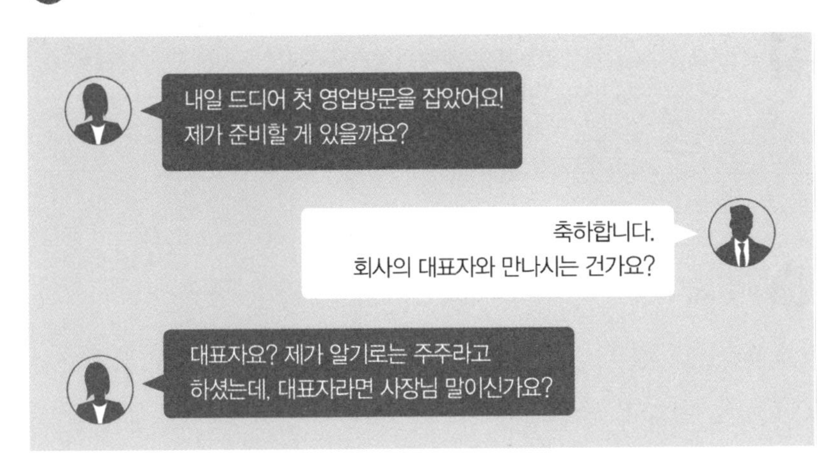

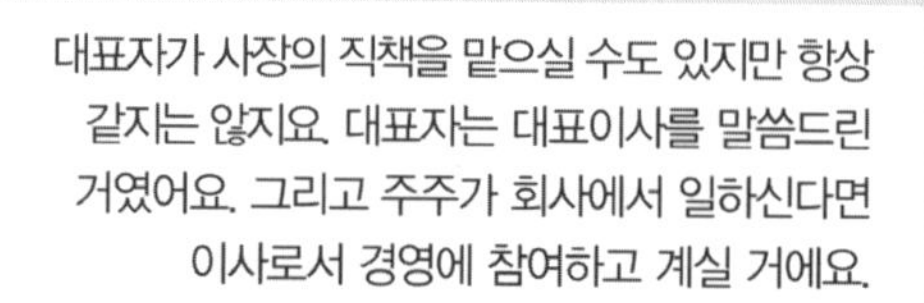

대표자, 이사, 주주, 사장님이 모두
같은 분 아니었나요? 보통 그렇게 부르던데......

중소기업에서는 한 분이 여러 직무를 맡으시거나
지분을 가지고 일을 하시는 경우가 많습니다.
따라서 주주이신 분이 이사이실 수도 있고
대표이사님이실 수도 있고, 대외적으로 사장의
직함을 이용하실 수도 있지요. 하지만 회사마다
정책이 다를 수도 있으니 메일을 보내시거나
호칭을 부르실 때는 유의하실 필요가 있습니다.

중소기업? 작은 규모의 회사를 말하는 건가요? 공장도 있고
직원도 100명 정도 되니 중소기업은 아닐 거에요.

회사는 규모에 따라 중소기업, 중견기업,
대기업으로 분류할 수 있습니다. 회사 규모에
따라 영업포인트가 달라질 수 있으니 미리
알아보실 필요가 있겠지요. 회사의 이해관계자들과
회사의 규모 기준을 살펴보도록 합시다.

③ 주요내용 : 주식회사와 이해관계자의 종류

주식회사는 사업을 수행하기 위해 설립된다. 회사의 주인은 주주로서 하나의 회사에 여러 명인 경우가 많다. 사업을 하는데 개인자본이 부족한 경우 여러 사람이 자본을 모아 회사를 설립하게 된다. 이렇게 주주가 많아지는 것이다. 이때 회사의 주주가 여럿이다 보니 모든 주주가 회사의 경영을 수행할 수 없게 되었고 주주들은 자신들을 대신해 회사를 경영해 줄 사람을 뽑기 시작한다. 이렇게 경영자가 선임되는데 이들은 상법에 따라 '이사'라는 명칭을 갖는다. 이 이사들은 주주가 선임했기 때문에 주주의 이익을 극대화하기 위해 회사 내부에서 경영활동을 수행하고 주주는 회사의 외부에서 회사가 벌어들인 이익을 지분율에 맞게 배분하여 받아가게 된다. 이를 회사의 소유(주주)와 경영(이사)의 분리원칙이라고 한다. 이들이 주식회사를 둘러싸고 있는 중요한 이해관계자들이 되는 것이다. 컨설팅을 위해서는 회사와 주주, 이사 등의 이해관계를 이해하고 머릿속에 담아두는 것이 필요하다.

구 분	관계자	특 징
외부	주주	• 사업을 하기 위해 필요한 자본을 내고 회사를 설립하면 주주는 그 대가로 주식을 받는다. • 주식을 보유한 사람이 주주로 주인이 될 권리를 가진다. • 자본을 투자한 주주가 여러 명으로 모두 회사를 경영하기보다는 전문적으로 경영을 전담하는 이사를 선임한다. • 회사가 사업에서 벌어들인 돈은 주주 것으로 회사가 이익을 주주에게 돌려주는 것이 배당이다. • 주주는 이사의 경영활동을 감시하기 위해 감사를 선임하여 회사 내부에 선임한다. • 주주는 이미 납입한 투자금(자본금)만을 한도로 책임을 지는 유한책임을 가진다.
	채권자	• 회사에 자본을 조달하는 투자자에는 채권자도 있다. • 채권자는 투자기간을 정하고 약정된 이자를 받는다.

구 분	관계자	특 징
		• 회사의 영업성과와 관계없이 확정된 이자를 받기 때문에 투자위험이 적어 투자수익률이 낮은 편이다. • 이자는 법인세법에서 비용으로 인정받아 세액을 줄이지만 주주에게 지급하는 배당은 비용으로 인정받지 못한다.
내부	이사	• 주주를 대신하여 경영을 전담하고 주주에게 돌려줄 이익을 극대화하기 위해 중요한 경영의 의사결정을 한다. • 임기는 보통 3년이며 주주의 동의로 연임되기도 한다. • 이사들이 모여 경영의사결정을 하는 모임을 이사회라고 하며 이사회에서는 이사들의 대표인 대표이사를 선출한다. 정관에 따로 정한 경우에는 주주총회에서 대표이사를 선임한다. • 이사는 회사의 경영을 위해 필요에 따라 직원을 고용하고 업무를 지시한다. • 대표이사는 주주총회를 소집하거나 대규모 차입, 중요한 자산의 처분결정을 할 수 있는 권한을 갖는다.
	감사	• 회사 내부에서 이사의 경영활동을 감시하고 이사의 행동이 주주의 이익을 반한다면 주주총회를 소집하여 주주에게 보고한다.
	직원	• 이사의 업무지시에 따라 회사의 업무를 수행하고 급여를 수령한다.

모든 이해관계자의 관심사는 회사의 이익을 극대화하여 개인의 이익을 높이는 것이기 때문에 컨설팅의 기본 목표도 고객사의 성장이 되어야 한다. 여기에서 고객사의 성장이란 회사 규모의 성장이나 매출액의 성장, 영업이익이나 당기순이익의 성장이 될 수 있는데 회사와 회사의 담당자가 어떤 지표(KPI)에 관심을 가지는지를 파악해야 한다.

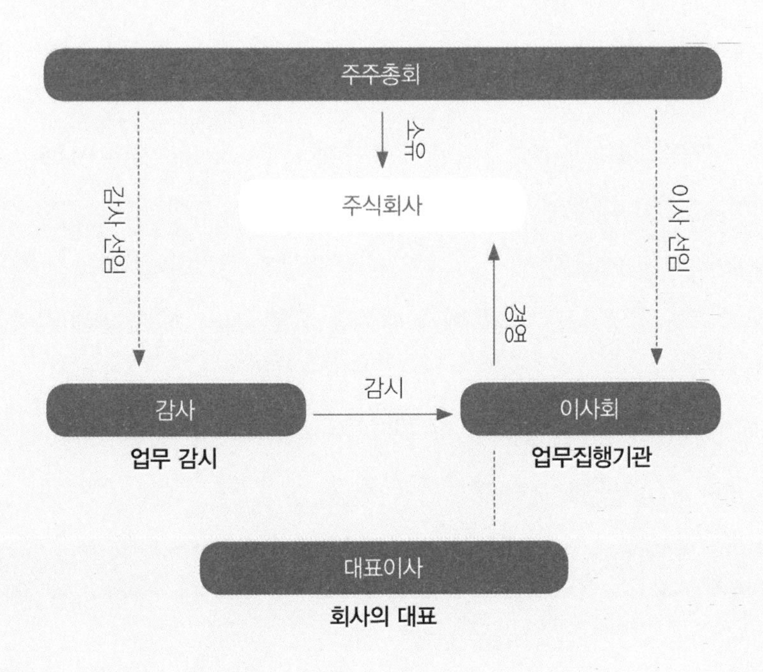

회사 구조와 상법

주식회사는 3명 이상 이사 선임 의무

자본금 10억 미만의 소규모회사:

- 이사 1명 혹은 2명 가능하며 이사회는 없는 것으로 봄.
- 이사가 1인일 때에도 감사는 다른 사람이어야 함.

④ 주요내용 : 컨설팅 전략의 목표

회사는 사업을 하기 위해 모인 경제 집단이다. 회사가 사업을 통해 버는 돈은 일차적으로 근로를 제공하는 임직원에게 나누고 다음으로 회사에 대여의 형태로 자금을 투자한 채권자에게 원금과 이자를 준다. 마지막으로 회사에 투자한 주주에게 남은 이익의 배당 여부를 결정한다. 결국 회사는 ① 어떻게 이익을 남길지를 고민하고, ② 회사의 이해관계자들에게 어떻게 그 이익을 배분할지 결정한다. 따라서 회사의 주주와 경영자는 자신들에게 배분될 부를 극대화하기 위해 사업을 확대하거나 비용을 절감하여 회사가 벌어들일 이익을 극대화하는 한편 회사가 벌어들인 이익을 이해관계자에게 배분할 때 좀 더 많이 배분받을 수 있는 활동을 수행하게 된다.

회사의 역할	주요 요소	필요 지식
이익의 극대화	매출의 증대, 비용의 절감	경영전략의 수립과 이행
이익의 배분	이해관계자 간 배분 결정	이해관계자의 종류와 배분 기준 이해 (주주, 임원(경영자), 직원, 과세관청, 채권자)

회사의 이익을 어떻게 배분할지 결정하기 위해 필요한 배분 기준은 상법과 세법을 참고할 수 있다. 이익을 배분하는 순서에 따라 살펴보면 다음과 같다.

종 류	임 무	결정 기준
비용의 항목	인건비 지급 : 임직원	최저임금법, 회사의 지급기준
	원금과 이자 지급 : 채권자	차입계약
이익의 배분	세금의 결정 : 과세관청	세법
	배당의 결정 : 주주	상법(절차), 주주의 결정

위의 배분항목에서 주주나 경영자가 그 항목을 결정할 수 없는 것은 세법과 최저임금법, 상법이 있다. 이 책에서는 위 내용 중 세법에 대해 주로 살펴보게 될 것이다.

회사의 경영과 이익의 배분에 영향을 미치는 세법을 분류하여 보면 다음과 같다.

항 목	세법의 종류
법인의 소득	법인세법
개인(거주자)의 소득	소득세법
부의 증여와 상속	상속세 및 증여세법

정리하면 회사의 이해관계자 각자에게 배분될 금액을 어떻게 결정하는 것이 합리적인지 판단하고, 회사의 의사결정을 어떻게 수행할지 계획을 수립하는 역할을 하게 된다. 이를 위해 상법에 기술된 주주, 임직원, 회사 등의 권리와 의무를 살펴보고 세법에 기술된 과세의 방법을 배워보자.

5 주요내용 : 회사의 주요 기관 이해하기

회사는 법인으로서 법에서 인정하는 살아있는 실체이다. 이를 '법에서 인격을 주었다'라고 표현하는데 인격을 가지기 때문에 스스로 권리와 의무의 주체가 될 수 있어 자산을 소유하고 계약을 체결할 수 있다. 하지만 실질적으로 계약을 검토하거나 회사의 인감을 날인하고 채권자로부터 차입을 하는 행동은 법인 스스로가 할 수 없고 회사 내에서 이를 수행할 사람이 필요하다. 결국 사업활동은 사람이 해야 하기 때문이다. 따라서 회사의 경영활동을 직접 수행할 사람이 필요하고 이들이 모여 회사 내부의 '기관'으로서 활동하게 된다. 이러한 기관은 기능에 맞게 분화되어 임무를 수행하게 된다. 일반적인 주식회사가 가지는 기관과 임무는 다음과 같다.

종 류	임 무
주주총회	• 주식회사의 주인인 주주가 모여 회사의 중요한 경영의사결정 • 이사와 감사를 선임 • 상법이나 정관에 규정된 사항에 대해서만 의사결정 수행
이사회	• 소규모회사를 제외하고 3명 이상의 이사로 구성 • 회사의 중요한 업무집행사항과 이사에 대한 감독을 수행
대표이사	• 회사의 대표자 • 회사의 일반적인 경영의사결정을 수행
감사/ 감사위원회	• 이사회 및 대표이사에 대한 감독기관 • 정관에 정한 바에 따라 감사위원회를 대신 둘 수 있음 • 감사는 주주총회에서 선임하지만 감사위원회는 이사회 내 위원회의 일종임

⑥ 주요내용 : 대기업, 중소기업, 회사의 규모에 따라 명칭이 달라집니다.

중소기업, 중견기업, 대기업은 우리가 흔히 기업을 규모에 따라 구분할 때 쓰는 단어이다. 정부는 특정 업종을 영위하는 기업을 지원하거나 규모가 작은 기업을 육성하는 등의 정책을 펼치게 되는데 이때 기업의 규모에 따라 차등 지원하여 정책 목적을 달성하고 있다. 이러한 이유로 중소기업기본법에서 업종별 매출액과 기준을 이용하여 기업을 구분하고 있다.

규 정	중소기업 요건		
중소기업기본법	업종별 매출액	독립성 기준	–
조세특례제한법	업종별 매출액	독립성 기준	[제외요건] • 자산총액 5천억 원 이상 • 소비성서비스업

먼저 조세특례제한법에 규정된 중소기업의 판단 기준에는 회사가 영위하는 업종별 매출액과 독립성 기준, 제외요건에 해당하는지 여부 등이 있다. 이에 대한 판단은 다음의 순서도에 따라 수행할 수 있다.

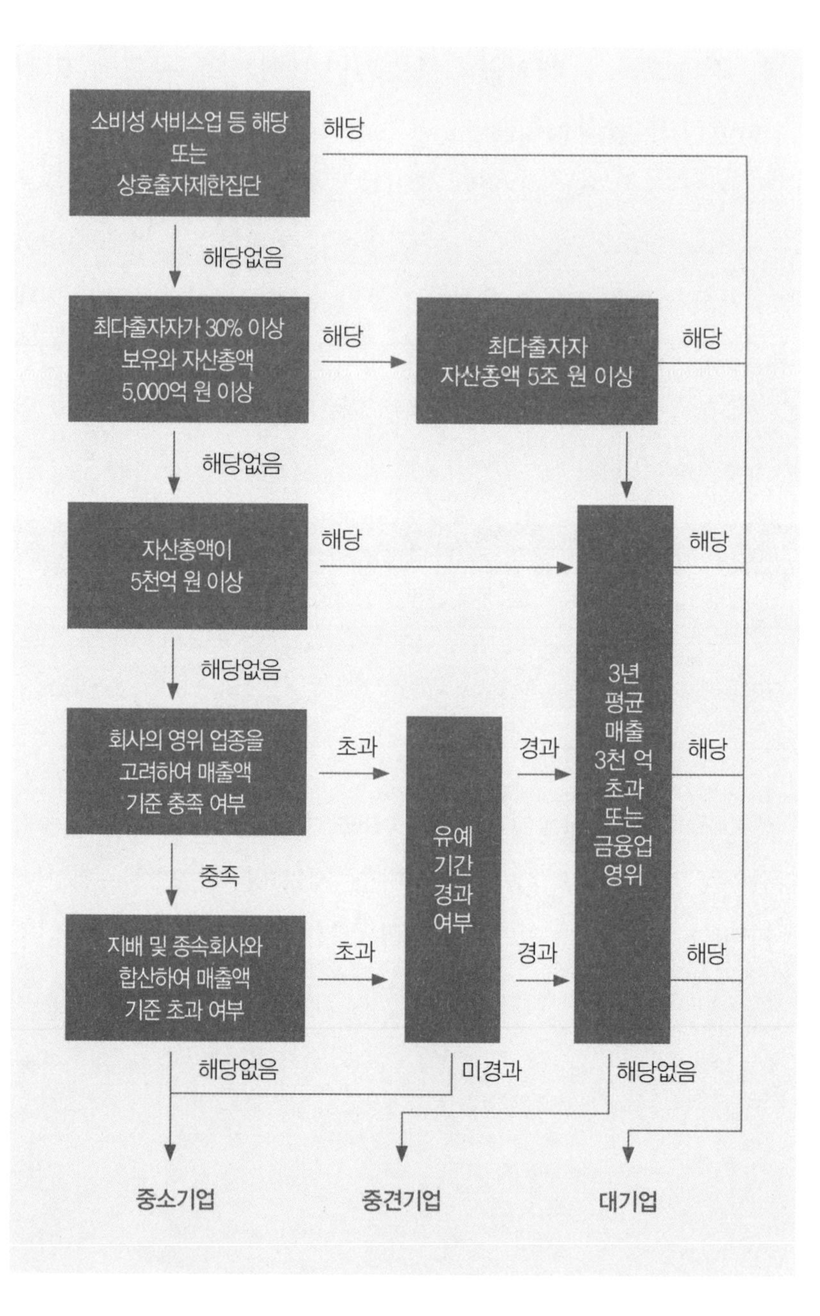

소비성 서비스업 등 해당
또는
상호출자제한집단
해당
해당없음
최다출자자가 30% 이상
보유와 자산총액
5,000억 원 이상
해당
최다출자자
자산총액 5조 원 이상
해당
해당없음
자산총액이
5천억 원 이상
해당
해당
해당없음
3년
평균
매출
3천 억
초과
또는
금융업
영위
회사의 영위 업종을
고려하여 매출액
기준 충족 여부
초과
경과
해당
충족
유예
기간
경과
여부
지배 및 종속회사와
합산하여 매출액
기준 초과 여부
초과
경과
해당
해당없음
미경과
해당없음
중소기업
중견기업
대기업

먼저 회사의 매출액이 아래 기준의 업종별 매출액 기준 이내에 들어오는지 확인하여야 한다. 만약 매출기준이 넘는다면 대기업에 해당하며 이내라면 다음 기준을 판단해야 한다. 이때 회사의 업종이 무엇인지 판단해야 하는데, 업종은 회사의 주된 매출액이 발생하는 업종을 '한국표준산업분류'에 따라 확인하여야 한다.

토막지식 중소기업 판단기준 : 업종별 매출액

해당 기업의 주된 업종	매출액 기준
의복, 의복액세서리 및 모피제품 제조업, 가죽, 가방 및 신발 제조업, 펄프, 종이 및 종이제품 제조업, 1차 금속 제조업, 전기장비 제조업, 가구 제조업	1,500억 원 이하
농업, 임업 및 어업, 광업, 식료품 제조업, 담배 제조업, 섬유제품 제조업(의복 제조업은 제외한다), 목재 및 나무제품 제조업(가구 제조업은 제외한다), 코크스, 연탄 및 석유정제품 제조업, 화학물질 및 화학제품 제조업(의약품 제조업은 제외한다), 고무제품 및 플라스틱제품 제조업, 금속가공제품 제조업(기계 및 가구 제조업은 제외한다), 전자부품, 컴퓨터, 영상, 음향 및 통신장비 제조업, 그 밖의 기계 및 장비 제조업, 자동차 및 트레일러 제조업, 그 밖의 운송장비 제조업, 전기, 가스, 증기 및 공기조절 공급업, 수도업, 건설업, 도매 및 소매업	1,000억 원 이하
음료 제조업, 인쇄 및 기록매체 복제업, 의료용 물질 및 의약품 제조업, 비금속 광물제품 제조업, 의료, 정밀, 광학기기 및 시계 제조업, 그 밖의 제품 제조업, 수도, 하수 및 폐기물 처리, 원료재생업(수도업은 제외한다), 운수 및 창고업, 정보통신업	800억 원 이하
산업용 기계 및 장비 수리업, 전문, 과학 및 기술 서비스업, 사업시설관리, 사업지원 및 임대 서비스업(임대업은 제외한다), 보건업 및 사회복지 서비스업, 예술, 스포츠 및 여가 관련 서비스업, 수리(修理) 및 기타 개인 서비스업	600억 원 이하

해당 기업의 주된 업종	매출액 기준
숙박 및 음식점업, 금융 및 보험업, 부동산업, 임대업, 교육 서비스업	400억 원 이하

독립성 기준은 회사가 단독적인 경영의사결정을 수행할 수 있는 상황인지를 파악하기 위해 기업집단에 속해있는지 여부, 대규모 법인이 최다출자자인지 등을 확인한다. 만약 기업집단이나 모회사로부터 독립하지 못한 경우 결국 모회사와 경제적 실질이 하나라고 판단할 수 있다. 기업집단 등에 속하여 경제적 실질이 중소기업이 아닌 기업을 분리하기 위하여 독립성 기준을 정하고 이 기준을 충족하지 못하면 중소기업으로 분류할 수 없게 된다.

토막지식 중소기업 판단기준 : 독립성 기준

아래에 하나라도 해당하는 기업은 독립성 기준에 따라 중소기업에서 제외한다.

- 「독점규제 및 공정거래에 관한 법률」 제14조 제1항에 상호출자제한기업집단에 속하는 회사 또는 같은 법 제14조의 3에 따라 공시대상기업집단의 소속회사로 편입·통지된 것으로 보는 회사 중 상호출자제한기업집단에 속하는 회사
- 자산총액이 5천억 원 이상인 법인(외국법인을 포함하되, 비영리법인 및 제3조의 2 제3항 각 호의 어느 하나에 해당하는 자는 제외한다)이 주식 등의 100분의 30 이상을 직접적 또는 간접적으로 소유한 경우로서 최다출자자인 기업. 이 경우 최다출자자는 해당 기업의 주식 등을 소유한 법인 또는 개인으로서 단독으로 또는 다음의 어느 하나에 해당하는 자와 합산하여 해당 기업의 주식 등을 가장 많이 소유한 자를 말하며, 주식 등의 간접소유 비율에 관하여는 「국제조세조정에 관한 법률 시행령」 제2조 제2항을 준용한다.
  1) 주식 등을 소유한 자가 법인인 경우 : 그 법인의 임원
  2) 주식 등을 소유한 자가 1)에 해당하지 아니하는 개인인 경우 : 그 개인의 친족

• 관계기업에 속하는 기업의 경우에는 매출액이 상기의 업종별 매출액 기준에 맞지 아니하는 기업

관계기업이란?

「주식회사 등의 외부감사에 관한 법률」 제4조에 따라 외부감사의 대상이 되는 기업이 제3조의2에 따라 다른 국내기업을 지배함으로써 지배 또는 종속의 관계에 있는 기업의 집단

지배 또는 종속의 관계 : 기업이 직전 사업연도 말일 현재 다른 국내기업을 다음 각 호의 어느 하나와 같이 지배하는 경우 그 기업과 그 다른 국내기업(이하 '종속기업'이라 한다)의 관계를 말한다. 다만, 「자본시장과 금융투자업에 관한 법률」 제9조 제15항에 따른 주권상장법인으로서 「주식회사 등의 외부감사에 관한 법률」 제2조 제3호 및 같은 법 시행령 제3조 제1항에 따라 연결재무제표를 작성하여야 하는 기업과 그 연결재무제표에 포함되는 국내기업은 지배기업과 종속기업의 관계로 본다.

- 지배기업이 단독으로 또는 그 지배기업과의 관계가 다음 각 목의 어느 하나에 해당하는 자와 합산하여 종속기업의 주식 등을 100분의 30 이상 소유하면서 최다출자자인 경우
  가. 단독으로 또는 친족과 합산하여 지배기업의 주식 등을 100분의 30 이상 소유하면서 최다출자자인 개인
  나. 가목에 해당하는 개인의 친족
- 지배기업이 그 지배기업과의 관계가 제1호에 해당하는 종속기업과 합산하거나 그 지배기업과의 관계가 제1호 각 목의 어느 하나에 해당하는 자와 공동으로 합산하여 종속기업의 주식 등을 100분의 30 이상 소유하면서 최다출자자인 경우
- 자회사가 단독으로 또는 다른 자회사와 합산하여 종속기업의 주식 등을 100분의 30 이상 소유하면서 최다출자자인 경우
- 지배기업과의 관계가 제1호 각 목의 어느 하나에 해당하는 자가 자회사와 합산하여 종속기업의 주식 등을 100분의 30 이상 소유하면서 최다출자자인 경우

이렇게 기업의 분류기준을 알아보았지만 회사의 외부에서는 이를 판단할 수 있는 자료를 얻기 힘들어 회사가 어떤 기업에 해당하는지 알기 어려운 경우가 많다. 이럴 때에는 감사보고서나 법인세신고서

(세무조정계산서)를 이용하여 간접적으로 어떤 회사인지 알아볼 수 있다.

영업 포인트 **절세전략 수입의 목적**

이해관계자별로 주요 관심사는 무엇일까?

- 주주의 관심사 : 주주의 이익 극대화(배당소득), 주식의 가치 성장(양도소득)
- 이사의 관심사 : 이사의 이익 극대화(급여 성장, 임기 연장, 스톡옵션)
- 직원의 관심사 : 직원의 이익 극대화(급여 성장, 진급, 스톡옵션)
- 회사의 기관마다 맡은 책임과 권한이 있고 서로의 책임에 따라 이해관계자가 달라질 수 있으므로 이를 잘 이해하여야 한다.

대가의 지급과 과세

- 중소기업은 최대주주가 대표이사인 경우가 많기 때문에 감사가 제 기능을 하지 못할 가능성이 높고 감사의 직무수행 여부에 따라 감사에게 지급하는 대가가 세무상 문제가 될 수 있다.
- 회사의 자산이 이사, 주주, 감사, 직원에게 분배되는 구조는 최대주주와 이사회의 의사결정으로 결정된다.
- 주주에게는 배당이 지급되며 이사와 감사, 직원에게는 인건비(급여, 상여, 퇴직급여)와 인건비성 대가(스톡옵션)가 지급되고 모두 과세 대상이다.
- 지급하는 자금의 종류에 따라 부담하는 세금의 종류와 세액이 달라지기 때문에 절세를 위한 전략이 필요하다.

회사의 규모에 따라 경영자의 관심사는 어떻게 달라질까?

- 중소기업 : 회사의 규모 성장, 사업의 확장
- 중견기업, 대기업 : 신규 사업의 진출, 절세
- 공통 관심사 : 사업의 승계

나 이사회가 경영의사결정을 내립니다.

① 학습목표

학습내용	효 과
이사의 선임과 역할	• 주주총회의 이사 선임 목적 이해하기
이사의 권한과 책임	• 이사의 종류별 권한과 책임 이해하기
이사회와 대표이사	• 이사의 권한 행사 방식 이해하기 • 대표이사와 이사회의 권리 구분하기

② TALK

회사와 미팅을 하고 왔어요! 같이 회의를 하신 분의 명함을 보니 대표이사시더라고요. 그래서 CEO Plan과 상속, 배당플랜을 설명드리려고 합니다.

잘하셨어요. 그런데 대표이사님이 회사의 주식을 가지고 계시지는 않으신가요?

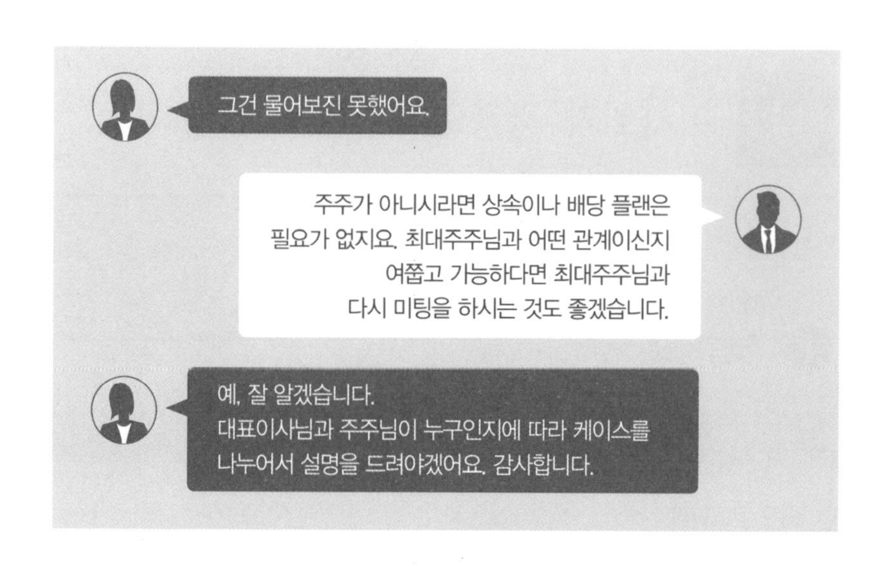

3 주요내용 : 이사는 누가 선임할까요?

주식회사는 회사가 발행한 주식을 보유하는 주주가 주인이지만 주주가 직접 회사의 경영을 하지 않을 수 있다. 회사제도가 만들어진 이유가 큰 규모의 자본이 필요한 사업을 개인이 혼자 운영하는 것이 어려웠기 때문에 여러 투자자의 투자금을 모아 사업을 하는 주체를 설립하고, 이를 투자자와 분리되는 별도의 사람으로 만든 것이기 때문이다. 이때 투자자가 투자 비율에 비례하여 주인의 권리를 갖게 되었고 이들에게 주인임을 표창하는 증권을 발행하기 시작한 것이 '주식'이다. 따라서 주식을 보유한 주주가 다수이기 때문에 효과적인 경영활동을 위해 주주를 대신하여 회사 내부에서 경영을 전담할 사람을 뽑은 것이 '이사'이다. 이렇게 회사를 소유하는 주주와 회사 내부에서 경영을 전담하는 이사가 분리되는 현상을 '소유 · 경영 분리원칙'이라고 한다.

이렇게 설립된 회사를 제도화하기 위해 우리나라는 민법에서 '법인'을, 상법에서 '회사제도'를 규정하고 있다. 민법에 따라 법인을 설립할 때 상법에 따른 회사제도 중 하나를 선택하면 되는 것이다. 이때 회사제도 중 가장 일반적으로 이용되는 것이 주식회사이다. 상법에서는 주식회사의 주요 이해관계자인 '주주'와 '이사', '대표이사'의 권한과 책임에 대해 정하고 있다. 기본적으로 상법에 기술된 이러한 내용을 숙지하여야 정관과 이사, 주주의 이해관계를 고려하여 매끄러운 경영이 가능하다.

<table>
<tr><th>항 목</th><th>주요 권리</th><th>주요 의무</th></tr>
<tr><td>주주(총회)</td><td>• 이사 선임권
• 이익 배당권</td><td>• 제2차 납세의무</td></tr>
<tr><td>이사(회)</td><td>• 경영의 주요 의사결정
• 증자와 감자의 결정</td><td rowspan="2">• 경영성과의 보고
• 신의성실한 경영</td></tr>
<tr><td>대표이사</td><td>• 회사의 대표권</td></tr>
</table>

이사는 주주가 선임한다. 주주는 주주총회를 개최하여 이사 선임의 안건에 대해 보통결의 방식으로 정하도록 하고 있다. 주주총회는 주주들이 모여 주주의 권리를 행사하는 기관을 의미하는데 이곳에서 주주는 자신이 가진 주식 수에 비례하여 의사결정에 참여한다. 만약에 주주의 의사결정에 항상 다수결의 원칙을 이용한다면 최대주주의 의사결정을 소액주주는 막을 방법이 없다. 따라서 이를 보완하기 위해 상법에서는 의사결정의 방식을 보통결의와 특별결의로 나누고 여기에 더해 집중투표제와 같은 제도를 두고 있다.

[읽어보기] 주주총회의 이사 선임

'3분의 2 룰'에 발목 잡힌 A회장 찬성 64%에도 이사직 박탈

매일경제 2019.03.27

(중략) A회장은 이날 주총에 상정된 사내이사 선임 의안 표결에서 찬성 64.09%, 반대 35.91%로 사내이사 자격을 상실했다. 과반을 훌쩍 넘는 지지를 받고도 이 의안이 부결된 것은 B사가 정관에서 이사 선임과 해임을 특별결의사항으로 분류하고 있기 때문이다. 특별결의사항은 '주총 참석 주주의 3분의 2 이상 동의를 받아야 한다'는 규정이 적용된다. 대다수 상장 기업은 같은 사안을 일반결의사항으로 분류해 주총 참석 주주 과반의 동의만 얻으면 의안을 통과시킬 수 있게 하고 있다. (중략)

(반면에) C사는 이사 선임안은 일반결의사항으로, 정관 변경은 특별결의사항으로 정하고 있다. 따라서 '이사 자격 강화' 안건은 출석 주주 3분의 1 이상이 반대하면 부결되기 때문에 A회장 측에 유리하다는 분석이 나온다. A회장 등 특수관계인은 C사의 지분 28.93%를 갖고 있다. (후략)

주주총회에서 선임된 이사는 최대 3년의 임기를 가지며, 임기가 지나서 결산기에 관한 정기주주총회가 예정된 경우 해당 정기주주총회가 종결될 때까지 임기를 연장할 것을 정관에 정할 수 있다. 그리고 주주는 주주총회의 결의로 이사를 해임할 수 있는데 이때는 특별결의의 방식으로 하여야 한다. 또한 이사를 임기 내에 해임하기 위해서는 정당한 사유가 있어야 하는데 이사의 불법행위나 회사에 간접적인 손해를 끼치는 행위로 인해 회사는 이사를 해임할 수 있다. 해임된 이사는 이에 불복하여 소송을 제기할 수 있는데 이러한 경우를 종종 언론에서 확인할 수 있다.

4 주요내용 : 이사의 종류와 명칭

회사의 대표자는 누구를 일컫는 말일까? 대표자와 유사한 명칭으로 상법에는 '대표이사'가 있다. 그런데 대표이사 외에도 회사에서 일반적으로 상무이사, 전무이사 등의 명칭을 사용하는 경우가 있다. 이들의 명칭은 단지 회사 내부에서 이사의 직무를 구분하기 위하여 사용할 뿐 상법에 규정된 구분방식이 아니다. 이러한 명칭을 사용한다고 해서 상법에 정의된 이사의 권리의무가 달라지지는 않는다. 또한 이러한 명칭을 사용함으로써 외부인에게 회사를 대표하게끔 믿게 한다면 그 회사와 당사자는 대표이사로 오인한 상대방에게 그에 해당하는 책임을 져야 한다. 따라서 영업 과정에서 만나는 다양한 명칭의 회사 담당자가 회사 내부에서 어떠한 권리와 책임을 가지고 업무를 수행하는지 많은 대화를 통해 파악하는 것이 필요하다.

토막지식 이사의 분류

구 분		내 용
상임(상근)	비상임(비상근)	출근하여 회사 일을 하는지의 여부
등기	비등기	이사회에 참여할 수 있는 권한 여부
사내이사	사외이사	회사의 상무에 종사하는 이사인지 여부

등기된 이사라면 상근이든 비상근이든, 사외이사이든 모두 상법상의 이사로 이들의 권한과 의무 및 책임은 동일하다. 그리고 상장회사에서는 이사 총수의 1/4 이상을 사외이사로 선임하여야 하며 자산총

액이 2조 원 이상인 대규모 상장회사는 사외이사를 3인 이상, 이사총수의 과반수가 되도록 선임하여야 한다. 반면에 자본금총액이 10억 원 미만인 소규모회사는 이사의 수가 3인 이내여도 무방하므로 이때에는 이사회가 구성되지 못하고 이사회의 결의사항은 모두 주주총회로 이관된다. 비상장회사의 경우에는 사외이사의 선임의무는 없지만 정관에 정한 바에 따라 감사에 갈음하여 감사위원회를 설치한 경우에 감사위원의 2/3 이상을 사외이사로 선임하여야 한다.

5 주요내용 : 이사회의 구성과 권한, 결의방법

이사회는 회사의 업무집행에 관한 의사결정을 위해 이사 전원으로 구성되는 주식회사의 기관이다. 이사회는 각 이사가 소집할 수 있고, 소집절차로서 1주일 전에 이사와 감사에 대해서 통지를 발송해야 하는데 정관에 기재하여 이를 단축할 수 있다. 또한 이사나 감사의 전원 동의로 소집통지 없이 이사회를 개최할 수 있다.

토막지식 이사회의 주요 권한

종 류	항 목
업무집행 결정권	상법에 정해진 주주총회의 필수권한과 회사별로 정관에 기재함으로써 넓어진 주주총회의 권한을 제외한 나머지 경영의사결정은 모두 이사회에 있다.
이사 감독	이사회는 대표이사를 포함한 모든 이사의 행위를 감독한다.
신주의 발행	정관에 기재된 발행예정주식총수에서 현재까지 발행된 주식의 수를 뺀 나머지는 이사회의 결의로 추가로 발행이 가능하다.

종 류	항 목
중간배당	정관에 정한 경우에 한해 중간배당이 가능하며 이사회의 결의로 결정 가능하다. 정관에 중간배당의 시기를 정해야 하며 직전 결산기의 배당가능이익을 한도로 주식배당의 형태는 불가하다.
기타	중요재산의 처분, 대규모 차입 등

상기 이사회의 권한 중 대표이사의 선임, 신주발행, 전환사채의 발행, 신주인수권부사채의 발행의 경우 정관에 정함이 있다면 주주총회의 권한으로 전환할 수 있다.

항 목	성립정족수	의결정족수
이사회의 결의	이사 과반수의 출석	출석이사의 과반수 동의

이사회는 이사회 구성 이사의 과반수 출석과 출석한 이사의 과반수 동의로서 안건을 결의한다. 이때 이사회의 안건과 이사별 안건의 찬성 여부 등을 이사회의사록에 기록하며 향후 회사의 중요한 의사결정의 근거로 사용하게 된다.

토막지식 이사의 보수

회사와 이사의 관계는 위임관계로 별도로 정한 바가 없다면 무보수가 원칙이다. 일반적으로는 이사에게 급여와 상여를 지급하는데 정관에 별도로 정한 바가 없다면 주주총회에서 이사의 보수를 정한다. 하지만 실무적으로는 정관이나 주주총회에서 이사의 보수 총액을 결정하고 실제 지급액의 결정은 이사회가 결정하는 방식이 쓰인다.
이때 이사의 보수의 종류에 따라 법인세법의 손금인정여부와 소득세법의 세율이 달라지는데 이는 세무파트에서 자세히 배워보도록 하자.

[읽어보기] 이사회와 주주의 대립, 드라마에서나 나올법한 이야기

A사 유상증자, 새 대주주 '힘빼기' 카드… 이사회 결의 통해 신주 560만 주 발행…우진측 '노조와 대화할 것'

김경태 기자공개 2018-05-30 07:59:19

A사 노동조합이 유상증자를 통해 지분을 확보하는 방안을 추진한다. 유증이 이루어지면 A사 경영권을 인수하려는 B사의 계획에도 어려움이 예상된다. (중략) 25일 건설업계에 따르면 A사는 이날 이사회를 열고 유상증자에 관한 안건을 결의했다. 내용은 신주 560만 주를 발행하는 것이다. 우리사주에 20%, 일반공모에 80%를 배정할 예정이다. (중략) 이번 유증 결의는 경영권 분쟁의 연장선상에 있다. 앞서 A사를 인수한 C사측은 올해 들이 노조와 극심한 갈등을 겪었다. (중략) 현재 이사회 구성원 대부분이 노조와 협력하고 있어 이번 유증 결의가 통과될 수 있었다. (중략) 유증이 이루어지면 지분율이 하락하는 만큼 B사의 경영권 확보에 차질이 빚어질 수 있다. 현재 C사가 보유한 A사 주식은 288만 주(15.36%)이다. D사로는 144만 주(7.68%)를 갖고 있다. 총 432만 주로 새로 발행되는 560만 주보다 규모가 작다. 유증이 단행되면 지분율이 23.03%에서 17.74% 정도로 떨어지게 된다. (중략) B사측 사정에 밝은 관계자는 "A사의 재무를 보면 유증을 하지 않아도 되는데, 굳이 증자를 해야 할 필요성이 무엇인지 의문"이라며 "유증이 되면 대주주뿐 아니라 일반 소액주주들에게도 피해가 갈 수 있다"고 말했다. (후략)

6 주요내용 : 대표이사의 권한과 책임

이사 중 대표이사는 대표이사의 행위가 직접 회사에 귀속되는 중요한 회사의 기관에 해당한다. 회사의 경영의사결정은 이사회가 수행하고 결정된 사항에 대한 집행이나 회사의 대표행위는 대표자가 하는 것이다. 대표이사는 이사회에서 선임하는데 정관에 정한 바에 따라 주주총회에서 정할 수 있다.

종 류	항 목
대표이사의 업무집행권	주주총회나 이사회에서 결정된 사항에 대한 집행 (중요한 업무집행사항의 의사결정은 이사회가 수행)

대표자는 1인 이상을 선임할 수 있다. 이때 대표자가 2인 이상이라면 원칙적으로 각자가 단독대표로서 회사를 대표하지만 대표이사를 정하는 기관에서 2명 이상의 대표이사를 '공동대표'이사로 정한다면 이들은 단독대표로서의 권한을 행사할 수 없다. 즉, 공동대표이사들은 공동으로만 회사를 대표할 수 있게 된다.

토막지식 **표현대표이사에 대한 회사의 책임**

표현대표이사에 대한 회사의 책임이란 회사와 거래하는 제3자를 보호하기 위해 '사장, 부사장, 전무, 상무, 기타 회사를 대표할 권한이 있는 것으로 인정할 명칭'을 사용한 이사의 행위로 인한 결과에 회사가 책임을 지는 제도이다. 주주총회에 따라 선임되지 않은 이사나 이사의 명칭을 사용하지 않은 자에게도 표현대표이사의 책임을 유추적용한다는 판례가 있다. 또한 이 규정의 적용으로 회사의 책임이 인정되기 위해서는 회사가 이러한 표현을 사용하게 명시적 혹은 묵시적으로 허락해야 한다.

7 주요내용 : 감사나 감사위원회

주식회사는 주주총회에서 이사나 이사회, 대표이사의 행위를 감시할 감사를 선임하여야 한다. 하지만 소규모회사의 경우 감사를 선임하지 않거나 감사위원회를 설치하지 않을 수 있는데 감사위원회는 정관에 정한 바에 따라 감사에 갈음하여 설치할 수 있는 기관에 해당한다.

상장회사가 자산총액이 1,000억 원 이상인 경우에 감사위원회를 설치하지 않는다면 상근감사를 선임하도록 하고, 자산총액이 2조 원 이상인 경우에는 감사위원회의 설치가 강제사항이다.

감사의 임기는 취임 후 3년 내의 최종의 결산기에 관한 정기총회의 종결시까지이다. 따라서 감사의 임기는 취임시기에 따라 3년에 미달하거나 초과할 수도 있다.

종 류	항 목
감사의 업무감사권	이사의 직무감사로서 업무감사와 회계감사의 권한
감사의 이사회소집청구	필요시 이사에게 이사회의 소집을 청구하거나 청구에 불구하고 이사가 소집하지 않으면 직접 소집할 수 있다.

다 주주는 어떤 일을 할까요?

1 학습목표

학습내용	효 과
주주와 주주총회	• 주주의 역할과 권한행사의 방식 이해하기 • 주주총회의 권한행사의 방식 이해하기
주주의 권한과 책임	• 주주의 기본적인 권한과 책임 이해하기 • 지분율에 따른 명칭의 변화와 특별한 권한과 책임 이해하기

2 TALK

선생님, 궁금한 점이 있어요. 주주는 주식회사의 주인이라고 하는데 회사가 주주의 자택을 임대해 주어서 뉴스가 난 것을 보았어요. 뭐가 문제인 것이죠?

그 기사 저도 봤습니다. 기본적으로 주주는 회사로부터 배당 외에 다른 보상을 받을 수 없지요. 특정한 주주만을 위한 보상은 다른 주주들에게 피해를 주고, 모두 동등하게 주더라도 정당한 절차를 거치지 않는다면 채권자들에게 피해를 줄 수 있거든요.

음, 다른 주주들에게 피해가 갈 수 있다는 것은 이해가 되는데 채권자는 왜 고려해야 하는 거죠? 회사가 주주보다 채권자를 보호해야 하는 건가요?

네, 그렇지요. 회사는 주주만의 것이라고 생각하면 안됩니다. 채권자도 주주와 같이 회사에 투자한 입장입니다. 주주는 회사의 경영자를 뽑을 수 있는 권리가 있기 때문에 상대적으로 채권자는 소외될 수 있기 때문에 상법에서는 여러 가지 채권자의 보호장치를 두고 있지요.

그렇군요. 결국 주주와 경영자를 대상으로 영업을 하더라도 채권자에게 피해가 가면 안되겠네요.

네. 훌륭합니다. 이번 단원에서 같이 주주에 대해 배워봅시다.

3 주요내용 : 주주는 주주총회에 모여 의사결정을 합니다.

주주총회는 매년 1회 결산기에 정기총회의 명목으로 소집되며, 그 밖의 이유로 임시총회가 소집되기도 한다. 결국 사업연도에 한 번은 개최되어야 한다. 주주총회는 본점소재지나 이에 인접한 정소에서 열려야 하지만 정관에 다르게 정한 바가 있다면 그곳에서 개최될 수 있다.

토막지식 주주총회의 통지

주주총회는 총회가 있기 2주 전에 서면으로 통지하거나 주주의 동의를 받아 전자문서로 통지하여야 한다. 이때 규모가 작은 회사의 경우 통지기한이나 통지여부가 달라질 수 있다.

구 분	통지 방법
소규모회사	10일 전에 통지 가능하고 주주 전원의 동의로 소집절차 없이 개최도 가능하며 서면결의도 가능
1인 회사	주주총회가 개최되지 않아도 의사록 작성으로써 주주총회 결의 인정 가능

주주총회는 이사회가 소집한다. 이는 대표이사가 할 수 없는 것으로 정관으로 다르게 정할 수 없다. 또한 3% 이상(상장회사는 1.5%)의 지분을 가진 주주들이 모여 소수주주권으로서 이사회에 임시총회의 소집을 청구하거나 감사 또는 감사위원회도 이사회에 임시총회의 소집을 청구할 수 있다. 마지막으로 법원이 대표이사에게 주주총회의 소집을 명령하는 경우가 있다. 주주총회에서는 주주가 모여 지분율에 비례해서 결의를 수행하는데 이때 총회 사체가 구성되기 위한 최소한의 지분율인 '성립정족수'를 충족해야 하고, 총회 내에서 개별 의안에 대해 결의가 성립되기 위해 필요한 지분율인 '의결정족수'를 충족해야 해당 안건에 대한 가부를 결정할 수 있다. 이 두 가지 요건을 모두 충족하여야 결의의 효력이 발생한다.

분 류	성립정족수	의결정족수
보통결의	출석한 주주 의결권의 과반수	발행주식총수의 1/4 이상
특별결의	출석한 주주 의결권의 2/3 이상	발행주식총수 1/3 이상

의안별로 찬성과 반대가 같은 숫자가 나온 경우 결의는 부결된다. 이를 '가부동수'라고 하는데 정관에서 가부동수의 경우에 의장의 결정권 등을 기재해도 인정되지 않는다.

토막지식 **특별결의가 필요한 의안의 종류**

아래 항목에 대해서는 특별결의의 방법으로 주주총회 결의를 수행하여야 한다.

정관 변경, 회사의 구조 변경, 이사감사의 해임, 자본금의 감소(결손금 보전의 감자는 보통결의), 회사의 해산, 주식의 할인 발행

[서식 작성하기]

임시주주총회의사록

201x. x1. x1. 오전 8시 00분 본 회사 본점 회의실에서 임시주주 총회를 개최하다.

주 식 총 수 :	주	주 주 총 수 :	명
출석 주식수 :	주	출석 주주수 :	명

의장 A는 정관규정에 따라 의장석에 등단하여 위와 같이 법정수에 달하는 주주가 출석하였으므로 본 총회가 적법히 성립되었음을 알리고 개회를 선언한 후 다음의 의안을 부의하고 심의를 구하다.

제1호 의안 : 임원퇴직금 지급규정 승인의 건

의장은 당사의 정관 제37조와 제39조의 6에 의거하여 임원퇴직금 지급규정 승인의 건을 정관에 다음과 같이 추가하기로 승인 가결하다.

제37조의1(적용대상) 이 규정은 만 1년 이상 근속한 상근임원이 퇴직하는 경우에 적용한다.
제37조의2(퇴직시기) 임원의 퇴직시기는 임원이 현실적으로 퇴직한 때로 한다.
제37조의3(퇴직금 지급기준) 임원에 대한 퇴직금 지급기준은 '별표1'과 같다.
제37조의4(근속연수의 계산) 근속연수는 취임한 날로부터 사임한 날까지로 하며, 근속연수에 년 미만의 단수가 있을 경우에는 월할계산하고, 1개월 미만의 단수가 있을 경우에는 1개월로 계산한다.
제37조의5(관계 회사 전출) 임원이 관계회사로 전출하는 경우에는 이를 사간전보로 간주하고, 근속연수를 통산하여 최종 퇴직시의 소속회사에서 일괄 지급한다.
전 항에 의하여 계산된 퇴직금은 각 근무회사의 근속기간을 기준하여 그 비율에 따라 분할하여 각 근무회사에서 분담한다.
제37조의6(특별 위로금) 재임기간중 회사에 현저한 공로가 있는 경우에는 제37조의2에 규정한 퇴직금 이외의 주주총회의 결의로서 별도의 특별위로금을 지급할 수 있다.
제37조의7(퇴직금 산정기준) 임원의 퇴직금 산정은 퇴직시 최종 3개월간 평균급여에 근속연수를 곱하고 그 금액에 별표1에 명시된 최종 퇴직시의 직위에 해당하는 지급률을 곱한 금액으로 한다. 여기서 퇴직시 최종 3개월간 평균급여라 함은(ⅰ)퇴직일로부터 소급하여 최종 3개월간의 월정급여 월 평균액에 (ⅱ)연간 지급하거나 지급하기로 한 상여금 총액을 12개월로 나눈 금액을 합한 금액을 말한다.
제37조의8(지급시기) 퇴직금은 청구한 날부터 1개월 이내에 현금 또는 '기불입보험료'로 지급한다. 다만, 특별한 사유가 있을 경우에는 기일을 연장할 수 있으나 퇴직일로부터 6개월을 초과할 수 없다. 여기서 '기불입보험료'라 함은 회사의 투자목적 또는 임직원의 복리후생목적으로 퇴직하는 당해 임직원을 피보험자로 하여 회사가 금융회사와 계약을 체결하고 퇴직시까지 불입한 합계액을 말한다.
퇴직하는 임직원이 자신을 피보험자로 하고 법인을 계약자이자 수익자로 금융회사와 회사가 계약한 계약상의 권리를 퇴직금의 일부로서 지급받기를 원하는 경우 그 의사를 존중한다.
제37조의9(지급 보류) 임원이 고의 또는 중대한 과실로 회사 재산상의 손실을 끼쳤거나 끼칠 우려가 있는 경우에는 퇴직금의 전부 또는 일부의 지급을 공제 또는 보류할 수 있다. 전 항의 지급보류는 회사 재산상의 손실을 끼칠 우려가 해소되거나 손실 보전이 완료되는 즉시 해체하여야 한다.
제37조의10(직급) 이 규정에 의한 퇴직금은 본인에게 지급함을 원칙으로 한다. 다만, 본

인에게 직접 지급할 수 없는 경우에는 법적 상속인에게 지급한다.

제37조의11(관계회사의 정의) 이 규정에서 관계회사라 함은 '기업회계기초'에 따른 회사와 특수관계에 있는 회사를 말한다.

제37조의12(경과 규정) 이 규정 시행 전에 관계회사 전출로 퇴직금을 지급받은 임원에 대하여는 이미 지급받은 퇴직금과 퇴직금 실수령에 대한 일정률의 이자율을 계산한 금액을 공제하여 지급한다.

부 칙

시행일 이 규정은 2020년 월 일부터 시행한다.

(별표1)

임원퇴직금 지급기준

직 위	지 급 률
대표이사	5
이 사	5
감 사	5

의장은 이상으로서 회의목적인 의안 전부의 심의를 종료하였으므로 폐회한다고 선언하다. (회의종료시간 오전 9시 00분).

위 의사의 경과요령과 결과를 명확히 하기 위하여 이 의사록을 작성하고 의장과 출석한 이사는 기명날인 또는 서명하다.

201X. . .

(주)

의장 겸 대표이사 (법인)

4 주요내용 : 주주총회가 행사하는 권한의 종류

주주총회는 주주가 권리를 행사하는 주식회사의 기관으로 다음에 열거된 항목에 대한 의사결정을 수행한다.

분 류	항 목
경제적이익	이익배당권(정관으로 재무제표 이사회승인시 이사회결정) 중간배당 청구, 신주인수권, 잔여재산분배, 주식매수청구
경영참여	이사의 선임, 감사의 선임, 이사 및 감사의 보수 한도 결정, 정관 변경 영업 양도, 합병, 분할 등과 같은 구조 변경, 상환주식의 상환
소수주주권	주주제안권, 집중투표청구, 임시총회소집청구, 이사해임청구, 감사해임청구 (소수주주권은 일정 규모 이상의 지분율이 모였을 때 행사 가능)

기본적으로 주식회사는 돈을 벌기 위해 모인 경제단체이고 회사가 사업을 통해 남긴 이익을 주주에게 돌려주기 위해 존재하지만 회사의 경제적인 자원이 배당을 통해 수시로 빠져나간다면 채권자와 같은 회사의 다른 이해관계자의 지위는 불안정해질 수 밖에 없다. 따라서 상법에서는 배당가능이익에 대한 규정과 이익준비금제도를 운영하고 있다.

배당은 배당가능이익이 있어야 가능하다. 배당가능이익은 다음 식에 따라 계산할 수 있다.

토막지식 배당가능이익

배당가능이익 = 순자산액 - 자본금 - 적립된 법정준비금(자본준비금+이익준비금)
- 적립할 이익준비금 - 소정의 미실현이익(자산과 부채의 평가증)

5 주요내용 : 배당의 종류와 받는 방법은 어떻게 되나요?

배당은 주주의 당연한 권리이기 때문에 언제나 받을 수 있을 것으로 생각할 수 있지만 먼저 회사의 누적된 이익이 남아있어야 하고 배당을 줄 수 있는 현금이나 기타의 자산이 있어야 배당이 가능하다. 또한 배당 직전까지의 재무제표도 작성해야 하기 때문에 보통 기말의 재무제표가 확정된 후에 배당여부를 결의하게 된다. 그래서 결산기의 주주총회에서 보통 배당을 결의하게 된다. 하지만 꼭 결산기가 아니라도 기중에 배당을 할 수 있는데 이를 중간배당이라고 한다. 중간배당은 기중에 주주에게 하는 배당을 말하는데 정관에 그 내용을 정해두어야 할 수 있다. 주주가 언제나 배당을 할 수 있다면 결국 회사에 자금을 투자한 채권자들에게 피해를 줄 수 있기 때문이다.

배당을 받기 위해서는 주주총회의 보통결의를 해야 한다. 원칙적으로 주주는 모두 지분율에 비례하여 배당을 받아야 하지만 특정 주주에게만 배당을 하거나 더 많은 배당을 하는 것을 초과배당이라고 한다. 초과배당은 더 많은 배당을 받은 주주에 비해 그렇지 않은 주주가 손해를 보게 된다. 따라서 초과배당을 하기 위해서는 자신의 권리를 포기하겠다는 주주의 의사가 있어야 한다. 또한 세법에서는 초과배당으로 손해보는 주주로부터 더 많은 배당을 받은 주주로 부가 이동되었다고 보고 초과배당을 받은 주주에게 증여세를 과세할 수 있다. 따라서 과세되는 금액을 고려하여 초과배당을 결정하여야 한다.

이익의 배당은 주주의 기본적인 권리이고 이러한 배당의 종류는 다음과 같이 분류될 수 있다.

종 류	내 용
기말배당	결산기 재무제표의 승인과 함께 이루어지는 배당
주식배당	주식을 새롭게 발행하여 지급하는 배당으로 이익배당총액의 1/2을 한도로 가능하며 이익준비금을 적립하지 않음
중간배당	정관에 정한 경우에 한해 이사회결의로 결정
현물배당	상기의 배당을 현금이 아닌 현물로 지급하는 배당

초과배당은 배당을 수령한 주주에게 배당에 대한 종합소득세가 과세된다. 또한 추가로 받은 배당에 대해 다른 주주로부터 증여를 받은 것으로 보아 증여세도 과세가 될 수 있다. 이는 하나의 배당소득에 대해 이중으로 과세되는 결과를 낳게 된다. 세법에서는 이러한 이중과세를 방지하기 위해 지분율에 비례한 금액을 초과하여 수령한 금액에 대해 종합소득세의 금액과 증여세의 금액을 비교하여 하나만 과세하도록 하고 있다. 따라서 초과배당을 받는 주주의 소득규모와 초과배당의 규모 등을 고려하여 초과배당을 수행하여야 한다. 자세한 초과배당의 설계는 이후에 자세히 배우도록 하자.

6 주요내용 : 과점주주 · 최대주주 · 지분율에 따라 주주의 이름이 달라집니다.

세법에는 주주의 지분율에 따라 주주의 명칭을 다르게 정의하고 있다. 지분율이 높은 주주는 회사에 대한 지배력이 높다는 사실을 이용하여 회사와의 불공정한 거래를 할 가능성이 높다. 이러한 부당거래 행위를 제재하고 회사의 채권자 권리를 보장하기 위하여 과점주주 간주취득세, 과점주의 제2차 납세의무 등 여러 규정이 있다. 각 세법에 규정된 주주의 명칭과 주요 내용을 확인하고 자세한 사항은 이후에 자세히 살펴보도록 하자.

종 류	세 목	내 용
과점주주	국세기본법	간주취득세, 제2차 납세의무
최대주주	상증세법, 법인세법, 소득세법	주식가치 할증
지배주주	상증세법, 법인세법	증여의제
대주주	상증세법, 소득세법	주식의 양도소득세 세율
소액주주	상증세법, 소득세법	부당행위계산부인(특수관계인 제외)

회사가 망하면 주주는 어떤 책임을 질까? 보통 회사는 채권자에게 약정한 이자나 원금을 지급하지 못할 때 파산의 절차로써 망하게 되는데 이때 회사가 가진 자산을 모두 팔아 현금화하고 채권자의 부채를 갚는다. 이를 청산이라고 한다. 만약 부채를 모두 갚고도 남는 현금이 있다면 주주에게 지분율에 비례하여 나누어주는데 보통은 채권자의 빚을 모두 갚지 못하고 끝나는 경우가 많다. 결국 회사가 망하면 주주는 투자금을 회수하지 못하고 끝나게 된다. 이에 대해 주주는 투자한 금액을 한도로 책임을 진다는 '주주의 유한책임'이라는 용어를 사용한다. 그런데 세법에서는 특정한 주주에게 회사가 갚지 못한 세금을 대신 납부하도록 하거나 회사가 취득한 자산에 대해 주주가 취득세를 내도록 하는 규정을 두고 있다.

토막지식 세법에 규정된 주주의 가중책임

1. **과점주주의 제2차 납세의무(국세기본법 제39조)**
   법인의 재산으로 그 법인에 부과되거나 그 법인이 납부할 국세 및 체납처분비에 충당하여도 부족한 경우에는 그 국세의 납세의무 성립일 현재 과점주주(지분율 50% 초과 주주)는 그 부족한 금액에 대하여 제2차 납세의무를 진다.
2. **과점주주의 간주취득세(지방세법 제7조)**
   법인의 주식 또는 지분을 취득함으로써 과점주주가 되었을 때에는 그 과점주주가 해당 법인의 부동산 등을 취득한 것으로 보아 취득세를 과세한다.

정리하기

- 주주는 사업을 수행하기 위해 자금을 투자하여 회사를 설립하고 사업의 성과인 이익을 배분받는다.
- 주주는 투자금액에 비례하여 주식을 받아 보유한다.
- 배당을 하기 위해서는 누적된 이익과 배당을 줄 수 있는 현금이 필요하다.
- 배당은 결산기의 주주총회에서 보통결의로 정한다.
- 정관에 정한 바가 있다면 기중에라도 중간배당이 가능하다.
- 초과배당은 특정 주주가 자신의 권리를 포기하여야 한다.
- 초과배당은 증여세가 과세될 수 있다.

라 정관은 회사의 설립문서입니다.

1 학습목표

학습내용	효 과
정관의 목적과 주요 내용	• 정관의 작성 목적은 무엇일까? • 정관에 포함되어야 할 주요 내용 이해하기
정관과 회사의 관계	• 정관에 기록할 수 있는 내용과 회사에 미치는 영향 이해하기
정관의 변경	• 최초로 작성된 원시정관과 정관의 변경 방법 이해하기

2 TALK

선생님, 이번에 고객사에 보험상품을 소개하면서 퇴직금에 대한 얘기가 나왔어요. 그래서 퇴직금 설계 준비를 해야 하는데 혹시 어떻게 시작해야 할까요?

그랬군요. 축하드립니다. 보험상품에 가입하는 회사의 니즈는 다양하겠지만 퇴직금의 설계를 계획한다면 회사는 보험상품으로 절세를 생각하실 거에요. 퇴직금의 절세를 위해서는 정관의 내용을 살펴보고 필요하다면 개정을 생각해 보아야 합니다.

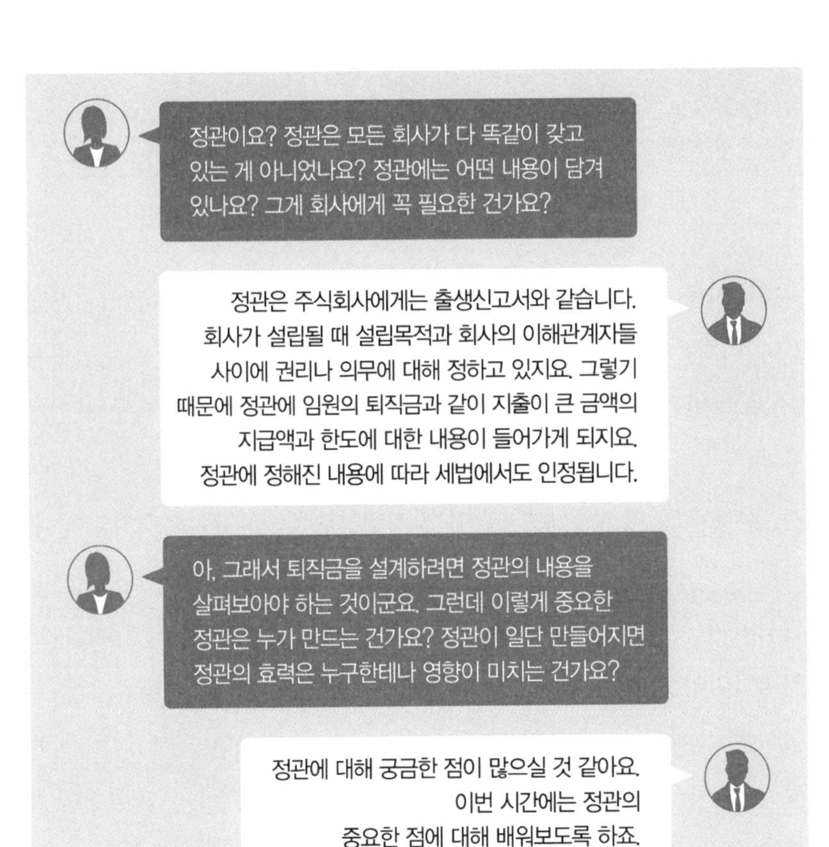

3 주요내용 : 주식회사 설립의 절차

주식회사가 설립되는 과정에서 빠질 수 없는 것이 정관의 작성이다. 주식회사의 설립절차는 크게 발기설립과정과 모집설립과정으로 나눌 수 있는데 이 둘은 회사가 설립될 때 주주에 차이가 있다.

종 류	최초 주주구성
발기설립	발기인만으로 주주 구성
모집설립	발기인과 청약을 통해 투자한 주주로 구성

발기인은 주식회사를 설립할 때 설립에 대한 업무를 담당하는 사람을 의미하는데 사업을 하기 위한 주식회사를 설립한다면 그 사업자들이 보통 발기인을 맡게 된다. 그렇기 때문에 발기인들이 직접 사업에 투자하는 것이고 이들이 새롭게 설립된 주식회사의 주주가 되는 경우가 많다. 그런데 초기 투자금이 발기인들만의 돈으로 부족하다면 투자자를 더 모을 필요가 있기 때문에 발기인뿐만 아니라 해당 사업에 관심이 있는 새로운 주주를 모집해서 회사를 설립하게 되고 이를 모집설립이라고 한다. 결국 발기설립과 모집설립은 회사 설립시 주주 구성에 차이가 있는데 회사의 사정에 맞게 선택하면 된다. 일반적인 설립 절차는 새로운 주주로부터 청약과 주금납입을 받는 절차가 추가되기 때문에 모집설립이 더 복잡한 편이다.

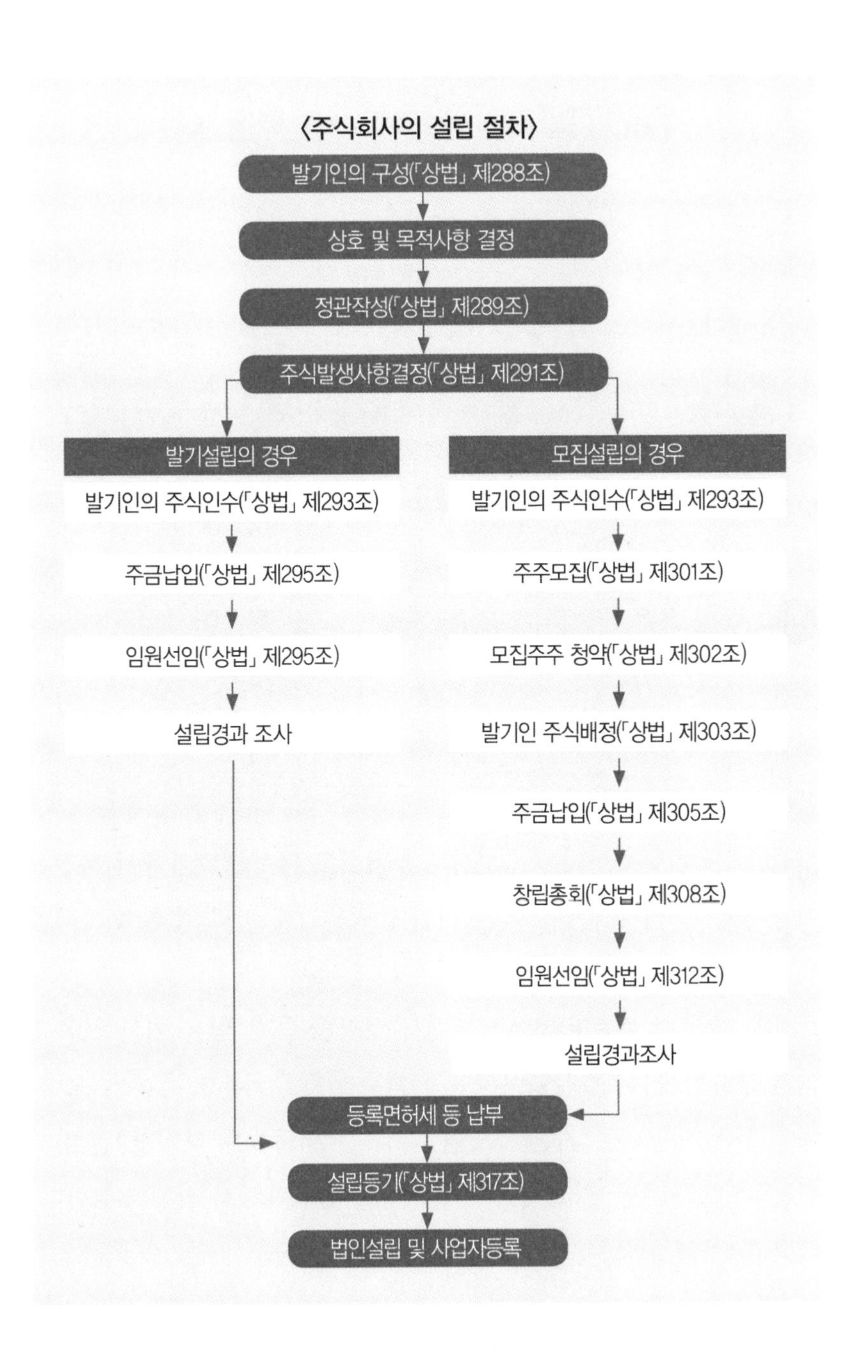
〈주식회사의 설립 절차〉
발기인의 구성(「상법」 제288조)
상호 및 목적사항 결정
정관작성(「상법」 제289조)
주식발생사항결정(「상법」 제291조)
발기설립의 경우
발기인의 주식인수(「상법」 제293조)
주금납입(「상법」 제295조)
임원선임(「상법」 제295조)
설립경과 조사
모집설립의 경우
발기인의 주식인수(「상법」 제293조)
주주모집(「상법」 제301조)
모집주주 청약(「상법」 제302조)
발기인 주식배정(「상법」 제303조)
주금납입(「상법」 제305조)
창립총회(「상법」 제308조)
임원선임(「상법」 제312조)
설립경과조사
등록면허세 등 납부
설립등기(「상법」 제317조)
법인설립 및 사업자등록

토막지식 **회사가 수행하는 법인등기의 종류**

주식회사는 일반적으로 아래의 사항에 대해 공시할 목적으로 등기를 수행한다.

분 류	항 목
창설적 효력 발생	회사의 설립, 합병, 분할
일반 등기사항	이사의 선임, 신주의 발행, 주식의 포괄적 교환

일반적인 등기사항은 등기를 하지 않아도 내부적인 효력은 발생하지만 등기를 해야 제3자에게 대항할 수 있는 항목들을 말하며 창설적효력이 발생하는 항목들은 등기를 하지 않으면 효력 발생하지 않는 항목들로 효력의 발생과 제3자 대항능력을 고려하여 등기여부를 판단하도록 하자.

4 주요내용 : 정관에 미리 담아야 할 중요한 내용

주식회사는 설립시에 정관을 필수적으로 작성하여야 한다. 하지만 정관은 회사에서 발생할 수 있는 모든 중요한 사항을 상법에 담을 수 없는 이유로 회사의 운영에 관한 기본적인 자치규정을 정하도록 한 것이다. 이렇게 주식회사의 설립시에 최초로 작성한 정관을 원시정관이라 하는데 원시정관에 어떤 내용을 담는지에 따라 향후 추가적인 개정이 필요할 수 있다.

회사의 주인은 주주이지만 상법에서 보장받을 수 있는 기본적인 것 외의 중요한 이해관계는 이사회의 의사결정에 의존할 수밖에 없다. 예를 들어 이사회는 자본 조달을 위해 신주 발행을 결의할 수 있고 원칙적으로 신주는 기존 주주에게 지분율에 비례해서 발행해야 한다. 그런데 만약 긴급한 자금조달 등의 사유로 이사회는 제3자에게 신주를 발행할 수 있고 이로써 기존주주의 지분율이 줄어 경영권의 위협을 받을 수 있다. 따라서 신주의 발행에 대한 이사회의 권한을 어느 정도로 인정할지 정관에 담을 필요가 있다. 또한 이사에게 지급하는 보수의 규모를 정관에 정함으로써 이사가 회사의 자본에 해를 끼칠 수 있을 자금의 유출 가능성을 제한할 수도 있다. 결국 정관은 회사의 설립문서로서 회사의 이해관계자인 주주와 회사, 이사의 권리의 범위와 책임에 대한 사항을 정한 내부문서인 것이다.

이러한 정관에는 꼭 적어야 하는 절대적 기재사항과 적어야 하지만 적지 않으면 해당 부분에 한해 효력이 없는 상대적 기재사항, 마음대로 적을 수 있고 적은 내용대로 효력이 발생하는 임의적 기재사항이 있다.

분 류	항 목
절대적 기재사항	목적, 상호, 발행예정주식종수, 액면금액, 설립시발행주식수, 본점소재지, 공고방법, 발기인에 대한 사항
상대적 기재사항	(예시) 현물출자, 재산인수, 설립비용, 발기인 보수, 특별이익
임의적 기재사항	(예시) 이익소각, 종류주식, 주권불소지금지, 주식전자등록, 이익배당의 이사회결의(주식배당은 주주총회), 이사회승인을 통한 주식양도의 제한, 이사회 내 위원회 설치, 주주총회의 대표이사 선임, 감사위원회의 설치, 주주총회의 신주발행 결정, 신주발행시 제3자 배정, 현물출자, 현물배당, 중간배당

상대적 기재사항은 다른 명칭으로 '변태설립사항'이라고 부르는데 회사의 설립에 관한 사항들 가운데 회사의 자본충실을 저해하여 결과적으로 주주의 이익이나 채권자의 이익을 침해할 우려가 있는 항목들이 포함된다. 이들은 정관에 기재하여야 효력이 인정되고 추가적으로 법원이 선임한 검사인의 조사가 필요한 항목도 있다.

5 주요내용 : 정관의 변경과 공증

회사가 설립될 때 작성되는 정관을 '원시정관'이라고 하는데 원시정관의 작성시에 공증인의 인증을 받아야 한다. 이때 자본금이 10억 원 미만인 소규모회사는 인증의무가 면제되지만 '모집설립'의 경우에는 이해관계인이 적지 않으므로 공증인의 인증을 필수로 받아야 한다.

토막지식 정관의 변경시에는 공증을 받아야 하나?

원시정관이 유효하게 작성된 경우 이후에 정관을 변경할 경우에는 주주총회 특별결의가 있으면 유효하게 이루어지는 것이지 공증인의 인증여부는 효력발생에 영향을 미치지 못한다.

[대법원 2007. 6. 28., 선고, 2006다62362, 판결]

가. 주주총회 정족수에 관한 정관변경 여부

주식회사의 원시정관은 공증인의 인증을 받음으로써 효력이 생기는 것이지만 일단 유효하게 작성된 정관을 변경할 경우에는 주주총회의 특별결의가 있으면 그때 유효하게 정관변경이 이루어지는 것이고, 서면인 정관이 고쳐지거나 변경 내용이 등기사항인 때의 등기 여부 내지는 공증인의 인증 여부는 정관변경의 효력발생에는 아무 소장이 없다(대법원 1978. 12. 26. 선고 78누167 판결 참조).

원심이 그 판결에서 들고 있는 증거들을 종합하여 피고의 설립 당시의 정관에 주주총회의 결의는 법령 또는 정관에 다른 규정이 있는 경우를 제외하고는 출석한 주주의 의결권의 과반수와 발행주식총수의 2/3 이상의 수로써 한다고 규정(제19조)되어 있었으나, 2000. 12. 8.경 이후로는 출석한 주주의 의결권의 과반수와 발행주식총수의 1/2 이상의 수로써 하는 것으로 변경되었다고 판단한 것은 정당하고, 거기에 채증법칙을 위반한 위법이 없다.

작성된 정관에 대해 추가적인 내용을 기술하거나 존재하는 내용을 삭제하는 등 변경이 필요한 경우 이를 위해 주주총회의 특별결의가 필요하다.

토막지식 자본금이 10억 원 미만의 소규모회사가 가지는 간편한 절차

(발기설립) 원시정관의 공증인 인증의무 면제
(발기설립) 금융기관의 납입금보관증명서를 잔고증명서로 대체
(주총소집) 10일 전 통지 가능
(주총결의) 총주주동의로 소집절차 없이 개최, 서면결의로 주주총회 갈음 가능
(이사선임) 3명 미만의 이사 선임 가능하며 이 경우 이사회가 구성되지 않으므로 의사결정은 주주총회로 이관
(감사선임) 감사를 선임하지 않을 수 있음

정리하기

- 주식회사의 설립시 주주 구성에 따라 발기설립과 모집설립이 가능하다.
- 주식회사가 설립될 때에는 필수적인 절차로 정관을 작성한다.
- 정관은 발기인이 작성하며 향후 내용의 변경이 가능하다.

회사의 규모는 재무상태표를 보면 알 수 있어요.

1 학습목표

학습내용	효 과
재무상태표의 구성	• 재무상태표의 주요 계정인 자산과 부채, 자본의 특징 이해하기
재무상태표 계정과목	• 기본적인 재무현황의 파악 방법 이해하기

2 TALK

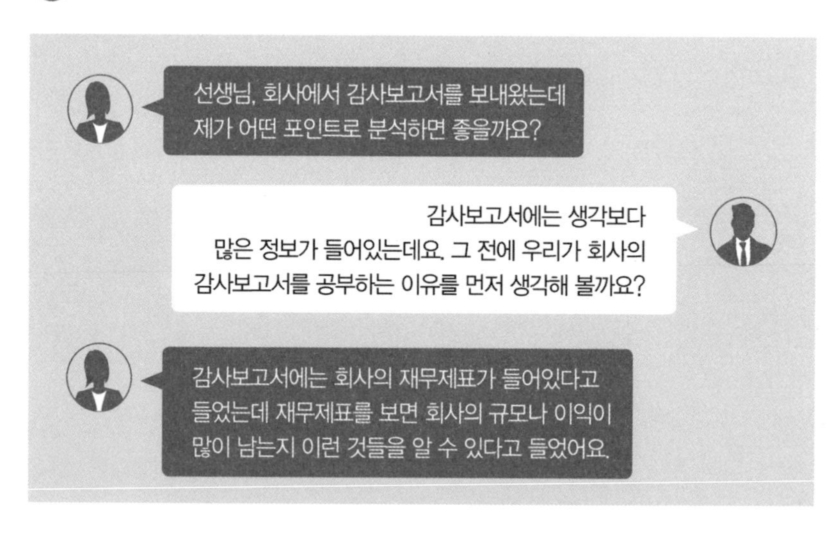

맞습니다. 재무제표는 회사의 재무 현황과
영업성과를 기본적으로 알 수 있지요.
그런데 우리가 재무제표를 이해하고 분석한다면
회사가 자금의 여유가 있는지, 사업이
잘 굴러가고 있는지 등 여러 정보를 더 알 수 있지요.

아, 그래요?
그런 정보가 있다면 경영자의 마음을 좀 더 이해해서
컨설팅을 할 때 도움이 많이 될 것 같아요!

네, 그렇습니다. 보통 경영자의 관심사를 이해하고
고민거리를 공감할 때 컨설팅이 잘 풀리는 걸
많이 보았습니다. 재무제표를 통해서
경영자의 입장을 배워보는 시간을 갖도록 해봅시다.

3 주요내용 : 감사보고서에서 얻는 정보

회사의 재무제표에는 회사의 규모와 영업상황을 알 수 있는 중요한 정보가 담겨있다. 일반적인 가지급금의 유무와 이익잉여금의 규모, 회사의 이익규모와 같은 재무정보는 회사의 현황을 파악하는데 필수적으로 이용되기 때문에 재무제표를 입수하여 이를 이용하는 방법을 알아볼 필요가 있다.

토막지식 외부감사대상 회사의 범위

1. 주권상장법인
2. 해당 사업연도 또는 다음 사업연도 중에 주권상장법인이 되려는 회사
3. 그 밖에 직전 사업연도 말의 자산, 부채, 종업원수 또는 매출액 등 아래 기준에 해당하는 회사(단, 유한회사는 별도의 기준을 적용)
   - 직전 사업연도 말의 자산총액이 500억 원 이상인 회사
   - 직전 사업연도의 매출액(직전 사업연도가 12개월 미만인 경우에는 12개월로 환산하며, 1개월 미만은 1개월로 본다. 이하 같다)이 500억 원 이상인 회사
   - 다음 각 복의 사항 중 3개 이상에 해당하지 아니하는 회사
     가. 직전 사업연도 말의 자산총액이 120억 원 미만
     나. 직전 사업연도 말의 부채총액이 70억 원 미만
     다. 직전 사업연도의 매출액이 100억 원 미만
     라. 직전 사업연도 말의 종업원이 100명 미만
       1) 「소득세법 시행령」 제20조 제1항 각 호의 어느 하나에 해당하는 사람
       2) 「파견근로자보호 등에 관한 법률」 제2조 제5호에 따른 파견근로자

외부감사대상 회사는 회계법인과 같은 외부감사인으로부터 재무제표의 적정성을 감사받고 감사보고서를 받는다. 감사보고서에는 회사의 기말현재 재무제표와 재무제표에 대한 감사의견이 포함되고 금융감독원 외부공시시스템(dart.fss.or.kr)에 업로드되어 외부에 공개된다. 따라서 상기 외부감사대상 회사의 재무제표는 온라인에서 확인할 수 있다.

만약 외부공시시스템에 재무제표가 공시되지 않는 회사의 경우 기업정보 데이터베이스인 '키스라인'이나 '크레탑'과 같은 곳에서 확인 가능할 수도 있다. 이마저 어렵다면 회사로부터 직접 입수하여야 한다.

4 주요내용 : 재무제표의 종류

재무제표는 회사의 재무현황과 영업성과와 같은 재무정보를 회사에 관심이 있는 정보이용자에게 제공하기 위해 작성한다. 회사에 투자한 주주는 회사의 주인으로 회사로부터 얼마의 배당을 받을 수 있는지, 앞으로 영업의 성과는 어떻게 변동될지 관심이 많고 회사의 다른 투자자인 채권자는 회사에 원리금을 갚을 수 있는 능력이 있는지에 관심이 있다. 또한 투자자 외에도 회사의 주식에 투자하고자 하는 잠재 투자자와 과세당국, 임직원도 마찬가지로 저마다의 이해관계에 따라 회사의 재무제표에 관심을 둔다. 재무제표는 아래의 5가지 항목으로 구성되어 있다.

분 류	항 목
재무상태표	일정 시점 현재 회사를 구성하는 자산, 부채 자본의 종류와 규모
손익계산서	일정 기간 동안에 회사의 수익과 비용, 이익의 종류와 규모
현금흐름표	일정 기간 동안에 영업활동, 투자활동, 재무활동의 현금흐름 규모
자본변동표	일정 기간 동안에 자본의 구성항목별 변동내역
주석	회사의 일반 현황과 상기 4가지 재무제표의 상세 내역 서술

처음 접하는 회사의 재무제표를 볼 때에는 일반적으로 재무제표 맨 뒤에 위치한 주석을 읽어보면서 회사의 업종과 주요 주주구성, 대표이사 등을 확인하고 그 다음으로 재무상태표와 손익계산서의 순서로 학습하는 것이 좋다. 후에 재무제표가 익숙해진다면 목적에 맞게 재무제표를 분석하는 방법을 익히고 응용하게 될 수 있다.

⑤ 주요내용 : 재무상태표에는 자산과 부채, 자본이 기록되어 있습니다.

재무상태표에서는 기말 시점 현재 회사가 보유한 자산과 차입금과 같은 부채, 그리고 자산에서 부채를 차감하고 남은 자본을 확인할 수 있다. 먼저 자산은 미래에 회사로 경제적인 효익이 유입될 것으로 예상되는 재산적 가치가 있는 것을 말하는데 재무상태표는 자산을 유동성이 큰 것부터 기록한다. 여기서 유동성은 현금으로의 전환 속도를 말한다. 따라서 유동성 그 자체라고 할 수 있는 현금에서 시작하여 매출채권, 재고자산, 투자자산, 유형자산, 무형자산의 순서대로 기록된다. 일반적인 재무제표의 주요 계정과목은 다음과 같다.

자산	부채
현금및현금성자산	매입채무
매출채권	기타부채(가수금)
재고자산	차입금
투자자산(대여금)	**자본**
투자자산(금융상품)	자본금
유형자산	자본조정(자기주식)
무형자산(산업재산권)	이익잉여금

부채는 회사가 미래에 경제적인 효익을 유출시켜야 하는 현재 의무로 일정 기간 안에 갚아야 하는 차입금 등이 여기에 해당한다. 부채도 마찬가지로 유동성이 큰 것부터 기록하기 때문에 매입채무, 기타 부채, 차입금의 순서로 표시된다. 자산과 부채가 모두 유동성의 순서로

표시되는 것을 보았는데 여기에 1년(혹은 정상적인 영업주기)을 기준으로 1년 안에 현금의 유입 · 유출을 일으키거나 소멸할 것으로 예상되는 계정과목을 유동자산이나 유동부채로, 그렇지 않는 계정과목을 비유동자산이나 비유동부채로 분류하는 것을 기억하도록 하자.

자본은 자산에서 부채를 차감한 잔액을 의미하는데 다음 기사를 참고하여 보자.

토막지식

A 회장의 개인회사 B 청산 이유는? 청산 시 100억 원 확보 예상

2018.09.03. 10:54 [아이뉴스24 한상연 기자]
A 회장의 개인회사인 B사가 돌연 청산을 추진하는 이유에 관심이 쏠리고 있다.
그룹에 따르면 A 회장이 100% 지분을 보유한 B사는 올해 6월 초 C 대표이사를 대표청산인으로 선임해 청산작업을 진행중이다. (중략) A 회장은 앞서 2011년 6월 전 대표이사가 보유하고 있던 B사 주식 7만 5천400주를 사들이면서 최대주주에 올랐다. 취득 당시 차명주식으로 보유하고 있다가 2013년 3월 실명전환을 해 최초 취득가는 확인되지 않는다. (중략) 법인 청산 시 잔여재산 가액(자산-부채) 확정 후 주주들에게 지분율만큼 잔여재산을 분배하도록 되어 있다. (중략) 지난해 말 B사는 자산 237억 원, 부채 126억 원의 재무상태를 보이고 있다. 따라서 잔여재산 가액은 약 111억 원이다. 청산 시 이는 모두 A 회장의 몫이 된다. (후략)

회사가 소멸하는 단계인 청산에서 회사는 보유한 자산을 모두 팔아 현금을 확보한 뒤에 부채를 먼저 갚는다. 부채를 갚고 남는 현금은 회사의 주인인 주주에게 지분율에 비례하여 나누어 주게 된다. 따라서 자산에서 부채를 차감하고 남은 자본은 결국 주주가 투자한 금액이라는 의미와 함께 주주가 회사로부터 받을 금액이라는 의미를 함께 가지고 있다. 이때 부채는 회사의 입장에서는 갚아야 할 빚이지만 채권자의 입장에서는 투자금액으로 언젠가는 돌려받을 금액이다. 결국 정리하자면 회사의 자산은 회사가 사업활동을 수행하는 동안에 이용되어 회사의 수익을 벌어들이지만 회사가 소멸할 때에는 회사에 투자한 두 종류의 투자자인 채권자와 주주에게 순서대로 나누어 주는 것이다. 따라서 자산의 합계는 부채, 자본의 합계와 같고, 자본은 자산에서 부채를 뺀 나머지로 결정되는 것이다. 이때 채권자가 선순위인 이유는 주주보다 선순위로 변제받고 사업의 위험을 부담하지 않는 것을 투자의 조건으로 정했기 때문이다. 이하에서는 재무상태표에 표시되는 항목 중 컨설팅을 위해 필수로 기억해야 할 것들을 배워보도록 하자.

6 주요내용 : 자산은 업종에 따라 종류와 구성이 달라집니다.

가) 당좌자산(현금, 매출채권)은 적당한 규모를 유지해야 합니다.

현금은 현금과 유사한 특징을 갖는 현금성자산과 함께 '현금및현금성자산'의 계정과목으로 분류한다. 현금은 회사의 존망을 결정짓는 중요한 자산이다. 회사의 사업활동은 기본적으로 현금의 소모를 전제하기 때문이다. 임직원에게 급여를 지급하여야 하고, 임직원 외의 자에게 맡기는 일은 대가를 지급해야 한다. 따라서 회사는 현금을 보유하지 않으면 사업활동을 수행할 수 없고 채권자에게 원리금을 지급하지 못할 경우 회사는 파산의 절차를 거쳐 소멸하게 된다. 그렇다면 현금은 많을수록 좋을까? 회사의 궁극적인 목표가 이익의 극대화라면 회사에 남는 현금을 효율적으로 투자하여야 수익성이 높아질 것이기 때문에 많다고 좋지는 않다. 따라서 현금은 사업운영을 위해 필요한 정도로만 보유하고 남는 현금은 사업이나 투자자산에 투자를 하는 것이 보통이다. 이때 '현금성자산'이란 만기 3개월 이내로 투자한 변동성이 낮은 금융자산을 의미한다. 이러한 투자금액은 곧 회수될 것이기 때문에 현금이랑 묶어 '현금및현금성자산'으로 표시한다.

매출채권이란 매출의 결과로 발생한 금전채권의 준말이다. 재화나 용역을 제공하고 그 대가를 나중에 받기로 했을 때 재무상태표에 기록하는데 이러한 거새를 신용거래 혹은 여신거래라고 부른다. 신용거래의 결과로 발생한 매출채권은 영업활동에서 자연스럽게 발생하며 곧 현금으로 전환될 중요한 자산에 해당한다.

유동자산 중 재고자산을 제외한 나머지 자산을 당좌자산이라고 분류하고 당좌자산에는 앞서 배운 현금및현금성자산과 매출채권이 포함된다.

나) 재고자산이 지나치게 많으면 문제가 생길 수 있다.

재고자산은 팔아서 영업활동의 수익을 내거나 생산활동에 투입할 목적으로 보유하는 자산을 말한다. 재고자산에는 다음의 자산이 포함된다.

분 류	내 용	분 류	내 용
원재료	제품생산에 투입될 재고	제품	생산이 완료되어 판매를 위한 보유재고
재공품	생산과정중에 있는 재고	상품	판매를 위해 외부에서 구매한 재고
반제품	생산과정중에 있고 판매도 가능한 재고	저장품	소모품의 형태로 보관중인 재고

재고자산의 판매가 주 업종인 회사는 적절한 수준의 재고자산을 유지할 필요가 있다. 재고자산이 적은 경우 구매주문에 즉시 대응하기 어려울 수 있고, 많이 보유한다면 현금이 묶여 유동성관리가 필요해질 뿐만 아니라 관리되지 않은 재고가 파손, 분실될 위험, 판매가가 하락하여 재고자산을 팔수록 손해를 볼 사업의 위험이 발생할 수 있다. 따라서 회사의 사업특성에 맞는 재고자산의 보유수준을 파악하고 유지할 필요가 있다. 적절한 재고수준은 일반적으로 재고자산회전율을 통해 산출한다. 재고자산회전율은 같은 업종을 영위하는 경쟁회사의 재고자산회전율과 상대적인 비교를 통해 재고관리의 효율성을 가늠해볼 수 있다.

토막지식 **회전율의 이용**

$$\text{매출채권회전율} = \frac{\text{매출액}}{\text{평균매출채권 [(기초매출채권 + 기말매출채권)/2]}}$$

$$\text{재고자산회전율} = \frac{\text{매출액}}{\text{평균재고자산 [(기초재고자산 + 기말재고자산)/2]}}$$

$$\text{회수기간(보유기간)} = \frac{365}{\text{회전율}}$$

분석대상	A사	B사	C사	D사	평균
매출채권회전율	44.58	27.97	57.87	51.72	45.54
매출채권회수기간	8.2	13.0	6.3	7.1	8.65
재고자산회전율	6.47	8.47	6.76	10.82	8.13
재고자산보유기간	56.5	43.1	54.0	33.7	46.82

매출채권 회전율이 높은 C사는 채권의 회전이 빨라 더 짧은 회수기간을 가진다. 따라서 매출액이 현금으로 유입되는 기간이 짧아 유동성 측면에서 다른 회사에 비해 유리하다. 재고자산 회전율이 높은 D사는 재고가 판매되기까지 보유하는 기간이 짧아 현금흐름이 원활할 것으로 예상된다.

다) 대여금은 가지급금이라는 다른 이름을 가지고 있습니다.

회사가 보유한 현금을 임직원이나 계열사에 대여한 경우 대여금이라고 표시하며 이자를 지급받기 때문에 투자자산의 계정과목으로 분류한다. 보통 회사가 임직원에게 주택 취득자금이나 생활안정자금을 낮은 이자율로 빌려주는 복리후생제도를 가지는 경우가 있거나 자회사나 계열사에 자금을 대여의 형태로 지원하는 경우 이러한 대여금이 발생한다.

그런데 회계에서의 대여금은 대부분 법인세법에서 정한 가지급금의 명칭으로 불리기도 한다. 가지급금은 명칭 여하에 불구하고 당해 법인의 업무와 관련이 없는 자금의 대여액을 의미하기 때문에 전문적으로 대부업을 영위하는 회사가 아닌 경우 대여금은 세법상 가지급금에 해당한다. 법인세법에서는 특수관계인에 대한 업무무관 가지급금에 여러 가지 불이익을 두고 있으므로 이는 법인세의 내용에서 확인하도록 하자.

토막지식 가지급금의 확인과 해소방법

가지급금은 회사의 재무상태표 자산에서 확인할 수 있다. 일반적으로 회계에서는 단기대여금, 장기대여금으로 분류하며, 법인세 세무조정계산서에서는 주임종장단기채권으로 분류한다. 세법에 규정된 가지급금에 대한 규제를 벗어나기 위해서는 가지급금을 해소해야 하는데 일반적으로 다음의 방법이 이용된다. 각 방법의 세무상 리스크와 절차는 이후에 자세히 학습하도록 하자.

방 안	고려사항
급여와 퇴직급여 지급을 통한 재원 마련	근로소득세, 퇴직소득세
일반 배당지급을 통한 재원 마련	배당소득세
초과 배당지급을 통한 재원 마련	배당소득세, 증여세
직무발명보상제도	근로소득세, 기타소득세
특허권, 영업권 등 권리의 양도나 대여	부당행위계산부인

한편 부채항목에 해당하는 가수금에 대해 함께 알아보자. 가수금이란 실제 현금의 수입은 있었지만 거래의 내용이 불분명하거나 거래가 완전히 종결되지 않아 계정과목이나 금액이 미확정인 경우에 일시로 부채에 기록하는 계정과목을 말한다. 즉, 회사에 입금이 되었는데 거

래의 내용이 확인되지 않는 것을 말한다. 자금 사정이 어려운 중소기업이 대표자에게서 자금을 지원받는 경우 가수금이 발견된다. 가수금은 부채에 표시되기 때문에 회사의 부채비율이 증가하여 재무상황이 악화된 것으로 인식될 수 있으니 유의하여야 한다.

토막지식 가수금의 문제와 처리

가수금은 일반적으로 회사와 특수관계가 있는 대표자나 주주로부터 유입되는데 자금의 유입경로가 불명확하거나 장기간 방치되는 경우 세무상 불이익이 발생할 수 있다.

- 특수관계인이 특정법인에 자금을 무이자 또는 저율로 대여하는 경우 특수관계가 있는 다른 주주에게 저율대여로 인한 이익에 대해 증여세로 과세될 가능성
- 가공매출로 오인되거나 상속재산에 포함될 가능성
- 도산시 후순위 채권이 되어 회수하지 못할 가능성
- 향후 채권자에게 지급하는 경우 가지급금으로 오인될 가능성

상증세법 제41조(특정법인) : 결손금이 있거나 휴업·폐업중인 법인 또는 제45조의 3제 1항에 따른 지배주주와 그 친족이 지배하는 영리법인

7 주요내용 : 부채는 채권자의 권리를 나타냅니다.

가) 부채의 특징

부채는 채권자가 투자한 금액으로 일정한 기간이 지나면 회사의 현금과 같은 경제적효익이 유출될 금액이다. 따라서 회사는 부채의 변제시점까지 현금을 준비해야 한다. 만약에 회사가 부채를 갚을 능력이 없을 경우 회사는 도산의 가능성이 높아지는데 이를 유동성의 위기라고 표현한다. 회사의 유동성 위기를 재무상태표에서 간접적으로 확인할 수 있는 지표가 있는데 바로 유동비율과 당좌비율이다.

토막지식 유동비율과 당좌비율

$$유동비율 = \frac{유동자산}{유동부채} \times 100 \qquad 당좌비율 = \frac{당좌자산}{유동부채} \times 100$$

유동비율(Current Ratio)은 유동자산을 유동부채로 나누어 측정하고 단기간 내에 갚아야 하는 부채를 단기간 내에 현금화가 가능한 자산으로 갚을 수 있는지의 여부를 나타낸다. 당좌비율(Quick Ratio)은 유동자산 중 유동성이 상대적으로 낮은 재고자산을 제외하고 유동성이 높은 자산인 당좌자산(현금, 금융상품, 유가증권 및 매출채권 등)만을 유동부채와 대응시킴으로써 단기채무에 대한 기업의 초단기적인 지급능력을 파악하는 데 사용한다. 이때 당좌자산이 좀 더 현금으로 전환될 가능성이 높으므로 당좌비율이 현실적인 유동성 위험을 판단하는 비율로 쓰이곤 한다.

유동비율이 1보다 큰 경우 1년 안에 갚아야 하는 부채보다 1년 안에 현금으로 전환될 자산이 더 많다고 볼 수 있다. 따라서 유동비율이 1보다 높으면 높을수록 유동성의 관점에서 좋은 것이다. 하지만 유동자산에는 재고자산이 포함되는데 재고는 회사가 적극적으로 영업활동을 통해 판매하여야 현금으로 전환되므로 회사의 유동성을 판단하기에는 적합하지 않을 수 있다. 유동성의 위기는 회사의 영업이 원활하지 않을 때 발생하고 그러한 상황이라면 재고자산이 현금으로 전환된다고 가정하기 어렵기 때문이다. 따라서 유동성을 판단할 때 유동자산에서 재고를 제외한 당좌비율을 사용하는 것이 적합하다고 볼 수 있다. 당좌비율이 1보다 큰 경우 회사의 단기 부채는 회사의 적극적인 노력 없이도 현금으로 전환되는 당좌자산으로 갚을 수 있다고 판단하며, 당좌비율이 1보다 크지 않아도 회사의 영업이 원활히 수행된다면 영업활동을 통한 현금흐름으로 보충받을 수 있기 때문에 유동성이 충분하다고 판단할 수 있다.

나) 부채는 특성에 따라 이자를 지급하지 않을 수 있습니다.

부채는 회사가 갚아야 할 의무가 있는 금액이지만 부채는 발생 원인에 따라 금전의 차입으로 발생한 이자부부채와 그렇지 않은 기타부채로 나눌 수 있다.

분 류	항 목
이자부부채	장 · 단기차입금, 사채
기타부채	매입채무, 선수금, 충당부채, 미지급금, 미지급비용

이자부부채란 이자를 지급하는 부채로 자금을 일정 기간 차입하고 그 대가인 이자를 지급하며 만기에 원금을 변제하는 방식의 현금흐름이 발생한다. 하지만 기타부채는 영업활동에서 원재료 등을 매입하면서 발생하거나(매입채무), 향후에 재화나 용역을 제공하기로 약정하고 미리 받은 금액(선수금), 금액이나 시기가 불확실하지만 수익 · 비용대응원칙에 따라 인식한 금액(충당부채)과 같이 현금의 수수가 없이 발생했거나 현금을 지급하지 않는 부채가 대부분이다. 이러한 기타부채는 별도로 이자를 지급하지 않으므로 회사의 유동성 위험을 판단할 때 적절한 고려가 필요하다.

다) 의무는 있지만 위험하지 않은 부채(충당부채와 선수금)

충당부채는 지출의 시기 또는 금액이 불확실한 부채를 의미한다.

이렇게 지출의 시기와 금액이 불확실함에도 부채를 인식하는 이유는 부채와 함께 비용을 인식하여 수익비용대응원칙을 충족하고 재무상태표에 채권자의 권리를 표시할 수 있기 때문이다. 다음의 사례를 보자.

토막지식 제품보증충당부채 사례

전지제품제조업을 영위하는 A사가 제품에 대해 1년간 무상 AS를 보증하고 있다고 하자. 과거에 이 회사는 판매한 제품 중 2%에 해당하는 수량이 AS수리를 위해 입고되고 수량당 3,000원의 비용이 지출되는 것을 경험하였다. 2019년도에 판매금액 20,000원의 제품 100,000개를 판매한 회사가 충당부채를 인식하여야 할까? 인식한다면 얼마의 금액을 인식할까?

① 충당부채의 정의를 만족하는지 여부

A사는 제품 100,000개를 판매하면서 향후 1년간 2%에 해당하는 2,000개의 제품이 AS를 위해 입고될 것을 예상할 수 있다. 따라서 2,000개의 제품에 대한 6,000,000원의 비용을 지출할 것으로 예상할 수 있다. A사는 제품을 판매한 이유로 현재 6,000,000원의 비용을 인식할 의무를 부담하며 향후에 이 비용이 지출될 가능성이 높으므로 부채로 인식하여야 한다. 단지 지출의 금액이 확정되지 않았으므로 충당부채로서 '제품보증충당부채'의 계정을 이용한다.

② 회계처리

제품보증충당부채를 인식하면서 제품보증비용을 함께 인식한다.

위의 사례를 보고 충당부채의 의미를 생각해 보자. 먼저 손익계산서의 측면에서 제품 100,000개의 판매를 통해 20억 원의 매출액을 인식할 때 제품보증비 6백만 원을 비용으로 인식한다. 제품보증비 6백만 원은 제품의 매출액 20억 원으로 인해 발생하였고, 제품보증비가 실제로 지출되는 향후 1년간이 아닌 매출이 일어난 시점에 매출액의 인식과 함께 제품보증비를 미리 인식하도록 하는 것이다. 또한 재무상태표의 측면에서 보면 제품보증충당부채를 인식하면서 잠재적인 채권자인 고객의 권리를 재무상태표에 인식한다. 이렇게 발생한 충당부채는 만기가 없기 때문에 당장의 유동성 판단시 고려하여야 한다.

다음으로 선수금은 영업활동 과정에서 재화나 용역을 공급하기로 약정하고 미리 받은 금액으로 공급이 있기까지 부채로 존재하다가 공급시에 매출액으로 전환된다. 선수금은 부채성 금액이기는 하지만 현금으로 갚지 않고 재화나 용역과 같은 주된 영업활동으로 갚아야 할 의무가 있는 금액이다. 따라서 선수금이 많아도 유동성의 위험에 미치는 영향은 적다. 선수금을 수수하는 거래는 종종 발생할 수 있지만 상조업과 같이 업종의 특성상 거래의 큰 비율을 차지하는 경우도 있으니 참고하도록 하자.

라) 이자를 지급하는 부채인 사채와 차입금

회사가 사업활동에 필요한 자본을 조달하는 방식으로 주식을 발행하여 주주로부터 조달하거나 은행과 같은 채권자로부터 차입하는 방식이 있다. 이때 차입의 방식이 차입금과 사채이다. 차입금과 사채는 채권자로부터 자금을 조달하고 원리금을 지급한다는 공통점이 있지만 차입금은 하나의 채권자로부터 조건을 정하여 자금을 차입하는 방식인데 사채는 다수의 채권자들로부터 약정한 조건에 따라 자금을 차입하고 차입에 대한 증표로 유가증권인 채권을 발행하는 방식이다. 즉, 차입금과 사채는 채권자의 수와 종류, 유가증권의 발행 여부에 차이가 있지만 그밖에 차입의 조건이나 회계처리는 큰 차이를 보이지 않는다.

8 주요내용 : 자본은 주주의 권리를 나타냅니다.

자본은 주주의 투자금으로 배웠지만 사실 그 구성을 자세히 들여다보면 항목별로 성격의 차이가 있다는 것을 알 수 있다. 주식회사는 주식을 발행하면서 설립되는데 이때 발행한 주식을 주주가 인수하면서 회사에 투자금을 납부하게 된다. 이렇게 회사가 주주로부터 투자받은 금액을 납입자본이라고 한다. 납입자본은 자본금과 자본잉여금이 포함된다. 그런데 자본에는 회사의 일 년동안의 영업성과인 당기순이익이 누적된 이익잉여금이 있다. 이익잉여금은 투자자인 주주에게 돌려줄 투자수익에 해당하므로 주주가 결의하는 때에 배당으로 지급하여야 한다. 하지만 이익잉여금을 전부 배당하는 회사는 별로 없는데 회사의 투자 재원으로 쓰일 수 있기 때문이다. 즉, 자본에는 주주가 투자한 납입자본과 영업의 성과로 분배받을 권리가 있지만 아직 배당을 실행하지 않아 실질적으로 재투자되었다고 볼 수 있는 이익잉여금이 있다. 그렇기 때문에 자본은 주주의 투자금이라고 볼 수 있다.

가) 주주가 투자한 납입자본(자본금과 자본잉여금)

자본금은 회사가 발행한 주식의 액면금액의 합계액으로 계산되지만 회사가 주식을 발행할 때 유입되는 현금이 주식의 액면금액의 합계와 다른 경우가 많다. 주식을 발행할 때에는 주식의 시가로 발행하는 것이 원칙이기 때문이다. 주식의 시가는 평가하는 여러 기법이 있는데 다음 단원에서 자세히 살펴보도록 하자. 이렇게 액면금액과의 차이는 할증발행의 경우 '주식발행초과금'이나 할인발행의 경우 '주식할인발행차금'의 계정과목으로 표시한다. 주식발행초과금은 자본잉여금으로 분류하고 주식할인발행차금은 자본조정으로 분류한다.

그렇다면 이렇게 주식을 발행할 때 주식의 액면금액과 다르게 발행한다면 자본금의 의미는 무엇일까? 자본금은 회사 사업 자금의 기본으로 채권자 보호 등의 관점에서 사내에 유보시켜야 하는 자산가액의 최저한도의 의미가 있다. 따라서 정부나 공공기관이 발주하는 사업에 입찰할 때 자본금의 규모를 적도록 하여 회사의 신용도를 가늠해보는 용도로 사용하기도 한다.

나) 자기주식은 자본에서 확인할 수 있습니다.

자본조정이라는 항목에는 회사가 발행한 주식을 취득한 자기주식이 있을 수 있다. 만약에 회사가 발행한 주식을 취득한다면 시장에 유통되는 주식의 숫자가 감소하여 주주총회에 소집된 주주가 보유한 주식수에 따른 실질 지분율이 오르는 효과를 거둘 수 있다. 이렇게 회사가 자기주식을 취득한다면 시장에 큰 영향을 끼칠 수 있으므로 원칙적으로 자기주식 취득을 인정하지 않다가 최근에 개정된 상법에서는 요건에 따라 자기주식의 취득을 인정하고 있다. 이때 주식은 주식회사의 주인으로서의 권리를 나타내는데 이를 스스로 취득한 회사의 거래가 어색할 수밖에 없다. 회계에서는 이러한 자기주식의 취득을 경제적 실질이 자본의 감소와 같다고 본다. 따라서 취득한 자기주식을 자산이 아닌 자본조정에 음수의 금액으로 기록한다. 자기주식은 비상장회사의 주식의 가치를 상속세및증여세법에 따라 평가할 때 조정하는 항목으로 자본에서 확인할 수 있다는 것을 기억하도록 하자.

다) 주주의 투자수익은 이익잉여금으로 확인할 수 있습니다.

이익잉여금은 회사의 영업성과인 당기순이익의 누적액으로 재무상태표의 자본항목으로 분류된다. 영업활동의 성과인 이익은 궁극적으로 주주에게 귀속될 것이기 때문에 기말의 주주총회에서 배당을 결의하지 않아도 주주의 권리금액인 사실은 변하지 않는다. 따라서 회계에서는 주주가 배당받을 수 있는 금액을 따로 표시하여 이익잉여금으로 분류하고 있다.

바 회사가 벌어들이는 이익은 손익계산서에 나와요.

1 학습목표

학습내용	효 과
손익계산서의 이해	• 손익계산서의 작성 목적과 주요 정보를 이해한다.
수익과 비용의 분류	• 손익의 분류별 의미를 이해하고 분석한다.
재무상태표의 관계	• 손익계산서와 재무상태표의 관계를 이해한다.

2 TALK

선생님, 재무상태표를 배우다보니 회사가 과거에 어떤 거래가 있었고 회사가 어떤 상황인지 대략적으로 알 수 있을 것 같아요.

예, 재무상태표는 이렇게 회사의 재무현황을 파악하는데 도움을 줍니다. 더 궁금하신 점이 있나요?

그런데 선생님. 재무상태표는 과거 거래의 결과가 남아있다는 느낌인데 회사의 향후 영업에 대해 예상해 볼 수 있는 자료가 있을까요? 대표님들과 대화할 때 분위기를 어떻게 만들어야 할지 고민이 되어서요.

아, 그런 고민이 있으셨군요? 그렇다면 이번에 손익계산서를 같이 공부해 봅시다. 미래를 예상하는 것은 어려운 일이지만 손익계산서에서 단서를 찾을 수 있을 거예요.

손익계산서는 많이 들어봤는데 이번에도 열심히 배워보아야겠네요!

③ 주요내용 : 손익계산서는 구조와 분류 방법을 알아야 합니다.

토막지식 손익계산서의 구조

항 목	금 액	해 석
매출액	170,381,870	영업활동에서 벌어들인 수익액
매출원가	101,666,506	매출액에 직접 대응되는 영업비용
매출총이익	**68,715,364**	**매출액에서 매출원가를 차감한 이익액**
판매비와 관리비	25,015,913	매출액에 직접 대응되지 않는 영업비용
영업이익	**43,699,451**	**영업활동을 통한 이익액**
엉업외수익	4,709,639	영업활동 외의 수익액

항 목	금 액	해 석
영업외비용	4,010,235	영업활동 외의 비용
법인세차감전순이익	**44,398,855**	**법인세비용을 차감하기 전의 순이익**
법인세비용	11,583,728	회계원칙에 따라 계산된 법인세
당기순이익	**32,815,127**	**일정 기간의 수익에서 비용을 차감한 이익**

손익계산서에는 회사가 일 년 동안 벌어들인 수익과 써버린 비용, 수익에서 비용을 차감하여 남은 이익에 대한 정보를 준다. 그 이익은 주주 몫으로 재무상태표에 이익잉여금으로 누적되어 배당의 재원으로 사용된다. 결국 손익계산서에서 계산된 해당 연도의 이익은 재무상태표의 이익잉여금 변동으로 알 수 있는데 손익계산서를 작성하는 이유는 무엇일까?

손익계산서는 수익과 비용을 구체적인 항목으로 분류하여 작성하고 분류된 계정과목은 그 특성을 이해한다면 미래 손익계산서에 대한 예측 가치를 높일 수 있다. 주주와 같은 정보이용자는 계정과목을 보고 투자의 지표로 이용할 수 있고, 향후 회사의 성과를 예측하여 기업의 가치와 주식의 가치를 계산하는 단서로 이용할 수 있다. 결국 재무상태표는 과거의 거래를 통해 회사의 현재 재무현황에 대한 정보를 준다면 손익계산서는 회사의 과거 거래를 분석하여 손익 정보를 세분화하고 이를 통해 미래를 예측해 볼 수 있는 정보를 준다. 따라서 손익계산서가 유용한 정보가 되기 위해서는 수익과 비용을 특성에 맞게 잘 분류하여야 한다.

4 주요내용 : 수익은 매출액과 영업외수익으로 분류합니다.

영리를 추구하는 주식회사는 수익을 얻기 위해 존재하는데 수익이란 통상적인 경영활동으로서의 재화의 생산·판매·용역의 제공 등에 따른 경제적 효익의 유입을 뜻한다. 경제적 효익은 일반적으로 회계 단위로 측정이 가능하므로 결국 현금을 벌어들이는 것을 수익이라고 할 수 있다. 그렇다면 회사의 수익에는 어떤 것들이 있을까? 예를 들어 반도체를 생산하는 회사의 손익계산서와 수익의 종류를 살펴보면 다음과 같다.

토막지식 회사 수익의 종류

(단위 : 백만 원)

분 류	항 목	금 액
매출액		161,915,007
기타수익	배당금수익	1,732,247
	임대료수익	152,488
	투자자산처분이익	692
	유형자산처분이익	150,121
금융수익	이자수익	482,648
	외환차이	3,592,954
합계		168,026,157

회사의 수익은 매출액과 영업외수익으로 나뉘며 영업외수익 내에서 기타수익과 금융수익 등으로 분류할 수 있다.

회사의 매출액은 기업의 주된 영업활동에서 발생한 수익을 말하는데 주된 영업활동이란 회사가 설립된 목적이라고도 할 수 있다. 위의 반도체 제조회사는 반도체를 생산하여 판매함으로써 얻는 수익을 매출액이라고 표시한다. 매출액에 포함되지 않는 수익은 부수적으로 발생하여 기타수익이나 금융수익으로 분류한다. 기타수익 등은 회사의 주된 영업이 아니기 때문에 매년 계속적으로 발생할 것으로 예상하지 않는다. 따라서 주된 분석의 대상은 매출액이 되는 것이다.

매출액은 해당 업종의 시장점유율(Market Share)을 나타내기도 한다. 예를 들어 전 세계 반도체 시장의 매출총액이 약 500조 가량 된다면 위의 회사는 약 162조의 매출을 기록중이므로 32%의 시장점유율을 나타내는 것으로 판단할 수 있다. 또한 매출액이 전년도에 134조였다면 전년 대비 약 21%만큼 성장했다고 볼 수 있다. 이런 방식으로 매출액은 회사의 시장점유율과 성장성을 판단하는 지표로 이용될 수 있다.

한편 세법에서는 기업의 업종별 매출규모가 증가함에 따라 더 높은 관리의무를 부담시키고자 '성실신고제도'를 두고 있다. 성실신고제도는 기업의 세무처리에 중요한 변수가 되므로 교재 내에서 자세히 학습하도록 하자.

5 주요내용 : 비용은 매출원가, 판매관리비, 영업외비용으로 분류합니다.

비용은 크게 세 가지로 분류된다. 회사에서 발생할 수 있는 비용은 그 종류가 매우 다양하며 이를 모두 풀어서 표시하는 것보다는 특성에 따라 분류하여 표시하는 것이 이해를 높이고 분석하기도 용이하다. 이때 비용은 주된 영업활동을 위한 비용인지 여부로 영업비용과 영업외비용으로 분류하며, 영업비용은 매출액에 직접 대응되는지 여부에 따라 매출원가와 판매비와 관리비로 분류한다.

분 류		항 목
영업비용	매출원가	제품, 상품 등의 매출액에 대응되는 원가로서 판매된 제품이나 상품 등에 대한 제조원가 또는 매입원가
	판매비와 관리비	제품, 상품, 용역 등의 판매활동과 기업의 관리·유지활동에서 발생하는 비용으로 매출원가에 속하지 않는 모든 영업비용
영업외비용	영업외비용	기업의 주된 영업활동이 아닌 활동으로부터 발생한 수익과 차익

매출원가는 매출액에 직접 대응되는 비용으로 반도체 제조업이라면 반도체 판매에 대응되는 매출원가로 원재료나 생산부서 인건비, 기계장치나 공장건물의 감가상각비 등이 포함된다. 즉, 매출액을 일으키기 위해 꼭 필요한 비용이 매출원가라고 할 수 있다. 그 밖에 영업활동에 소요된 비용을 판매비와 관리비(판매관리비)라고 하며 매출원가와 판매관리비를 합하여 영업비용이라고 한다.

매출액에서 영업비용을 차감하면 영입이익이 되는데 영업활동에서 발생한 이익으로 최종적인 연산의 최종적인 이익인 당기순이익보다 회사의 영업상황을 이해하는데 중요한 정보에 해당한다. 영업활동은 과거와 현재, 미래에도 계속될 것으로 예상할 수 있지만 영업외수익 · 비용은 주된 영업활동이 아니므로 연속성이 담보되지 않기 때문이다. 따라서 비용을 분류할 때 영업활동에 포함되는지 판단하고 판단결과에 따라 영업이익이 달라진다는 것을 명심하여야 한다.

6 주요내용 : 판매비와 관리비에는 다양한 비용항목이 포함됩니다.

영업비용 중에서 매출원가에 포함되지 않는 것은 모두 판매관리비에 포함되는데 여기에 포함되는 비용 중 다음 항목은 법인세법에 따라 일정한 제한을 받으므로 법인세의 단원에서 자세히 알아보도록 하자.

분 류	항 목
급여	임원급여, 급료, 임금 및 제수당
복리후생비	사용인에게 직접 지급되지 아니하고 근로환경의 개선 및 근로의욕의 향상 등을 위하여 지출하는 노무비적인 성격을 갖는 비용
접대비	사업상의 필요로 지출한 접대비용 내지 교재비용
차량유지비	차량의 유지관리와 관련하여 발생한 비용으로 차량 수리비, 주유비, 주차료, 세차비 등

토막지식 **성실신고 대상자(법인세법 제60조의2)**

법인세의 성실한 신고를 위해 다음 각 호의 어느 하나에 해당하는 내국법인은 법인세액을 신고할 때 비치·기록된 장부와 증명서류에 의하여 계산한 과세표준금액의 적정성을 세무사, 공인회계사, 세무법인, 회계법인 등의 자가 대통령령으로 정하는 바에 따라 확인하고 작성한 성실신고확인서를 납세지 관할 세무서장에게 제출하여야 한다. 다만, 「주식회사 등의 외부감사에 관한 법률」 제4조에 따라 감사인에 의한 감사를 받은 내국법인은 이를 제출하지 아니할 수 있다.

1. 부동산임대업을 주된 사업으로 하는 등 대통령령으로 정하는 요건에 해당하는 내국법인

- 해당 사업연도 종료일 현재 내국법인의 제43조 제7항에 따른 지배주주 등이 보유한 주식 등의 합계가 해당 내국법인의 발행주식총수 또는 출자총액의 100분의 50을 초과할 것
- 해당 사업연도에 부동산 임대업을 주된 사업으로 하거나 다음 각 목의 금액 합계가 기업회계기준에 따라 계산한 매출액(가목부터 다목까지의 금액이 포함되지 아니한 경우에는 이를 포함하여 계산한다)의 100분의 70 이상일 것
  가. 부동산 또는 부동산상의 권리의 대여로 인하여 발생하는 소득의 금액(「조세특례제한법」 제138조 제1항에 따라 익금에 가산할 금액을 포함한다)
  나. 「소득세법」 제16조 제1항에 따른 이자소득의 금액
  다. 「소득세법」 제17조 제1항에 따른 배당소득의 금액
- 해당 사업연도의 상시근로자 수가 5명 미만일 것

2. 「소득세법」 제70조의 2 제1항에 따른 성실신고확인대상사업자가 사업용 유형자산 및 무형자산의 현물출자 및 사업의 양도·양수 등의 방법에 따라 내국법인으로 전환한 경우 그 내국법인(사업연도 종료일 현재 법인으로 전환한 후 3년 이내의 내국법인으로 한정한다.)

영업 포인트

금융상품 월납액은 어떤 비용으로 분류될까?

분 류	내 용
적립식보험	재무상태표 ▷ 투자자산 ▷ 장기금융상품
단체보험(소멸성)	손익계산서 ▷ 판매비와 관리비 ▷ 복리후생비

분류에 따라 미치는 영향

- 자산으로 분류된다면 유동자산이 감소하고 투자자산이 증가되어 유동비율과 당좌비율 감소
- 판매비와 관리비에 포함된다면 영업이익과 당기순이익 감소, 법인세 손금에 해당한다면 법인세 감소

PART 02

절세전략은 기업경영에 필수적입니다

가. 회사는 법인세를 냅니다.

나. 이사나 주주는 소득세를 냅니다.

가 회사는 법인세를 냅니다.

1 학습목표

학습내용	효 과
법인세의 계산	• 법인세의 계산구조와 세무조정의 의미를 이해한다.
법인세 세무조정	• 세무조정의 항목과 소득 및 세액에 미치는 영향을 이해한다.

2 TALK

선생님, 급하게 문의드릴 일이 있는데요.
제가 아는 대표님이 모임에서 법인세 이야기가 나왔었는데 대표님들이 절세에 관심이 많으시고 적극적으로 참여하시더라고요. 아직 법인세를 공부하지 않아 멀뚱히 쳐다만 봤습니다.

아이고, 그런 일이 있으셨군요.
법인세는 대표자들이 특별히 관심을 갖는 주제 중의 하나이지요. 법인세는 처음 배우시는 건가요?

③ 주요내용 : 법인세의 개론과 계산구조

법인세는 법인이 벌어들인 소득에 대해 과세하는 세금이다. 앞서 배운 법인의 개념을 떠올려보면 사업활동을 수행하기 위해 투자자들이 설립하였고 법인이 벌어들인 이익은 궁극적으로 주주의 것임을 보았다. 그렇다면 법인이 벌어들인 소득을 과세할 필요가 있을까? 현재 우리나라에서는 법인의 소득에 대해 매년 법인세를 과세하고 이후에 법인의 이익을 주주에게 배당할 때 주주에게 배당소득세를 한번 더 과세한다. 결국 하나의 소득에 대해 법인단계에서 한 번, 배당 시 주주단계에서 한 번 더 과세하기 때문에 이중과세라고 부르고 이를 완화하기 위한 규정을 법인세법과 소득세법에 각각 두고 있다. 어찌되었든 법인의 소득을 법인세로 과세하는데 우리가 앞서 살펴본 손익계산서의 당기순이익과 법인세법의 과세대상인 소득금액의 관계를 먼저 알아보도록 하자.

회계에서 계산된 당기순이익을 과세대상으로 이용한다면 법인세의 계산이 어렵지 않겠지만 법인세법의 제정 취지에 따라 이익과 소득에는 분명한 차이가 발생한다. 그래서 납부할 법인세를 계산하기 위해 회계에서 계산된 당기순이익을 조정하여 소득금액을 계산해내는데 이를 세무조정이라고 한다. 세무조정의 항목은 다양하지만 절세를 목적으로 중요한 항목은 다음에서 배워보도록 한다.

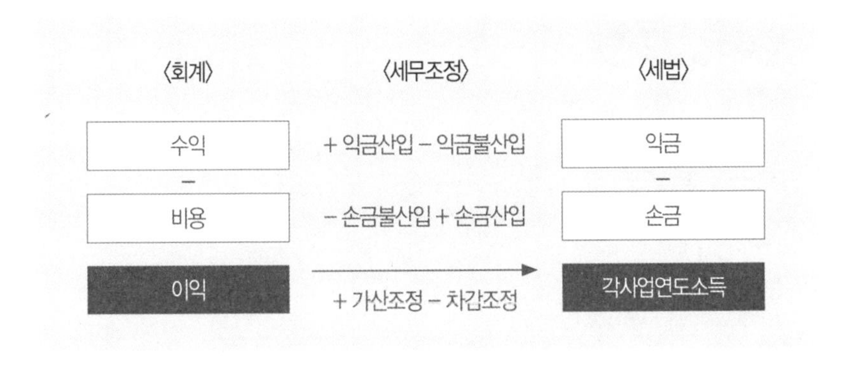

소득금액을 계산하였다면 납부할 법인세의 세액을 계산하는 식을 살펴보자.

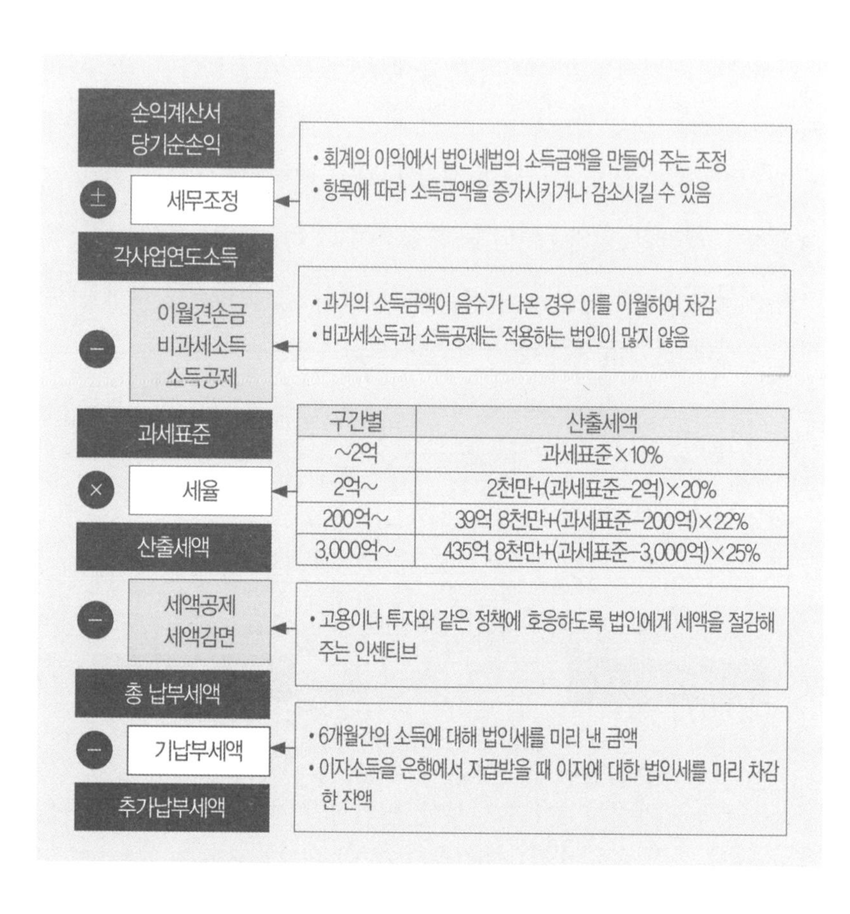

구간별	산출세액
~2억	과세표준×10%
2억~	2천만+(과세표준−2억)×20%
200억~	39억 8천만+(과세표준−200억)×22%
3,000억~	435억 8천만+(과세표준−3,000억)×25%

당기순이익에서 세무조정을 거쳐 나온 소득을 법인세법에서는 '각사업연도소득'이라고 부른다. 그런데 과거에 사업이 여의치 않아 소득이 음수가 나온 경우에 이를 결손금이라 부르고 이후로 이월하여 소득이 나는 해에 차감해 주게 되는데 이를 '이월결손금'의 공제라고 한다. 소득금액에서 이월결손금 등을 차감하고 나면 '과세표준'이 계산된다. 과세표준에 법인세의 세율을 곱하면 '산출세액'이 계산되고 이후의 계산에서는 세액을 가감하게 된다. 조세특례제한법이나 법인

세법에 규정된 '세액공제 · 감면'을 차감하고 연중 미리 납부한 '기납부세액'을 차감하면 최종적으로 법인세 신고시에 추가로 납부할 세액이 된다.

법인세의 납부세액을 계산할 때 가감하는 항목이 많고 용어가 생소하지만 소득과 세액의 차이를 이해하고 항목별로 최종적인 세액에 미치는 영향을 알아내기 위해서는 계산구조를 꼭 숙지해야 한다. 이후에서는 법인세의 절세를 위해 알아야 할 세무조정의 항목을 배워보자. 세무조정은 소득금액의 조정으로 여기에 세율을 곱한 금액만큼 납부세액이 변화한다는 것을 기억하도록 하자.

4 주요내용 : 주요 세무조정 항목과 내용

가) 인건비

법인세법의 기본 목적인 충실한 과세를 위해 법인세법은 회사에 제공하는 근로에 비해 과도한 인건비의 지출을 제재하기 위한 규정을 두고 있다. 회사가 근로자에게 과도한 인건비를 지급한 사례를 찾기는 쉽지 않지만 회사의 경영진인 임원에게 지급하는 인건비가 과도하게 지급된 사례를 찾아보기는 어렵지 않다. 법인세법에서도 임원에게 지급하는 인건비를 발생 원인에 따라 급여와 상여, 퇴직급여로 나누고 각각에 대해 손금의 인정을 제한하는 규정을 두고 있다.

법인세법의 인건비규정은 컨설팅에 있어 회사와 임원의 지급금액을 결정하는 중요한 요소에 해당한다. 먼저 법인세법상 인건비의 과세규정을 요약하면 다음과 같다.

항 목	내 용
급여	• 부당한 급여가 아니면 한도 없이 인정
상여	• 회사의 임원 상여지급규정을 초과한 상여는 손금 인정 불가 • 상여지급규정이 없는 경우 상여 전액 손금 인정 불가 • 이익배분성격의 상여는 손금 인정 불가
퇴직급여	• 회사의 퇴직급여지급규정을 초과하는 퇴직급여는 손금 인정 불가 • 퇴직급여지급규정이 없는 경우 법인세법의 한도 적용

임원에게 지급하는 상여와 퇴직급여에 한도가 있다는 것을 기억해야 한다. 상여지급규정에서 정하는 상여의 한도는 정관, 주주총회, 이사회의 결정으로 정할 수 있으며, 퇴직급여지급규정은 정관과 주주총회에서 정할 수 있다. 그리고 두 지급규정은 모두 지급의 방법과 지급금액을 계산하는 방법 등 지급기준이 명확히 규정되어 있어야 한다. 예를 들어 상여지급기준은 회사의 이익에 비례하는 식을 두거나 퇴직급여지급기준은 근속연수와 월 급여, 배수(multiplies)를 이용하여 계산식을 설계하는 경우가 많다.

나) 접대비

접대비는 그 성질상 임직원 또는 주주 등의 개인적인 접대, 이익의 은폐 또는 비자금 조성 등에 악용될 여지가 있고 과소비, 향락문화의 조장 등 각종 사회적 문제를 일으킬 소지를 안고 있기 때문에 조세정책적 목적에서 불필요한 지출을 억제하여 회사의 재무 건정성을 높이고 투명한 자금집행을 도모하기 위해 법인세법에서 접대비를 제재한다. 접대비 제재의 방법은 크게 두 가지인데, 접대비의 지출에 법에서 정한 증빙을 엄격하게 갖추도록 하는 것과 회사별로 연간 접대비의 지출 한도를 두어 한도를 초과하는 접대비 지출액을 손금으로 인정하지 않는 방법을 이용하고 있다. 따라서 지출증빙을 갖추지 않거나 한도를 초과한 금액만큼 소득금액이 증가하여 법인세 지출을 늘리게 되는 것이다.

토막지식

[접대비의 한도]

한도금액 = ① + ②

① 기본한도 = 중소기업 : 2,400만 원, 기타법인 : 1,200만 원

② 매출액 비례 한도 = (매출액 - 특수관계인 매출) * 적용률 + 특수관계인 매출액 * 적용률 * 10%

[매출액 비례 적용률]

매출액 단계	비례율
100억 미만	0.2%
100억 이상 ~ 500억 미만	0.1%
500억 이상	0.03%

접대비는 한도 금액 이내로 지급하도록 규칙을 정할 필요가 있고, 법인세법상 접대비에 해당하는 항목에 무엇이 있는지 미리 알아둘 필요가 있다.

다) 업무용승용차

과거에 언론에서도 지적이 있어왔지만 회사가 구입하여 업무용으로 사용하는 차량을 회사와 특수한 관계에 있는 사람들이 개인적으로 사용하는 사례가 많았다. 굳이 큰 돈을 들여 개인적으로 차량을 취득하지 않고 회사명의로 차량을 취득하여 이용한 것이다. 이 과정에서 발생하는 비용을 회사의 비용으로 치리함으로써 법인세를 낮추기도 했다. 법인세법에서는 이러한 업무용승용차의 사적사용을 제한하기 위해 일정요건에 따라 비용인정 기준을 마련하여 업무용승용차 과세 합리화를 도모한다. 이 규정의 시행 전에도 법인과 개인사업자의 업무에 사용하지 않은 차량에 대한 감가상각비, 임차료, 수선비 등은 전액 비용을 불인정할 수 있었다. 막상 과세를 하려 한다면 업무용 사용 여부에 대한 확인이 어렵고, 일부만 업무에 사용한 경우 과세 기준이 없어 현실적으로 차량관련 비용이 제한 없이 인정되는 문제점을 가지고 있다. 업무용 승용차의 경우 사적 사용과 업무용 사용이 혼용될 수 있음을 감안하여 명확한 과세 기준을 정립하고자 이 규정을 도입하였다. 제도의 주요 제재내용은 다음과 같다.

취 지	대 책
① 회사의 외부인이 운행하는 것 방지	업무전용자동차보험의 강제
② 임직원의 업무 외 사용 방지	운행기록부 작성, 업무사용비율
③ 고가차량의 제한	감가상각비 제한, 감가상각 의무화

손금불산입 금액을 계산하기 위해서는 다음의 순서에 따라야 한다.

라) 가지급금

앞서 회계단원에서 언급한 것과 같이 회사가 업무와 관련 없이 자금을 대여하는 경우 이를 가지급금이라고 한다. 법인세법에서는 특수관계인에게 업무와 무관하게 가지급금을 대여한 경우에 다음의 두 가지에 대해 제재를 가하고 있다.

항 목	내 용
인정이자	시가에 해당하는 이자율만큼 정당한 이자를 받지 않으면 법인세와 소득세 과세
지급이자	회사가 지출하는 이자비용 중의 일부를 비용으로 인정하지 않아 법인세 과세

가지급금은 자금관리에 어려움을 겪는 중소·중견기업에서 자주 발견된다. 가지급금을 그대로 유지하는 경우 법인세가 증가하는 동시에 차입한 임직원도 마찬가지로 소득세가 증가하기 때문에 가급적 가지급금을 줄이고자 여러 방안을 마련할 수 있다. 기본적으로 직접 현금을 회사에 지급하고 갚을 수 있겠지만 여의치 않는 경우 현금 이외에 회사에 어떤 재산을 지급할 수 있을지 고민해볼 수 있다.

토막지식 가지급금으로 인한 세액 효과

회사가 대표이사 겸 주주에게 3억 원의 가지급금이 있는 경우 매년 인정이자와 지급이자로 인한 세효과를 계산하여 보자.
(법인세율 20%, 소득세율 30%, 회사의 차입금 6억 원 이자비용 3천만 원 가정)

1. 법인세의 증가액
(인정이자로 인한 법인세 증가)
= 3억 원 * 4.6%(당좌대출이자율) * 20% = 2,760,000원

(지급이자로 인한 법인세 증가)
= 3천만 원 * (3억 원 * 365 / 6억 원 * 365) * 20% = 3,000,000원

법인세는 연간 5,760,000원이 증가한다.

2. 소득세의 증가액
= 3억 원 * 4.6%(당좌대출이자율) * 30% = 4,140,000원

소득세는 연간 4,140,000원이 증가한다.

위에서 계산한 내역 중 법인세의 인정이자로 인한 증가액과 소득세는 차입자가 회사에 적절한 이자를 매년 지급한다면 발생하지 않는다. 하지만 가지급금에 대해 이자를 지급하는 경우는 많지 않으므로 가지급금에 대한 관리가 적극적으로 필요하다.

마) 수입배당금 익금불산입

사업을 수행하고자 할 때 법인사업자와 개인사업자 중 하나의 형태를 선택할 수 있다. 이에 대해 세법의 관점에서 법인사업이 개인사업과 다른 점을 살펴보자. 개인사업의 이익은 당연히 사업을 수행한 개인에게 돌아가지만 법인이 사업에서 벌어들인 이익은 투자자인 주주에게 돌려주는 배당이라는 절차가 필요하다. 그런데 배당이라는 것은 법에서 인정한 사람(법적실체)인 법인에서 주주로 부가 이동하는 과정이므로 부의 이동에 대해 세법은 과세하도록 하고 있다. 결국 개인사업자는 사업소득을 한 번 과세받는 것과 달리 법인사업자는 사업의 소득을 법인세로 먼저 과세받고, 세후 소득을 배당하면 배당을 받은 주주는 법인이든 개인이든 배당소득으로 한 번 더 과세받게 된다. 따라서 그대로 과세된다면 사업을 직접 수행하고자 하는 사업자의 입장에서 법인사업은 개인사업보다 항상 세금을 더 납부하는 이중과세의

불합리함이 생기게 된다. 이러한 이중과세를 방지하기 위해 도입된 제도가 수입배당금 익금불산입 규정이다. 모회사가 받은 배당금수입을 익금에 산입하지 않겠다는 것이다.

[세무조정 금액]

익금불산입액 = 수입배당금액 × 익금불산입비율 – 익금불산입 차감금액

[익금불산인 차감금액]

$$\text{익금불산입 차감금액} = \text{차입금이자} \times \frac{\text{출자주식 등의 장부가액적수} \times \text{익금불산입률}}{\text{사업연도 종료일 재무상태표상자산총계액적수}}$$

바) 벤처기업 확인

세법에서 정하는 '창업벤처중소기업'으로 인정받는 경우 소득에 대한 법인세 및 소득세, 취득세, 재산세와 같은 조세의 특례를 받을 수 있다. 먼저 특례의 대상인 '창업벤처중소기업'의 요건과 특례의 내용을 차례로 살펴보면 다음과 같다.

토막지식 **창업벤처중소기업**

항 목	내 용
업종	광업, 제조업, 건설업, 음식점업, 출판업, 영상·오디오 기록물 제작 및 배급업(비디오감상실 운영업은 제외), 방송업, 전기통신업, 컴퓨터 프로그래밍, 시스템통합 및 관리업, 정보서비스업(뉴스제공업, 블록체인 기반 암호와자산 매매 및 중개업은 제외), 연구개발업, 광고업, 그 밖의 과학기술서비스업, 전문디자인업, 전시·컨벤션 및 행사대행업, 창작 및 예술관련 서비스업(자영예술가는 제외한다), 엔지니어링사업, 물류산업, 「학원의 설립·운영 및 과외교습에 관한

항 목	내 용
	법률」에 따른 직업기술 분야를 교습하는 학원을 운영하는 사업 또는 「근로자직업능력 개발법」에 따른 직업능력개발훈련시설을 운영하는 사업(직업능력개발훈련을 주된 사업으로 하는 경우에 한한다), 「관광진흥법」에 따른 관광숙박업, 국제회의업, 유원시설업 및 대통령령으로 정하는 관광객이용시설업, 「노인복지법」에 따른 노인복지시설을 운영하는 사업, 「전시산업발전법」에 따른 전시산업, 인력공급 및 고용알선업(농업노동자 공급업을 포함한다), 건물 및 산업설비 청소업, 경비 및 경호 서비스업, 시장조사 및 여론조사업, 사회복지 서비스업, 보안시스템 서비스업, 통신판매업, 개인 및 소비용품 수리업, 이용 및 미용업
중소기업	조세특례제한법상의 중소기업에 해당
확인	창업 후 3년 이내 벤처기업 확인

토막지식 벤처기업의 주요 조세특례

항 목	내 용
법인세와 소득세 감면	그 확인받은 날 이후 최초로 소득이 발생한 과세연도(벤처기업으로 확인받은 날부터 5년이 되는 날이 속하는 과세연도까지 해당 사업에서 소득이 발생하지 아니하는 경우에는 5년이 되는 날이 속하는 과세연도)와 그 다음 과세연도의 개시일부터 4년 이내에 끝나는 과세연도까지 해당 사업에서 발생한 소득에 대한 소득세 또는 법인세의 100분의 50에 상당하는 세액을 감면
취득세 감면	창업일로부터 4년 이내에 취득하는 사업용재산에 대한 취득세 75% 감면
재산세 감면	해당 사업에 직접 이용하는 부동산에 대해 창업일로부터 3년간 재산세를 면제하고 그 다음 2년간은 재산세의 50% 감면

영업 포인트 법인세 절세와 컨설팅

- 법인세의 절세는 소득공제(손금산입)와 세액공제가 존재
- 손금산입은 세율을 곱하여 세액공제는 그대로 현금흐름에 영향

나 이사나 주주는 소득세를 냅니다.

1 학습목표

학습내용	효 과
소득세의 과세대상	• 소득세법에 규정된 과세대상소득의 정의와 종류를 살펴본다.
소득의 정의와 구분	• 과세대상소득의 정의와 특징을 이해한다.
비과세소득	• 소득세법에 규정된 소득의 종류별 비과세항목을 이해한다.

2 TALK

선생님, 법인세법을 배웠으니 이제 개인에게 과세하는 소득세법을 어서 배워야 할 것 같아요. 소득세법에도 세무조정이 나오나요?

네, 사업에서 벌어들인 사업소득을 계산하기 위해서는 법인세법과 유사한 세무조정이 필요합니다. 하지만 소득세법에는 사업소득보다 더 중요한 항목이 많습니다. 개인이 벌어들이는 소득의 종류는 더 많기 때문이지요.

아. 맞아요. 주변에 사업하는 사람보다 직장인인 사람도 많고 재테크로 돈버는 사람들도 많거든요. 이런 소득들도 다 과세대상이겠죠?

맞습니다. 이제 소득세법을 본격적으로 들어가기에 앞서 용어정리부터 해야겠네요. 우리가 개인이라고 표현했던 소득세법의 납세의무자는 거주자인데 이런 거주자에게 어떻게 과세하고 있는지 자세히 알아보도록 합시다.

3 개인(거주자)이 벌어들이는 소득의 종류와 과세방법

우리가 두 번째로 배울 세금은 소득세이다. 소득세는 개인에게 과세하는 항목으로 컨설팅을 최종적으로 주주나 이사에게 돌아갈 부를 높이는 목적으로 수행한다면 소득세도 빠질 수 없는 주제이다. 따라서 소득세의 학습을 통해 주주나 경영자에게 과세될 금액을 계산하는 것을 목표로 이 단원을 학습하여 보자.

소득세법에서는 국내의 주소 등을 가진 거주자를 납세의무자로 하여 총 8가지의 소득에 대해 과세하고 있다.

분 류	소 득	과세 방식
종합소득	이자소득, 배당소득	2천만 원 이하 무조건 분리과세, 초과분 종합과세
	연금소득	12백만 원 이하 선택적 분리과세, 그 외 종합과세
	근로소득	종합과세
	사업소득	인적용역소득 등 분리과세, 그 외 종합과세
	기타소득	3백만 원 이하 선택적 분리과세, 그 외 종합과세
퇴직소득		분리과세
양도소득		건별 양도소득신고

먼저 과세대상 소득은 크게 3가지로 종합소득과 퇴직, 양도소득으로 나누어 분류과세한다. 여기에서 종합소득은 상기한 6가지 소득을 합산하여 누진세율로 과세하기 위해 만든 소득의 이름으로 합산하여 과세하는 것이 원칙이지만 소득금액이 크지 않은 경우 합산하지 않고 원천징수만으로 과세를 종결하는 특징이 있다. 이를 분리과세라고 한다. 원천징수는 소득을 지급하는 사람이 지급하는 단계에서 세금을 일부 떼어 나머지만 지급하고 떼어낸 세금을 매달 세무서에 신고납부하는 것을 말한다. 분리과세는 결국 납세의무자에게 종합소득세를 신고하는 부담을 줄이고 소득금액이 적을 때 낮은 세율로 과세하는 장점이 있는 제도이다. 소득의 종류별로 원천징수하는 세율은 다음과 같다.

소득자	소 득	원천징수 세율
거주자 (개인)	이자, 배당	14%
	비영업대금의 이익, 출자공동사업자 배당	25%
	사적 연금	나이에 따른 차등세율
	근로, 퇴직, 공적연금	간이세액표에 기재된 금액
	기타	20%(15%, 30% 소득 존재)
	원천징수 대상 사업소득	3%
법인	비영업대금의 이익	25%
	기타 이자수익	14%
	투자신택의 이익	14%

과세대상 8가지의 소득 중 컨설팅에는 근로소득, 퇴직소득, 양도소득을 주로 이용한다. 이하에서는 소득의 종류별로 과세시 중요한 점을 정리하여 살펴보도록 하자.

4 금융소득

가) 금융소득의 분리과세

금융소득은 종합소득에 포함되는 이자소득과 배당소득을 말한다. 이자와 배당 모두 익숙한 소득금액으로 필요경비가 인정되지 않는다는 것이 다른 소득과 구분되는 차이점이다. 필요경비란 해당 소득의 매출액을 벌어들이기 위해 지출한 비용으로 과세액을 계산할 때 매출액에서 차감하여 소득금액을 줄여주는 역할을 하는 금액을 말한다. 대부분의 소득에는 필요경비를 인정하여 주지만 금융소득은 투자에 따라 발생한 소득이기 때문에 별도로 추가적인 필요경비를 인정하지 않고 매출액 전체를 소득금액으로 본다.

항 목	소득의 요인	수입시기
이자소득	자금의 대여	금융기관 이자 : 이자수령일
배당소득	주식의 취득	배당 결의일

금융소득은 모두 원천징수 대상이고 소득세법에 따라 14%, 지방세법에 따라 1.4%를 징수하여 총 15.4%를 제외한 나머지를 지급받는다. 예를 들어 살펴보자.

토막지식 이자소득과 배당소득의 분리과세

은행으로부터 1억 원의 원금을 1년간 정기예금에 예치하였다. 이자율이 연 5%인 경우 정기예금 만기일에 지급받을 이자소득과 현금수령액을 계산하고 세무처리방법을 생각해 보자.

1. 이자소득과 원천징수

이자소득 = 100,000,000원 x 5% x 365/365 = 5,000,000원
원천징수율 = 14%, 특별징수율(지방소득세) = 1.4%
원천징수금액(특별징수 포함) = 5,000,000원 x 15.4% = 770,000원
현금수령액 = 5,000,000원 - 770,000원 = 4,230,000원

2. 세무처리

① 법인이 이자소득자인 경우
법인세 신고시 이자수입 5,000,000원을 익금으로 각 사업연도소득에 포함하고 770,000원을 기납부세액으로 차감한다.

② 개인이 이자소득자인 경우
다른 금융소득이 없는 경우 2천만 원 미만의 금융소득으로서 분리과세로 과세 종결된다. 따라서 해당 이자소득에 대해서는 77만 원의 세액만 과세된다.

원천징수 제도는 빈번하게 발생할 수 있는 종류의 소득을 간단히 과세하기 위해서 만들어졌다. 이자나 배당과 같은 금융소득은 상품의 가입이나 주식의 취득이 간단하고 현금이 있다면 누구나 투자하여 소득을 발생시킬 수 있다. 따라서 금융소득은 오래 전부터 가장 일반적인 재테크 방법이 되어왔다. 그런데 이러한 금융소득에 대해 종합소득의 과세 절차에 따라 과세를 하기에는 일반 국민들이 소득세법을 명확히 이해하고 적용해야 하는 어려움이 있었다. 따라서 세법에서는 2천만 원 이하의 소규모 금융소득에 대해 원천징수만으로 과세를 마무리하는 분리과세를 하고 있다. 다른 종합소득과 합산하지 않고 소득을 지급받을 때 원천징수만 했다면 이후에 더 이상 합산하지 않는 것이다. 이러한 분리과세는 다음과 같은 장점이 있다.

토막지식 **이자소득과 배당소득의 분리과세**

현행 소득세법에서 2천만 원 미만의 금융소득에 대해 적용하고 있는 분리과세의 과세 방식은 납세의무자에게 몇 가지 이점이 있다.

- 절차가 간단 : 납세의무자의 추가적인 신고나 납부 없음
- 낮은 세율 : 소득이 높지 않은 경우 누진세율보다 14%의 낮은 세율 적용

분리과세는 금융소득의 컨설팅에 빠지지 않는 주제이다. 하나의 회사에서 배당소득과 근로소득, 그리고 퇴직소득이 발생하는 경우 각각의 과세 방식과 계산법이 다르기 때문에 소득설계를 통해 최적의 절세 방안을 찾을 수 있다. 이를 위해서는 금융소득에 포함되는 배당소득의 과세방법에 대해 자세히 이해할 필요가 있는데 배당소득의 과세

는 아래에서 좀 더 자세히 살펴보도록 하자.

나) 금융소득의 계산 구조

배당은 주식회사의 영업성과에 따른 이익의 누적액을 주주에게 배분하는 금액을 말한다. 따라서 배당을 통해 회사는 사업에서 발생한 소득을 주주에게 이전한다. 그리고 배당은 받은 주주에게는 소득세가 과세된다. 결국 사업에서 발생한 소득은 법인의 단계에서 법인세로 한 번 과세되고 세후이익을 주주에게 배당할 때 소득세로 한 번 더 과세된다. 이중과세는 이렇게 하나의 소득이 두 번 이상 과세되는 것을 의미하며 세법에서는 이중과세를 방지하기 위한 규정을 두고 있다.

세 목	소득자	명 칭
법인세법	법인	수입배당금 익금불산입
소득세법	개인(거주자)	배당세액공제와 그로스업(Gross-up)

소득세법에서는 배당을 받은 개인(거주자)에게 배당소득을 과세하지만 해당 배당소득에 법인단계에서 과세된 금액만큼은 세액공제의 방식으로 이중과세를 조정하여 준다.

아래의 예를 참고하여 배당소득의 세액공제를 학습하도록 하자.

토막지식 이자소득과 배당소득의 분리과세 연습

각 case별 부담세액을 계산하시오.

[공통 적용 사항]

- 종합소득공제 : 100만 원
- 기타세액공제 : 200만 원
- 금융소득 : 각 14%의 원천징수(특별징수 1.4%는 고려하지 않음)

[Case1. 금융소득 분리과세]

- 근로소득 11,400만 원
- 배당소득 1,000만 원
- 이자소득 500만 원

항 목	금 액	비 고
종합소득금액	11,400만 원	금융소득 분리과세
과세표준	11,300만 원	= 11,400만 원 - 100만 원
산출세액	2,465만 원	세율 35%, 누진공제 1,490만 원
결정세액	2,265만 원	기타세액공제 200만 원
부담세액	2,475만 원	결정세액 2,265만 원 + 금융소득 분리과세액(1,500만 원 * 14% = 210만 원)

[Case2. 금융소득 합산과세]

- 근로소득 10,400만 원
- 배당소득 2,000만 원
- 이자소득 500만 원

항 목	금 액	비 고
종합소득금액	12,955만 원	금융소득 합산과세 + Gross-up
과세표준	12,855만 원	= 11,400만 원 - 100만 원
산출세액	2,589.25만 원	[종합소득세액(2,309.25만 원)+분리과세액(280만 원)]*

항 목	금 액	비 고
결정세액	2,334.25만 원	기타세액공제 + 배당세액공제
부담세액	2,334.25만 원	결정세액

비교과세액 = 2,115만 원 + 350만 원 = 2,465만 원

[비교과세제도]

산출세액 계산 시 기준금액(2,000만 원)을 초과하는 금융소득을 다른 종합소득과 합산하여 계산하는 종합과세 방식과 금융소득과 다른 종합소득을 구분하여 계산하는 분리과세방식에 의해 계산된 금액 중 큰 금액을 산출세액으로 한다.

[비교과세제도 산출세액 계산식]

금융소득이 2,000만 원을 초과하는 경우 산출세액
= 거주자의 종합소득과세표준에 포함된 금융소득금액이 종합과세기준금액(2,000만 원)을 초과하는 경우에는 ①과 ② 중 큰 금액

① 다음 Ⓐ와 Ⓑ의 세액을 합산한 금액(종합과세 방식)

Ⓐ [금융소득 중 종합과세기준금액(2천만 원)을 초과하는 금액(G-up포함) + 금융소득을 제외한 다른 종합소득금액 - 종합소득공제] × 기본세율(6% ~ 40%)
Ⓑ 종합과세기준금액(2천만 원) × 원천징수세율(14%, 9%)

② 다음 Ⓐ와 Ⓑ의 세액을 합산한 금액(분리과세 방식)

Ⓐ 금융소득 × 원천징수세율(14%, 25%, 9%)
Ⓑ (금융소득을 제외한 다른 종합소득금액 종합소득공제) × 기본세율

개인(거주자)이 받은 배당소득의 이중과세를 조정하기 위해 소득세법에서는 세액을 계산할 때 두 단계의 조정을 거친다. 먼저 배당소득금액을 결정할 때 법인단계에서 납부하였을 법인세의 금액을 더하여 주는데, 소득세법에서는 이를 단순화하여 배당수익의 11%의 금액을 더하도록 하고 있다. 이렇게 배당금 수익에 법인세가 과세된 금액을

더하는 과정을 그로스업(Gross-up)이라고 한다. 이렇게 더해주는 이유는 같은 금액을 배당세액공제에서 차감하기 위해서이다. 소득금액에 더한 금액과 같은 금액을 세액공제에서 차감하는 경우 소득자는 그만큼 세 부담이 줄어드는 효과를 얻게 된다. 이를 금액으로 확인하여 보자.

지금까지의 내용을 정리하여 배당소득에 대해서는 다음의 계산순서를 통해 부담할 세액을 계산할 수 있다.

순 번	질 문	대 응
1	금융소득의 합계가 2,000만 원을 초과하는가?	초과하지 않으면 합산 안함
2	배당소득금액의 11%를 소득금액에 합산한다.	배당소득의 Gross-up
3	종합소득의 산출세액을 계산한다.	소득공제, 종합소득세액공제 수행
4	배당세액공제를 차감한다.	그로스업 금액을 세액공제로 차감

다) 비과세 금융소득

이자소득과 배당소득 중 정책적인 목적에 따라 비과세하는 항목이 있다. 비과세는 컨설팅 전략을 세울 때 중요하므로 다음의 항목에 대해 중요하게 학습하도록 하자.

(1) 장기 저축성보험의 보험차익

보험차익은 보험계약에 의하여 만기나 중도 해지시에 지급받는 보험금 또는 환급금이 납입보험료를 초과하는 금액을 말하는데 보험차익은 원칙적으로 이자소득에 해당한다. 이때 세법에서는 장기 저축성보험상품의 가입을 통해 국민의 미래 보장을 장려하고자 아래의 요건을 충족한 장기 저축성보험의 보험차익에 대해 과세하지 않는다.

- 최초로 보험료를 납입한 날부터 만기일 또는 중도 해지일까지의 기간이 10년 이상으로서 보험계약 체결 시점부터 아래의 요건 중 어느 하나를 갖춘 보험
  1. 계약자 1명당 납입할 보험료 합계액[계약자가 가입한 모든 저축성보험계약(제2호에 따른 저축성보험 및 제4항에 따른 종신형 연금보험은 제외한다)의 보험료 합계액을 말한다]이 다음 각 목의 구분에 따른 금액 이하인 저축성보험. 다만, 최초로 보험료를 납입한 날(이하 이 조에서 "최초납입일"이라 한다)부터 만기일 또는 중도해지일까지의 기간은 10년 이상이지만 납입한 보험료를 최초납입일부터 10년이 경과하기 전에 확정된 기간 동안 연금형태로 분할하여 지급받는 경우는 제외한다.
     가) 2017년 3월 31일까지 체결하는 보험계약의 경우 : 2억 원
     나) 2017년 4월 1일부터 체결하는 보험계약의 경우 : 1억 원

  2. 다음 각 목의 요건을 모두 갖춘 월적립식 저축성보험
     가) 최초납입일부터 납입기간이 5년 이상인 월적립식 보험계약일 것
     나) 최초납입일부터 매월 납입하는 기본보험료가 균등(최초 계약한 기본보험료의 1배 이내로 기본보험료를 증액하는 경우를 포함한다)하고, 기본보험료의 선납기간이 6개월 이내일 것
     다) 계약자 1명당 매월 납입하는 보험료 합계액[계약자가 가입한 모든 월적립식 보험계약(만기에 환급되는 금액이 납입보험료를 초과하지 아니하는 보험계약으로서 기획재정부령으로 정하는 것은 제외한다)의 기본보험료, 추가로 납입하는 보험료 등 월별로 납입하는 보험료를 기획재정부령으로 정하는 방식에 따라 계산한 합계액을 말한다]이 150만 원 이하일 것(2017년 4월 1일부터 체결하는 보험계약으로 한정한다)

- 보험계약 체결시점부터 다음 각 호의 요건을 모두 갖춘 종신형 연금보험
  1. 계약자가 보험료 납입 계약기간 만료 후 55세 이후부터 사망시까지 보험금

·수익 등을 연금으로 지급받을 것
2. 연금 외의 형태로 보험금·수익 등을 지급하지 아니할 것 (2017. 2. 3. 신설)
3. 사망시[「통계법」 제18조에 따라 통계청장이 승인하여 고시하는 통계표에 따른 성별·연령별 기대여명 연수 이내에서 보험금·수익 등을 연금으로 지급하기로 보증한 기간이 설정된 경우로서 계약자가 해당 보증기간 이내에 사망한 경우에는 해당 보증기간의 종료시를 말한다] 보험계약 및 연금재원이 소멸할 것
4. 계약자와 피보험자 및 수익자가 동일하고 최초 연금지급개시 이후 사망일 전에 중도해지할 수 없을 것
5. 매년 수령하는 연금액[연금수령 개시 후에 금리변동에 따라 변동된 금액과 이연(移延)하여 수령하는 연금액은 포함하지 아니한다]이 다음의 계산식에 따라 계산한 금액을 초과하지 아니할 것

연금수령 개시일 현재 연금계좌 평가액 x 3 / 연금수령 개시일 현재 기대여명연수

(2) 비과세 종합저축에서 발생하는 이자 · 배당

아래 거주자가 2019년 12월 31일까지 생계형저축에 가입하는 경우 해당 저축에서 발생하는 이자소득이나 배당소득에 대해서는 소득세를 부과하지 않는다.

- 65세 이상인 거주자
- 「장애인복지법」 제32조에 따라 등록한 장애인
- 「독립유공자 예우에 관한 법률」 제6조에 따라 등록한 독립유공자와 그 유족 또는 가족
- 「국가유공자 등 예우 및 지원에 관한 법률」 제6조에 따라 등록한 상이자(傷痍者)
- 「국민기초생활보장법」 제2조 제2호에 따른 수급자
- 「고엽제 후유의증 등 환자지원 및 단체설립에 관한 법률」 제2조 제3호에 따른 고엽제 후유의증환자
- 「5·18민주유공자 예우에 관한 법률」 제4조 제2호에 따른 5·18민주화운동부상자

이때 생계형저축이란 아래의 요건을 모두 충족한 종합저축을 의미한다.

- 1명당 저축원금이 5천만 원(제89조에 따른 세금우대종합저축에 가입한 거주자로서 세금우대종합저축을 해지 또는 해약하지 아니한 자의 경우에는 5천만 원에서 해당 거주자가 가입한 세금우대종합저축의 계약금액 총액을 뺀 금액으로 한다) 이하
- 2019년 12월 31일까지 가입하는 경우
- 아래 요건을 모두 충족한 비과세종합저축에 가입
  1. 「금융실명거래 및 비밀보장에 관한 법률」 제2조 제1호에 따른 금융회사 등(이하 이 조에서 "금융회사 등"이라 한다) 및 다음 각 목의 어느 하나에 해당하는 공제회가 취급하는 저축(투자신탁·보험·공제·증권저축·채권저축 등을 포함한다)일 것
     가. 「군인공제회법」에 따라 설립된 군인공제회
     나. 「한국교직원공제회법」에 따라 설립된 한국교직원공제회
     다. 「대한지방행정공제회법」에 따라 설립된 대한지방행정공제회
     라. 「경찰공세회법」에 따라 실립된 경찰공제회
     마. 「대한소방공제회법」에 따라 설립된 대한소방공제회
     바. 「과학기술인공제회법」에 따라 설립된 과학기술인공제회
- 2. 가입 당시 저축자가 비과세 적용을 신청할 것

(3) 우리사주조합원이 지급받는 배당

우리사주조합원이 우리사주조합을 통하여 주식을 취득한 후 증권금융회사에 예탁한 우리사주의 배당소득에 대해서는 다음 각 호의 요건을 갖춘 경우에 소득세를 과세하지 아니한다. 다만, 예탁일부터 1년 이내에 인출하는 경우 그 인출일 이전에 지급된 배당소득에 대해서는 인출일에 배당소득이 지급된 것으로 보아 소득세를 과세한다.

- 증권금융회사가 발급한 주권예탁증명서에 의하여 우리사주조합원이 보유하고 있는 우리사주가 배당지급 기준일 현재 증권금융회사에 예탁되어 있음이 확인될 것
- 우리사주조합원이 대통령령으로 정하는 소액주주일 것
- 우리사주조합원이 보유하고 있는 우리사주의 액면가액의 개인별 합계액이 1천800만 원 이하일 것

5 근로소득

가) 근로소득의 정의와 중요성

근로소득은 근로제공의 대가로 받는 소득으로 가장 많은 개인(거주자)이 얻고 있는 소득에 해당한다. 그만큼 국민생활에 미치는 영향도 크고 세법의 내용도 챙겨야 할 항목이 많다. 기본적으로 근로소득에 대한 종합소득세는 다른 종류의 종합소득세와 비교해서 평균세율이 낮은 경우가 많다. 따라서 기업의 임직원을 대상으로 하는 컨설팅에는 근로소득의 비과세나 소득의 분류를 고려하여야 한다. 이하에서는 근로소득이 다른 소득과 다른 점을 비교하여 설명하도록 한다.

나) 연말정산 이해하기

근로소득에 대한 종합소득세는 신고하는 전국에 1,700만 명 이상의 개인(거주자)이 납세의무를 부담하고 있다. 따라서 원칙적으로 모든 근로소득자가 근로소득에 대한 종합소득세를 신고하기 위해 소득세법을 이해하고 신고방법을 학습해야 한다. 하지만 세법에서는 이러

한 납세의무자의 어려움을 해소하기 위해 몇 가지 장치를 두고 있는데 그 중 하나가 연말정산 제도이다.

근로자가 근로를 제공하는 대상은 사업을 수행하는 개인 사업자나 법인일 것이고 이들은 개별 근로자에 비해 세법의 의무를 이행할 수 있는 인적·물적 자원이 충분할 것이다. 따라서 세법에서는 근로자가 부담할 근로소득에 대한 종합소득세의 신고의무를 해당 사업자나 법인에게 이전하여 사업자나 법인이 직접 근로자를 위해 매 년도 근로자의 근로소득과 종합소득을 계산하고 세액을 산출하여 2월의 급여를 지급할 때 정산하도록 한다. 이를 연말정산이라고 한다. 따라서 근로자는 연말정산에 필요한 서류를 준비하여 회사에 제출하면 회사는 연말정산을 수행하고 그 결과로 원천징수영수증을 지급한다. 연말정산은 결국 근로소득에 대한 종합소득세를 '미리', '회사가' 수행하게 하는 제도인 것이다.

연말정산은 근로자의 근로소득만을 대상으로 신고하기 때문에 다른 종합소득이 발생하는 경우 원칙적인 종합소득세의 신고기한인 5월 안에 다른 소득을 포함하여 종합소득을 신고하여야 한다.

다) 연말정산 절세

근로소득을 발생한 적이 있었던 사람이라면 연말정산에서 공제를 받기 위해 자료를 모으고 회사에 제출한 적이 있을 것이다. 이때 제출했던 항목들은 대부분 소득세법과 조세특례제한법들에 규정된 소득공제, 세액공제 규정에 해당한다. 중요한 공제항목들은 다음과 같다.

토막지식 주요 연말정산 공제항목

1. 소득공제

항 목	요 건	공제내용
인적공제	기본공제	1명당 150만 원
	추가공제 (70세 이상, 장애인, 부녀자, 한부모)	장애인 200만 원 부녀자 50만 원 기타 100만 원
주택자금	주택임차자금	원리금 최대 300만 원
결정세액	장기주택저당차입금	이자 300 ~ 1800만 원
신용카드	(한도) Min[총급여 20%, 300만 원] + 100만 원 (전통시장) + 100만 원 (대중교통)	총급여액*25% 초과 금액의 결재수단별 비율을 곱한 금액(신용카드 : 15%, 현금영수증 · 직불(선불)카드 : 30%, 전통시장 · 대중교통비 : 40%)

2. 세액공제

항 목	요 건	공제내용
근로소득	총급여액 3,300만 원 이하 : 74만 7천만 원 이하 : 66만 원, 초과 50만 원	산출세액 130만 원 이하 55% 130만 원 초과분 30%
자녀	기본공제대상 자녀 6세 이하 자녀 출생 · 입양자녀	2명 이하 15만/명, 초과 30만/명 2명 이상 1명당 15만/명 첫째 30만/명, 둘째 50만/명, 셋째 이상 70만/명
연금계좌	연금계좌납입액의 12%(총급여액 55백만 원 이하는 15%) 납입액 한도 : 연 700만 원 연금저축한도 : 총급여 1억 2천만 원 또는 종합소득금액 1억 원 이하 400만 원, 초과자 300만 원	

항 목	요 건	공제내용
보험료	보장성보험 : 기본공제대상자를 피보험자로 하는 보장성보험 납입액의 12%(연 공제세액 12만 원 한도) 장애인전용 보장성 : 기본공제대상자 중 장애인을 피보험자 또는 수익자로 하는 장애인 전용보장성보험 납입액의 15%(연 공제세액 15만 원 한도)	
기타	의료비, 교육비, 기부금, 월세액 등	

라) 비과세 근로소득

어느 소득이든 과세하지 않는 항목이 있지만 근로소득에 규정된 비과세의 항목은 수도 많고 적용할 수 있는 범위가 넓은 편이다. 따라서 담당 회사에서 적용할 수 있는 비과세의 항목을 유심히 살펴볼 필요가 있다.

토막지식 과세하지 않는 근로소득

① 「근로기준법」 또는 「선원법」에 따라 근로자·선원 및 그 유족이 받는 요양보상금, 휴업보상금, 상병보상금(傷病補償金), 일시보상금, 장해보상금, 유족보상금, 행방불명보상금, 소지품 유실보상금, 장의비 및 장제비

② 「국민연금법」에 따라 받는 반환일시금(사망으로 받는 것만 해당한다) 및 사망일시금

③ 대통령령으로 정하는 학자금

학교(외국에 있는 이와 유사한 교육기관을 포함한다)와 직업능력개발훈련시설의 입학금·수업료·수강료, 그 밖의 공납금 중 다음 각 호의 요건을 갖춘 학자금(해당 과세기간에 납입할 금액을 한도로 한다)을 말한다.

1. 당해 근로자가 종사하는 사업체의 업무와 관련있는 교육·훈련을 위하여 받는 것일 것

2. 당해 근로자가 종사하는 사업체의 규칙 등에 의하여 정하여진 지급기준에 따라 받는 것일 것
3. 교육·훈련기간이 6월 이상인 경우 교육·훈련 후 당해 교육기간을 초과하여 근무하지 아니하는 때에는 지급받은 금액을 반납할 것을 조건으로 하여 받는 것일 것

④ 대통령령으로 정하는 실비변상적(實費辨償的) 성질의 급여

15. 근로자가 기획재정부령이 정하는 벽지에 근무함으로써 받는 월 20만 원 이내의 벽지수당

⑤ 「발명진흥법」 제2조 제2호에 따른 직무발명으로 받는 다음의 보상금으로서 대통령령으로 정하는 금액(연 500만 원 이하의 금액)

1) 「발명진흥법」 제2조 제2호에 따른 종업원 등(이하 이 조, 제20조 및 제21조에서 "종업원 등"이라 한다)이 같은 호에 따른 사용자 등으로부터 받는 보상금

⑥ 생산직 및 그 관련직에 종사하는 근로자로서 급여 수준 및 직종 등을 고려하여 대통령령으로 정하는 근로자가 대통령령으로 정하는 연장근로·야간근로 또는 휴일근로를 하여 받는 급여

"대통령령으로 정하는 근로자"란 월정액급여 210만 원 이하로서 직전 과세기간의 법 제20조 제2항에 따른 총급여액이 3천만 원 이하인 근로자(일용근로자를 포함한다)로서 다음 각 호의 어느 하나에 해당하는 사람을 말한다.

⑦ 대통령령으로 정하는 식사 또는 식사대

"대통령령으로 정하는 식사 또는 식사대"란 다음 각 호의 어느 하나에 해당하는 것을 말한다.

1. 근로자가 사내급식 또는 이와 유사한 방법으로 제공받는 식사 기타 음식물
2. 제1호에 규정하는 식사 기타 음식물을 제공받지 아니하는 근로자가 받는 월 10만 원 이하의 식사대

⑧ 근로자 또는 그 배우자의 출산이나 6세 이하(해당 과세기간 개시일을 기준으로 판단한다) 자녀의 보육과 관련하여 사용자로부터 받는 급여로서 월 10만 원 이내의 금액

6 사업소득

가) 개인사업자와 법인의 비교

사업소득은 영리를 목적으로 자기의 계산과 책임 하에 계속적·반복적으로 행하는 활동을 통하여 얻는다. 하지만 사업소득을 얻는 주체는 개인(거주자)과 법인 모두가 가능하므로 사업소득을 얻은 개인(거주자)에게는 소득세법이, 법인에게는 법인세법이 과세하고 있다. 사업소득이 사업을 수행하는 주체에 따라 달라지지 않으므로 소득세법의 사업소득과 법인세법의 소득을 계산하는 방식은 크게 다르지 않다. 다만 소득세법에서는 대표자의 근로소득이 별도로 비용으로 인정되지 아니한다. 사업의 주체가 대표자이기 때문이다. 따라서 이번 단원에서는 법인세법과 규정되는 사업소득의 특징 위주로 배우게 될 것이다.

나) 사업소득과 근로소득, 기타소득의 비교

사업소득은 그 범위가 넓기 때문에 다른 소득과의 구분이 중요하다. 사업소득과 기타소득, 사업소득과 근로소득의 구분이 일반적으로 문제가 되는데 세 가지 소득 모두 종합소득에 포함되어 합산과세되지만 필요경비의 수준과 분리과세시 세율(원천징수세율)이 차이가 나기 때문에 납세의무자는 소득의 분류에 따라 부담하는 종합소득세가 달라지게 된다. 세 가지 소득을 비교하면 다음과 같다.

항 목	필요경비	원천징수세율	분리과세 선택
사업소득	실제 사업을 위해 발생한 비용	인적용역(3%), 그 외 없음	항상 합산과세
근로소득	근로소득공제	간이세액표	
기타소득	소득별 필요경비율	20%(30%)	소득 300만 원 초과 합산

보통 사업소득은 근로소득이나 기타소득보다 실질적으로 부담하는 세율이 높기 때문에 사업소득과 구분되는 근로 · 기타소득의 특징을 확인하여 구분을 명확히 하여야 한다. 세 가지 소득의 구분기준을 이해하기 위해 사업소득의 요건을 살펴보면 다음과 같다.

항 목	의 미
자기의 계산과 책임	근로소득과 차이
계속적 · 반복적	기타소득과 차이

먼저 사업소득은 스스로의 계산과 책임으로 수행한다는 점이 근로소득과 다르다. 이를 구분하기 위해 실무적으로 회사에 종속되어 업무를 수행하는지 아니면 독립적으로 수행하는지를 살펴본다.

토막지식 사업소득과 근로소득의 구분

사업소득과 근로소득의 구분을 좀 더 풀어서 살펴보면 ①실질적으로 사업 또는 사업장에 임금을 목적으로 종속적인 관계에서 근로를 제공하였는지, ②종속적인 관계가 있는지 여부는 업무 내용을 사용자가 정하고 취업규칙 또는 복무(인사)규정 등의 적용을 받으며 업무 수행 과정에서 사용자가 상당한 지휘·감독을 하는지, 사용자가 근무시간과 근무장소를 지정하고 근로자가 이에 구속을 받는지, 노무제공자가 스스로 비품·원자재나 작업도구 등을 소유하거나 제3자를 고용하여 업무를 대행하게 하는 등 독립하여 자신의 계산으로 사업을 영위할 수 있는지, 노무 제공을 통한 이윤 창출과 손실 초래 등 위험을 스스로 안고 있는지와 보수의 성격이 근로 자체의 대상적 성격인지, 기본급이나 고정급이 정하여졌는지 및 근로소득세의 원천징수 여부 등 보수에 관한 사항, 근로 제공 관계의 계속성과 사용자에 대한 전속성 유무와 그 정도, 사회보장제도에 관한 법령에서 근로자로서 지위를 인정받는지 등 경제적·사회적 여러 조건을 종합하여 판단한다.

(대법원 2012. 1. 12. 선고, 2010다50601 판결 등 참조).

사업소득과 기타소득은 계속적 · 반복적으로 발생하는 소득인지의 여부에 따라 구분할 수 있다. 예를 들어 후술할 기타소득은 일시적인 강연과 같은 인적용역 소득이나 요건을 충족한 퇴직연금의 일시 지급액 등이 포함된다. 따라서 기타소득과 사업소득의 구분에 있어서는 해당 소득이 어떠한 빈도로 발생하는지 여부를 판단하여야 한다.

토막지식 사업소득과 기타소득의 구분

서면-2018-소득-1715, 2018.12.21.

문예 · 학술에 관한 저술을 계속적·직업적으로 하는 저작자가 창작활동을 하고 얻는 원고료, 인세 등은 사업소득에 속하며, 저술을 전문으로 하지 아니하는 거주자가 일시적으로 지급받는 원고료, 인세는 기타소득에 해당됨

【질의】

(사실관계)

o 질의자는 출판사로 저작자에게 원고료를 일시에 지급하거나 인세를 매달 지급하는 경우 발생

(질의내용)

o 저작자가 원고료는 출판사에 매절(출판판매권 양도)하여 일시에 받거나 인세는 매달 지급받을 시 기타소득인지 사업소득인지

【회신】

귀 서면질의의 경우, 문예·학술에 관한 저술을 계속적·직업적으로 하는 저작자가 창작활동을 하고 얻는 원고료, 인세 등은 소득세법 제19조의 사업소득에 속하며, 저술을 전문으로 하지 아니하는 거주자가 일시적으로 지급받는 원고료, 인세는 같은 법 제21조 제1항 제15호에 따른 기타소득에 해당하는 것임

【관련 사례】

ㅇ 소득1264-2349, 1983.07.07.

문예창작소득 중에서 독립된 자격으로 계속적이고 직업적으로 창작활동을 하고 얻는 소득, 즉 교수 등이 책을 저술하고 받는 고료 또는 인세, 문필을 전문으로 하는 사람이 전문분야에 대한 기고를 하고 받는 고료, 미술, 음악 등 예술을 전문으로 하는 사람이 창작활동을 하고 받는 금액, 정기간행물 등에 창작물(삽화, 만화 등 포함)을 연재하고 받는 금액, 신문, 잡지 등에 계속적으로 기고하고 받는 금액, 전문가를 대상으로 하는 문예창작 현상모집에 응하고 받는 상금 등은 사업소득에 속하며, 일시적인 창작활동의 대가, 즉 문필을 전문으로 하지 아니한 사람이 신문, 잡지 등에 일시적으로 기고하고 받는 고료, 신인발굴을 위한 문예창작 현상모집에 응하고 받는 상금 등은 기타 소득에 속하는 것임

마지막으로 근로소득과 기타소득을 비교하여 보면 앞서 살펴본 근로소득의 특징인 종속성과 기타소득의 특징인 일시성에 따라 소득을 비교하여 볼 수 있다.

토막지식 근로소득과 기타소득의 구분

소득46011-21080, 2000.08.14.

학교강사가 지급받는 강사료 등이 일시적인 것은 '기타소득', 독립된 자격으로 계속·반복적인 강의대가이면 '사업소득', 고용되어 지급받으면 '근로소득'임

【질의】

(상황)

1. 본인은 초등학교에서 특기·적성반(영어, 컴퓨터, 미술 등) 강사를 하고 있음. 본교에서 3개월마다 임용계약을 갱신하며, 강사 개인에 따라 1년~3년 정도 근무하고 있음. 보

수는 계약이 체결되는 날을 기준으로 하여 매월 월급의 형태로 학교로부터 지급받고 있음. 학교에서 지급하는 급여는 특기·적성반의 학생들로부터 수급한 강의료를 월 단위로 저희에게 지급하는 것임
2. 지난해 10월부터 지금까지 소득세라는 명목으로 월 72만 원이 월급인 경우 39,600원을, 월 90만 원이 월급인 경우에는 49,500원을 냈음. 학교 서무과에서는 본인 강사들의 수입을 근로소득이 아닌 기타소득 혹은 일용직 근로자의 세율을 적용하는 것으로 보여짐. 그리고 특정과목을 담당하여 3개월 이상 강의를 하고 받은 소득은 근로소득으로서 연말정산을 하여야 한다는 것으로 알고 있었으나, 본인은 지난해에도 위와 같은 적용되는 연말정산을 받을 수 없었음. 근로소득이 되기 위해서는 근로계약이나 고용계약이 전제되어야 한다고 알고 있음. 근로계약에 의하여 3개월 이상 장기적으로 일정과목을 강의하고 있고 또한 3개월 단위로 근로계약서를 작성하여 왔음

(질의)
위와 같은 사실로 본인은 본교와 직접적인 고용관계에 있음에도 기타소득으로 처리하는 것에 이의를 제기하며, 본인과 같은 형태의 시간강사의 급여가 근로소득에 해당하는지, 아니면 기타소득에 해당하는지 여부를 질의함

【회신】
거주자가 학교강사로 고용되어 지급받는 강사료 등은 그 지급방법이나 명칭여하를 불구하고 소득세법 제20조의 규정에 의하여 근로소득에 해당하는 것이며, 일시적으로 강의를 하고 지급받는 강사료 등은 같은 법 제21조의 규정에 의하여 기타소득에 해당하며, 독립된 자격으로 계속적·반복적으로 강의를 하고 지급받는 강사료 등은 같은 법 제19조 제1항의 규정에 의하여 사업소득에 해당하는 것임. 이때, 고용관계가 있는지 여부의 판단은 근로제공자가 업무 내지 작업에 대한 거부를 할 수 있는지, 시간적·장소적인 제약을 받는지, 업무수행 과정에 있어서 구체적인 지시를 받는지, 복무규정의 준수의무 등을 종합적으로 판단할 사항임

다) 주택임대사업자의 과세

부동산의 임대소득은 사업소득에 포함되어 종합소득에 합산과세되지만 부동산 중 주택의 임대소득은 비과세와 분리과세의 규정이 모두 있어 주의하여야 한다.

토막지식 주택임대소득의 과세

1. 비과세 규정

1개의 주택을 소유하는 자의 주택임대소득(기준시가가 9억 원을 초과하는 주택 및 국외에 소재하는 주택의 임대소득은 제외한다). 또는 해당 과세기간에 대통령령으로 정하는 총수입금액의 합계액이 2천만 원 이하인 자의 주택임대소득(2018년 12월 31일 이전에 끝나는 과세기간까지 발생하는 소득으로 한정한다). 이 경우 주택 수의 계산 및 주택임대소득의 산정 등 필요한 사항은 대통령령으로 정한다.

2. 분리과세 규정

해당 과세기간에 대통령령으로 정하는 총수입금액(주거용 건물 임대업에서 발생한 수입금액)의 합계액이 2천만 원 이하인 자의 주택임대소득(이하 "분리과세 주택임대소득"이라 한다). 이 경우 주택임대소득의 산정 등에 필요한 사항은 대통령령으로 정한다.

3. 주택수의 산정

- 다가구주택은 1개의 주택으로 보되, 구분등기된 경우에는 각각을 1개의 주택으로 계산
- 공동소유의 주택은 지분이 가장 큰 자의 소유로 계산하되, 지분이 가장 큰 자가 2인 이상인 경우에는 각각의 소유로 계산. 다만, 지분이 가장 큰 자가 2인 이상인 경우로서 그들이 합의하여 그들 중 1인을 당해 주택의 임대수입의 귀속자로 정한 경우에는 그의 소유로 계산한다.
- 임차 또는 전세받은 주택을 전대하거나 전전세하는 경우에는 당해 임차 또는 전세받은 주택을 임차인 또는 전세받은 자의 주택으로 계산
- 본인과 배우자가 각각 주택을 소유하는 경우에는 이를 합산

4. 기타

- 기준시가가 9억 원 : 과세기간 종료일 또는 해당 주택의 양도일을 기준으로 판단

또한 주택의 임대사업자 중 세법에서 정한 등록임대주택이 있는 경우에 소득금액의 계산과 과세방법에 차이가 발생한다. 먼저 임대주택 등의 요건과 과세내용은 다음과 같다.

토막지식 임대사업자 등록과 소형주택 임대소득 세액감면

[감면요건]

- 임대사업자 등록 : 세법에 따른 사업자 등록과 함께 「민간임대주택법」 제5조에 따른 임대사업자등록을 하였거나 「공공주택 특별법」 제4조에 따른 공공주택사업자로 지정되었을 것
- 임대주택 등록 : 내국인이 임대주택으로 등록한 「민간임대주택에 관한 특별법」 및 「공공주택특별법」에 따른 건설임대주택, 매입임대주택, 기업형임대주택 또는 준공공임대주택으로서 다음의 요건을 모두 충족
  - 「주택법」 제2조제6호에 따른 국민주택규모의 주택과 5배 이내의 부수토지(도시지역 밖의 경우 10배 이내)
  - 주택 및 이에 부수되는 토지의 기준시가의 합계액이 해당 주택의 임대개시일당시 6억 원을 초과하지 아니할 것
  - 임대주택 수 및 임대기간 요건 : 1호 이상의 임대주택을 4년 이상 [「민간임대주택에 관한 특별법」 제2제4호에 따른 기업형임대주택 또는 같은 조 제5호에 따른 준공공임대주택(이하 '준공공임대주택 등'이라 함)의 경우에는 8년 이상] 임대하여야 함

[감면내용]

2019년 12월 31일 이전에 끝나는 과세연도까지 해당 주택임대사업에서 발생한 소득에 대한 소득세의 100분의 30(준공공임대주택 등의 경우에는 100분의 75)에 상당하는 세액을 감면한다.

라) 공동사업자는 왜 유리할까요?

두 명 이상의 동업자가 함께 사업을 시작하는 경우 일반적으로 투자금액에 비례해 사업의 이익을 배분하게 된다. 이때 사업을 운영하는 형태는 크게 세 가지의 종류 중에 선택할 수 있는데 법인사업자, 1인의 개인사업자, 그리고 공동사업자의 형태이다. 법인사업자는 대부분 주식회사를 설립하고 투자금액에 비례해 지분을 나눈 뒤 이후에 사업의 소득을 지분율에 비례해 배분한다. 법인을 설립할 때 나머지

두 가지 형태와 차이점은 사업에서의 소득에 대해 법인세를 먼저 과세하고 남은 이익에 대해 배분할 수 있다는 점이다. 따라서 이중과세의 문제가 발생하고 이를 해소하기 위해 배당세액공제제도를 적용할 수 있다. 1인의 개인사업자 방식은 공동창업자 중에 1인이 사업자등록을 하고 나머지 동업자는 근로자로서 일을 하는 경우이다. 이러한 형태에서는 동업자에게 지급하는 급여가 사업자의 필요경비에 산입된다. 사업자는 동업자 급여를 차감한 사업소득에 대한 종합소득세를 내고 비사업자인 동업자는 근로소득에 대한 종합소득세를 내게 된다. 이 경우 사업소득이 누진세율로 과세되어 동업자 간에 실질세율이 달라지고 사업의 성과를 정확히 배분받기 어려운 단점이 있다. 마지막 방식인 공동사업자는 앞선 두 가지 방식의 장점을 모은 사업의 형태로서 사업에서의 소득을 동업자 간에 약정한 비율로 나누어 각자의 사업소득을 구성하기 때문에 소득이 분산되어 실질세율이 낮아지는 한편 사업의 소득을 사전에 약정한 비율로 정확하게 배분받을 수 있는 장점이 있다. 이를 정리하면 다음과 같다.

형 태	과세방법	특 징
법인사업자	사업 : 법인세, 배분 : 종합소득세(배당)	이중과세 및 완화제도
1인 개인사업자	사업 : 종합소득세(사업), 배분 : 종합소득세(근로)	동업자별 세율 차이
공동사업자	사업, 배분 : 종합소득세(사업)	누진과세 제외

마) 기장의 두 가지 방법. 간편장부와 복식부기

사업자는 사업에서의 이익을 계산하기 위해 회사의 연간 거래를 기록하고 이를 이용하여 재무제표를 작성한다. 이렇게 회사가 수행한 거래를 기록하는 것을 기장 혹은 회계처리라고 표현한다. 이때 기장은 복식부기와 간편장부(단식부기)의 두 가지 방식으로 수행할 수 있으며 기장을 하지 않는 경우 가산세가 부과될 수 있다.

항 목	무기장	간편장부	복식부기
간편성	–	높음	낮음
세무처리	• 매출액 비례 추계 과세 • 가산세 부과	• 가산세 부과(복식부기 의무자)	–

복식부기의 방식이 사업의 현황과 성과를 가장 잘 표현할 수 있겠지만 이는 상당한 회계지식과 시간이 소요된다. 따라서 세법에서는 업종과 규모에 따라 기장의 의무를 정하고 있으며 의무를 다하지 않는 경우 가산세를 부과한다.

복식부기의무자는 간편장부대상자 이외의 모든 사업자가 해당되는데 간편장부대상자의 업종별 수입금액 기준은 다음과 같다.

업 종	수입금액
[공통기준] 해당 과세기간에 신규로 사업을 개시한 사업자	
부동산임대업, 부동산업(부동산매매업 제외), 전문·과학 및 기술서비스업, 사업시설관리·사업지원 및 임대서비스업, 교육서비스업, 보건업 및 사회복지서비스업, 예술·스포츠 및 여가 관련 서비스업, 협회 및 단체, 수리 및 기타 개인서비스업, 가구 내 고용활동	(직전 과세기간 수입금액) 7천5백만 원 미만

업 종	수입금액
제조업, 숙박 및 음식점업, 전기·가스·증기 및 공기조절 공급업, 수도·하수·폐기물처리·원료재생업, 건설업(비주거용 건물 건설업은 제외하고, 주거용 건물 개발 및 공급업을 포함한다), 운수업 및 창고업, 정보통신업, 금융 및 보험업, 상품중개업	(직전 과세기간 수입금액) 1.5억 원 미만
농업·임업 및 어업, 광업, 도매 및 소매업(상품중개업을 제외한다), 부동산매매업, 상기에 해당하지 않는 사업	(직전 과세기간 수입금액) 3억 원 미만

만약 사업자가 기장을 하지 않는 경우 가산세를 부과하는 벌칙 외에 사업의 소득을 확정할 필요가 있다. 이를 위해 세법에서는 수입금액에 비례한 업종별 소득률을 정하고 있으며 매출액에 소득률을 곱한 금액을 소득으로 간주하여 과세하는데 이를 추계과세방식이라고 한다. 추계과세방식은 업종별 매출액 규모에 따라 단순경비율 적용 대상자와 기준경비율 적용 대상자로 나뉘는데 단순경비율 적용 대상자는 다음과 같다.

토막지식 단순경비율 적용 대상자

업 종	수입금액
[공통기준] 해당 과세기간에 신규로 사업을 개시한 사업자	
부동산임대업, 부동산업(부동산매매업 제외), 전문·과학 및 기술서비스업, 사업시설관리·사업지원 및 임대서비스업, 교육서비스업, 보건업 및 사회복지서비스업, 예술·스포츠 및 여가 관련 서비스업, 협회	(직전 과세기간 수입금액) 2천4백만 원 미만

업 종	수입금액
및 단체, 수리 및 기타 개인서비스업, 가구 내 고용활동	
제조업, 숙박 및 음식점업, 전기·가스·증기 및 공기조절 공급업, 수도·하수·폐기물처리·원료재생업, 건설업(비주거용 건물 건설업은 제외하고, 주거용 건물 개발 및 공급업을 포함한다), 운수업 및 창고업, 정보통신업, 금융 및 보험업, 상품중개업	(직전 과세기간 수입금액) 3천6백만 원 미만
농업·임업 및 어업, 광업, 도매 및 소매업(상품중개업을 제외한다), 부동산매매업, 상기에 해당하지 않는 사업	(직전 과세기간 수입금액) 6천만 원 미만

바) 법인전환

개인사업자와 법인사업자는 사업을 수행하는 주체의 차이가 있을 뿐 사업을 통해 이익을 남기고 이를 사업자에게 배부하는 목적에는 차이가 없다. 따라서 개인사업자와 법인사업자는 원칙적으로 세법의 적용도 같아야 하겠지만 현행 세법에는 두 형태별 과세의 방식에 차이가 있다.

항 목	법인사업자	개인사업자
세율	10 ~ 25%	6 ~ 42%
사업자 과세	배당소득세	없음
사업의 주체	법인	사업주
경영자 인건비	경비인정	경비인정 안됨
사업주 퇴직	법인 존속	폐업

항 목	법인사업자	개인사업자
신뢰도	높음	낮음

일반적으로 창업 당시에는 작은 규모의 사업에 알맞은 개인사업자의 형태로 시작하지만 점차 사업의 규모가 성장하며 자본 투자의 필요성이 증가하고 거래상대방의 법인선호에 따라 법인사업자로의 전환을 고민하게 된다. 즉, 개인사업자 형태로 영위하는 사업을 법인사업자의 형태로 전환하는 것을 법인전환이라고 부른다. 법인전환은 이행하는 절차에 따라 세 가지 종류로 나눌 수 있는데 각 종류별 특성은 다음과 같다.

항 목	현물출자	사업양수도	폐 업
특징	현물출자의 절차 이행 자본금 불필요	사업양수도 대가 수수 자본금 필요	폐업 후 법인설립 상호, 사업자산 미승계
과세가능성	[출자자] 자산의 양도에 대한 양도소득세 (일정 요건충족 시 이월과세 가능)	[양도자] 영업권양도 기타소득 사업용 자산 양도소득 (일정 요건충족 시 이월과세 가능) [양수법인] 부동산 취득세 (일정 요건충족 시 75% 감면)	[개인사업자] 폐업시 부가가치세
대상	사업용 부동산 존재 사업의 규모 큼	사업용 부동산 없음 사업용 자산이 적음 미래 현금흐름이 높음	사업용자산이 적음 영업권이 적음

법인으로 전환시에 개인사업자가 보유하던 무형의 자산으로서 법률적인 보호는 없으나 경영상의 유리한 관계 등 사회적 실질가치를 갖는 자산으로 흔히 권리금(權利金)이라고 부른다. 영업권은 우수한 경영능력 및 인적 자원 · 높은 대외적 신용과 명성 · 지역적 우위 등에 의해서 결정된다. 이러한 영업권은 법인사업자로 이전되는 과정에서 개인사업자의 자산으로 인정받을 수 있다. 이때 영업권은 적정한 가치로 평가하여야 한다.

7 기타소득

소득세는 열거주의 과세방식을 채택하고 있기 때문에 순자산의 증가를 과세대상으로 하는 법인세와 달리 소득세법에 열거된 소득 외에는 원칙적으로 과세하지 못한다. 하지만 종합소득으로 열거하고 있는 5가지 성격의 소득으로는 개인의 과세범위를 확장하기 어렵기 때문에 여러 성격의 소득을 모은 기타소득을 정의하여 과세하고 있다. 기타소득에는 다음과 같은 소득이 포함된다.

종 류	필요경비율
• 공익법인이 주무관청의 승인을 받아 시상하는 상금 및 부상과 다수가 순위 경쟁하는 대회에서 입상자가 받는 상금 및 부상 • 위약금과 배상금 중 주택입주 지체상금	MAX[80%, 실제 경비율]
• 광업권·어업권·산업재산권·산업정보, 산업상 비밀, 상표권·영업권(대통령령으로 정하는 점포 임차권을 포함한다), 토사석(土砂石)의 채취허가에 따른 권리, 지하수의	MAX[60%, 실제경비율]

종 류	필요경비율
개발·이용권, 그 밖에 이와 유사한 자산이나 권리를 양도하거나 대여하고 그 대가로 받는 금품 • (영업권에는 행정관청으로부터 인가·허가·면허 등을 받음으로써 얻는 경제적 이익을 포함하되, 사업용 고정자산과 함께 양도되는 영업권은 포함되지 않음) • 문예·학술·미술·음악 또는 사진에 속하는 창작품(「신문 등의 자유와 기능보장에 관한 법률」에 따른 정기간행물에 게재하는 삽화 및 만화와 우리나라의 창작품 또는 고전을 외국어로 번역하거나 국역하는 것을 포함한다)에 대한 원작자로서 받는 소득으로서 다음 각 목의 어느 하나에 해당하는 것 가. 원고료 나. 저작권사용료인 인세(印稅) 다. 미술·음악 또는 사진에 속하는 창작품에 대하여 받는 대가 • 다음 각 목의 어느 하나에 해당하는 인적용역(제15호부터 제17호까지의 규정을 적용받는 용역은 제외한다)을 일시적으로 제공하고 받는 대가 가. 고용관계 없이 다수인에게 강연을 하고 강연료 등 대가를 받는 용역 나. 라디오·텔레비전 방송 등을 통하여 해설·계몽 또는 연기의 심사 등을 하고 보수 또는 이와 유사한 성질의 대가를 받는 용역 다. 변호사, 공인회계사, 세무사, 건축사, 측량사, 변리사, 그 밖에 전문적 지식 또는 특별한 기능을 가진 자가 그 지식 또는 기능을 활용하여 보수 또는 그 밖의 대가를 받고 제공하는 용역 라. 그 밖에 고용관계 없이 수당 또는 이와 유사한 성질의 대가를 받고 제공하는 용역	
• 저작자 또는 실연자(實演者)·음반제작자·방송사업자 외	

종 류	필요경비율
의 자가 저작권 또는 저작인접권의 양도 또는 사용의 대가로 받는 금품 • 다음 각 목의 자산 또는 권리의 양도·대여 또는 사용의 대가로 받는 금품 가. 영화필름 나. 라디오·텔레비전 방송용 테이프 또는 필름 다. 그 밖에 가목 및 나목과 유사한 것으로서 대통령령으로 정하는 것 • 물품(유가증권을 포함한다) 또는 장소를 일시적으로 대여하고 사용료로서 받는 금품 • 계약의 위약 또는 해약으로 인하여 받는 소득으로서 다음 각 목의 어느 하나에 해당하는 것 가. 위약금 나. 배상금 다. 부당이득 반환 시 지급받는 이자 ("위약금과 배상금"이란 재산권에 관한 계약의 위약 또는 해약으로 받는 손해배상(보험금을 지급할 사유가 발생하였음에도 불구하고 보험금 지급이 지체됨에 따라 받는 손해배상을 포함한다)으로서 그 명목여하에 불구하고 본래의 계약의 내용이 되는 지급 자체에 대한 손해를 넘는 손해에 대하여 배상하는 금전 또는 그 밖의 물품의 가액을 말함) • 거주자·비거주자 또는 법인의 대통령령으로 정하는 특수관계인이 그 특수관계로 인하여 그 거주자·비거주자 또는 법인으로부터 받는 경제적 이익으로서 급여·배당 또는 증여로 보지 아니하는 금품 • 사례금 • 소기업·소상공인 공제부금의 해지일시금 • 세액공제 받은 연금소득과 연금계좌 운용수익액을 그 소득의 성격에도 불구하고 연금 외 수령한 소득 • 퇴직 전에 부여받은 주식매수선택권을 퇴직 후에 행사하거나 고용관계 없이 주식매수선택권을 부여받아 이를 행사함으로써 얻는 이익	일반적으로 용인되는 통상적인 필요경비

종 류	필요경비율
• 종업원 등 또는 대학의 교직원이 퇴직한 후에 지급받는 직무발명보상금	
• 종교관련종사자가 종교의식을 집행하는 등 종교관련종사자로서의 활동과 관련하여 대통령령으로 정하는 종교단체로부터 받은 소득	필요경비 산입표 참고

기타소득도 마찬가지로 소득금액을 계산하기 위해 기타수입금액에서 필요경비를 차감해야 하는데 수입금액의 종류에 따라 필요경비를 차감하는 방식이 다르다. 기타소득의 필요경비는 비교적 높은 비율로 인정해 주는 편이므로 잘 이해하고 적용하도록 하자.

한편 기타소득 중에는 절세에 주로 이용되는 항목들이 있는데 다음의 소득항목과 특징을 살펴보자.

형 태	과세방법	특 징
직무발명보상금	비과세 한도 초과금액에 대해 지급시점에 원천징수	연 500만 원 비과세
특허권, 영업권의 양도 및 대여	소득금액의 20% 지급시점에 원천징수	필요경비 60%

토막지식 기타소득의 구분

사전-2018-법령해석소득-0669, 2019.01.15.

사망보험금 지급지연에 따라 보험금에 추가하여 지급받는 지연손해금은 「소득세법」 제21조 제1항 제10호에 따른 기타소득에 해당하지 아니하는 것임

【질의】

(사실관계)

o 사망보험에 가입한 피보험자가 2001년 사망하여 수령인이 보험사에 보험금 지급 신청함

- 보험사는 해당 건이 보험금 지급사유에 해당하지 않는 것으로 판단하여 보험금 지급을 거부함

o 법원이 최근 유사한 사망 사건에 대해 보험금 지급사유가 되는 것으로 판단함에 따라 보험사는 2017년 청구인에게 사망보험금을 지급함

- 보험사는 사망보험금에 추가하여 지급지연에 따른 가산금을 지급하면서 이를 기타소득으로 보아 원천징수함

(질의내용)

o 사망보험금에 대한 지연손해금이 기타소득에 해당하는지 여부

【회신】

귀 사전답변 신청에 대하여는 기획재정부의 해석(재소득-27, 2019.1.3.)을 참고하기 바람

◈ 기획재정부 소득세제과-27, 2019.1.3.

피보험자의 사망이라는 보험사고로 인하여 보험금 지급의무가 발생한 보험회사가 그 보험금의 지급을 지연하여 추가로 지급하는 지연손해금은 「소득세법」 제21조 제1항 제10호에 따른 기타소득에 해당하지 않는 것임

8 대표이사겸 최대주주라면 근로소득과 퇴직소득, 배당소득을 모두 받습니다.

회사의 중요한 이해관계자에는 소유자인 주주, 경영자인 이사, 근로를 제공하는 직원 등이 있다. 이들은 회사의 사업활동을 통한 수익을 각각 허용된 방식으로 배분받는데 소득세법에서는 이를 소득으로 보아 과세한다.

이해관계자	소 득	과세특징
주주	배당소득	Gross-up, 배당세액공제
이사	근로소득, 퇴직소득	근로소득공제, 근로세액공제, 퇴직소득의 계산
근로자	근로소득, 퇴직소득	

만약에 회사의 주주이자 임원이라면 회사로부터 상기 세 가지 소득을 받아 소득세를 내게 되는데 이때 각 소득의 종류별로 부과되는 세금의 평균세율이 차이가 난다. 따라서 이러한 특성을 이용하여 지배주주의 절세구조를 설계할 수 있다.

같은 금액의 수입을 벌어도 소득의 종류에 따라 결과적인 세율이 달라진다. 이러한 세법의 특성을 이용하여 회사의 이해관계자는 같은 금액의 수입이라도 소득금액의 분류를 이용하여 세금을 적게 부담하려는 시도를 할 수 있다. 물론 실질과세의 원칙에 따라 단순히 세금을 적게 부담하려는 목적으로 거래의 형식을 가장한다면 이는 인정되지 않는다. 따라서 보수적인 관점으로 합리적인 방식을 이용한 소득설계가 필요하다.

토막지식 소득의 종류별 절세항목

소 득	절세항목
배당소득	지분분할, 분리과세 소득금액(2,000만 원)
근로소득	상여 지급규정, 비과세소득
퇴직소득	퇴직금 지급규정

위와 같은 소득의 종류별로 절세 포인트를 숙지하고 이하에서는 실제로 세액의 계산을 통해 개인의 상황에 따라 적용방법을 배워보도록 하자.

9 소득금액의 계산 방법

종합소득에 포함된 6가지 소득과 분리과세 대상인 퇴직소득 및 양도소득은 소득의 종류별로 과세 방식이 다르다. 과세 방식은 소득의 수입금액에서 납세의무자가 부담할 세액의 종액인 결정세액에 이르기까지 계산에 영향을 미치는 항목을 통해 달라질 수 있다. 이를 자세히 배우기 위해 소득의 종류별로 결정세액을 계산하기 위한 식을 자세히 살펴보도록 하자.

토막지식 **소득의 종류별 계산구조**

계산구조	배당소득	근로소득	퇴직소득
수입금액	배당금 수입	총급여	퇴직소득공제
(–) 분리과세	2천만 원 이하	–	(일시출금시 원천징수)
(–) 필요경비	–	근로소득공제	–
= 소득금액	배당소득(금융소득)	근로소득	퇴직소득
	종합소득		
소득공제	종합소득공제		퇴직소득공제
과세표준	종합소득 과세표준		퇴직소득 과세표준
세율	종합소득세율		퇴직소득세율
산출세액	종합소득 산출세액		퇴직소득 산출세액
세액공제	종합세액공제		퇴직세액공제
결정세액	종합소득 결정세액		퇴직소득 결정세액

10 양도소득

가) 양도소득의 기초

양도소득은 소득세법에서 자산의 양도에 대해 과세하도록 마련한 규정으로 종합소득, 퇴직소득과 함께 소득세법에 규정된 분류과세되는 세 가지 세목 중 하나이다. 양도소득은 자산의 양도에 대해 과세하는 규정이고 양도란 대가를 받고 자산의 소유권을 이전하는 것을 말한다. 따라서 대가를 받지 않고 자산을 제공하는 증여나 상속과 다르다. 양도소득의 중요한 항목은 다음과 같다.

구 분	중요 항목
과세대상 자산	토지, 건물, 비상장주식, 최대주주의 상장주식, 기타자산
비과세	1세대 1주택
기본공제	자산의 종류별로 연간 250만 원의 소득금액 공제 적용
장기보유특별공제	부동산의 양도에 대해 보유기간에 비례한 공제금액 적용
세율	자산의 종류에 따라 누진세율, 정률의 세율을 적용
세액공제	
신고기한	1. 예정신고 • 부동산 등 : 그 양도일이 속하는 달의 말일부터 2개월 • 주식 : 그 양도일이 속하는 반기(半期)의 말일부터 2개월 2. 확정신고 • 그 과세기간의 다음 연도 5월 1일부터 5월 31일까지 신고 • 예정신고를 하였다면 확정신고의무가 면제되지만 예정신고를 하더라도 누진세율적용 대상 자산에 대한 예정신고가 2회 이상이고 산출세액이 달라지는 경우에는 확정신고를 하여야 함

양도소득은 자산의 투자와 함께 고려되는 세금으로 소득세법에 과세대상으로 열거된 자산의 양도가 과세대상이다. 여기에는 부동산과 주식 그리고 기타 자산항목이 포함된다. 양도소득의 과세대상인 주식은 상장여부에 따라 그 범위가 달라지지만 상장여부를 불문하고 부동산 과다보유 법인의 주식도 과세대상에 포함된다. 이는 실질적으로 부동산에 대한 간접투자에 해당하기 때문에 과세대상에 포함되는 것이다.

토막지식 **양도소득세 과세대상 주식**

항 목	내 용
비상장주식	모두 과세대상
상장주식	최대주주의 지분, 장외거래 상장주식은 과세대상
특정주식	법인의 자산 중 토지, 건물, 부동산취득권리, 지상권, 전세권, 등기된 부동산임차권이 차지하는 비율이 다음과 같을 경우에 따른 해당 주식 • 50% 이상 : 해당법인의 과점주주가 보유한 주식을 50% 이상 양도시 과세대상 • 80% 이상 : 해당법인의 주식은 항상 과세대상

양도소득세의 과세대상인 기타자산의 종류는 다음과 같다.

토막지식 **양도소득세 과세대상 부동산 및 기타자산**

항 목	내 용
부동산	토지, 건물
부동산취득권리	조합원입주권, 분양권
부동산이용권리	지상권, 전세권, 부동산임차권(등기)
영업권	사업용 고정자산과 함께 양도하는 경우
이용권, 회원권	골프 회원권, 콘도미니엄 이용권 등
파생상품	파생결합증권, 장내파생상품, 아래에 열거된 장외파생상품의 양도소득 • 장내파생상품으로서 증권시장 또는 이와 유사한 시장으로서 외국에 있는 시장을 대표하는 종목을 기준으로 산출된 지수를 기초자산으로 하는 상품 • 당사자 일방의 의사표시에 따라 지수의 수치 변동과 연계하여 미리 정하여진 방법에 따라 주권의 매매나 금전을

항 목	내 용
	수수하는 거래를 성립시킬 수 있는 권리를 표시하는 증권 • 해외 파생상품 시장에서 거래되는 파생상품 • 장외파생상품으로서 경제적 실질이 제1호에 따른 장내파생상품과 동일한 상품

위에 열거된 과세대상 자산의 양도는 원칙적으로 양도소득세의 과세 대상이 된다. 하지만 세법에서는 정책적인 목적으로 비과세 대상으로 열거하고 있는 항목이 있다. 이러한 비과세소득 중에 중요한 항목을 열거하면 다음과 같다.

토막지식 **양도소득세 비과세 항목**

항 목	내 용
1세대 1주택 등	1세대가 보유한 1주택이나 조합원입주권 등
파산선고에 의한 처분	-
특정 농지의 교환 · 분합	아래의 농지로서 교환 또는 분합하는 쌍방 토지가액의 차액이 가액이 큰 편의 4분의 1 이하인 경우 • 국가 또는 지방자치단체의 시행 사업으로 인한 교환 · 분합농지 • 국가 또는 지방자치단체의 소유 토지와 교환 · 분합농지 • 경작상 필요로 교환하는 농지(취득 농지를 3년 거주 · 경작) • 농어촌정비법 등에 의하여 교환 또는 분합하는 농지

양도소득세의 비과세 항목 중 1세대 1주택 항목은 양도소득세 실무

에서 빈번히 고려하는 중요한 항목이므로 이후에 자세히 학습하도록 하자.

나) 양도소득 계산구조

양도소득은 자산 양도로 인한 수입금액에 필요경비를 차감하여 소득금액을 계산하고 여기에 자산의 종류와 보유기간에 따라 기본공제와 장기보유특별공제를 차감한다. 이렇게 계산된 과세표준에 세율을 곱하여 산출세액을 계산하고 세액공제를 차감하여 결정세액을 계산한다.

Case Study 부동산의 양도

주인규씨는 2010년 1월 1일에 10억 원에 취득한 빌딩(건물 및 토지)을 2019년 1월 1일 20억 원에 양도하였다. 이에 따른 양도소득세를 계산하시오.

계산구조	금 액	항 목
양도가액	2,000,000,000원	
(−) 필요경비	1,015,000,000원	취득금액 10억 원, 중개사수수료 1천만 원, 양도소득세 신고 수수료 5백만 원
양도차익	985,000,000원	
(−) 장기보유특별공제	177,300,000원	9년 보유 양도차익의 18%
양도소득	807,700,000원	
(−) 양도소득기본공제	2,500,000원	부동산 항목에 대한 기본공제 250만 원
(=) 과세표준	805,200,000원	

계산구조	금 액	항 목
(x) 세율	기본세율 적용	일반 부동산 양도로서 누진세율 적용
(=) 산출세액	302,784,000원	
(−) 세액공제	−	별도의 세액공제 미적용
결정세액	302,784,000원	해당 금액을 양도소득 예정신고시 납부

양도소득세의 계산시 적용하는 공제항목들을 합리적으로 적용한다면 그만큼 양도소득세를 낮출 수 있다. 따라서 주로 적용되는 공제항목들을 자세히 학습하도록 하자.

다) 양도소득세 공제항목

(1) 소득공제항목

양도소득금액을 계산할 때 양도가액에서 차감하는 항목은 다음과 같다.

항 목	내 용
필요경비	양도소득과 관련된 아래의 필요경비를 양도가액에서 차감함 • 취득금액 : 해당 자산의 취득금액 • 자본적지출액 등 : 해당자산의 자본적지출액, 양도자산을 취득한 후 쟁송이 있는 경우에 그 소유권을 확보하기 위하여 직접 소요된 소송비용·화해비용 등의 금액, 양도자산의 용도변경·개량 또는 이용편의를 위하여 지출한 비용, 재건축부담금 등 • 양도비 등으로서 증권거래세나 신고서 작성비용 및 계약서 작성비용, 공증비용, 인지대 및 소개비, 양도자가 지출하는 명도비용 등의 비용

<table>
<tr><th>항 목</th><th>내 용</th></tr>
<tr><td>장기보유특별공제</td><td>
미등기와 조정지역 내 1세대 2주택 등을 제외한 부동산의 양도에 대해서는 보유기간에 따라 아래의 공제율을 적용
<table>
<tr><th>보유기간</th><th>공제율</th></tr>
<tr><td>3년 이상 4년 미만</td><td>100분의 6</td></tr>
<tr><td>4년 이상 5년 미만</td><td>100분의 8</td></tr>
<tr><td>5년 이상 6년 미만</td><td>100분의 10</td></tr>
<tr><td>6년 이상 7년 미만</td><td>100분의 12</td></tr>
<tr><td>7년 이상 8년 미만</td><td>100분의 14</td></tr>
<tr><td>8년 이상 9년 미만</td><td>100분의 16</td></tr>
<tr><td>9년 이상 10년 미만</td><td>100분의 18</td></tr>
<tr><td>10년 이상 11년 미만</td><td>100분의 20</td></tr>
<tr><td>11년 이상 12년 미만</td><td>100분의 22</td></tr>
<tr><td>12년 이상 13년 미만</td><td>100분의 24</td></tr>
<tr><td>13년 이상 14년 미만</td><td>100분의 26</td></tr>
<tr><td>14년 이상 15년 미만</td><td>100분의 28</td></tr>
<tr><td>15년 이상</td><td>100분의 30</td></tr>
</table>
1세대 1주택이지만 고가주택 등에 해당하는 경우 아래의 공제율을 적용한다.
<table>
<tr><th>보유기간</th><th>공제율</th></tr>
<tr><td>3년 이상 4년 미만</td><td>100분의 24</td></tr>
<tr><td>4년 이상 5년 미만</td><td>100분의 32</td></tr>
<tr><td>5년 이상 6년 미만</td><td>100분의 40</td></tr>
<tr><td>6년 이상 7년 미만</td><td>100분의 48</td></tr>
</table>
</td></tr>
</table>

항 목	내 용
	보유기간: 7년 이상 8년 미만 / 공제율: 100분의 56 보유기간: 8년 이상 9년 미만 / 공제율: 100분의 64 보유기간: 9년 이상 10년 미만 / 공제율: 100분의 72 보유기간: 10년 이상 / 공제율: 100분의 80
양도소득기본공제	다음 항목별로 연간 250만 원의 기본공제가 가능 • 부동산, 부동산취득권리, 부동산이용권리, 기타자산 • 주식 • 파생상품

(2) 세액공제 · 감면 항목

양도소득세에 대한 세액감면이나 세액공제는 조세특례제한법에 대부분 규정되어 있다. 그 중 중요한 항목은 다음과 같다.

항 목	내 용
장기임대주택	5호 이상 임대/2000.12.31.이전 임대개시/5년 이상 임대(50% 감면)
장기임대주택	6년 이상 장기 임대(보유기간 비례 장기보유특별공제율 가산)
장기민간임대	임대주택 등록/8년 이상 임대/요건 준수(장기보유특별공제율 50%/70%)
장기민간임대	2018년 말까지 취득/3개월 내 임대주택 등록/10년 이상 임대(100% 감면)
자경농지	농지 거주자가 8년 이상 직접 경작 토지 양도소득

라) 비과세 대상 1세대 1주택 등

국민 주거생활의 안정을 위해 세법에서는 1세대가 보유한 주택의 양도에 대해 비과세 대상으로 정하고 있다. 비과세를 적용받기 위해 고려해야 할 항목은 다음과 같다.

토막지식 비과세 대상 1세대1주택

주택보유	비과세 요건
1세대 1주택	2년 보유(취득시 조정대상지역 소재시 2년 거주요건 추가)
일시적 2주택 이상	상속, 동거봉양, 혼인 등 사유/3년 이내 종전주택 양도
1세대 1조합원입주권	1조합원입주권 양도 또는 1주택 취득 3년 내 1조합원입주권 양도
특정 1세대	

1세대 1주택 양도소득 비과세의 규정은 정부의 부동산정책과 맞물려 지금까지 빈번하게 개정되어 왔다. 가장 기본적인 형태의 비과세 규정은 1세대가 보유한 1주택을 2년간 보유하고 양도한 경우이다. 여기에 부동산 가격 안정정책으로 주택의 구입 시기에 따라 2년 이상의 거주요건이나 부동산의 소재지역이 조정대상지역인지 여부를 요건으로 추가하게 되었다. 1세대 1주택을 적용하기 위해서는 현행 적용되는 과세내용이 어떻게 구성되는지 정확히 알고 투자나 처분의 의사결정을 하여야 한다. 이하에서는 최근에 공표된 부동산정책을 반영한 개정세법의 내용을 살펴보도록 한다.

토막지식 1세대 1주택 비과세 거주요건

2017년 8월 3일 이후 취득하는 주택에 대해서는 조정대상지역 내 1세대 1주택* 비과세 요건에 거주요건이 추가되었다. 이때 등록한 임대주택 및 현행 보유기간 요건의 예외 주택(수용·협의매수, 1년 이상 거주 후 직장이전 등으로 양도 등)은 비과세 요건 강화대상에서 제외된다.

마) 양도소득세 세율

양도소득세의 세율은 양도대상 자산의 종류에 따라 구분할 수 있다.

(1) 부동산, 부동산에 관한 권리, 기타자산

자 산	구 분		17.12.31 이전	'18.1.1. ~3.31.	'18.4.1.~
토지·건물, 부동산에 관한 권리	보유기간	1년 미만	50%1) 2)		
		2년 미만	40%1) 3)		
		2년 이상	기본세율		
	조정대상지역 내 주택 분양권4)		기본세율	50%	
	1세대 2주택 (조합원입주권 포함)		기본세율 (2년 미만 단기 양도시 해당 단기양도세율 적용)		보유기간별세율 (단, 조정대상지역은 10% 가산)
	1세대 3주택 (조합원입주권 포함) 이상		기본세율 (단, 지정지역5)은 10% 가산)		보유기간별세율 (단, 조정대상지역은 20% 가산)
	비사업용 토지		기본세율+10%		기본세율 + 10% 6)
	미등기양도자산				

1) 하나의 자산이 둘 이상에 해당할 때에는 해당 세율을 적용하여 계산한 산출세액 중 큰 것으로 함
2) 주택 및 조합원입주권은 40%
3) 주택 및 조합원입주권은 기본세율
4) 무주택세대로서 양도 당시 다른 분양권이 없고 30세 이상(30세 미만으로서 배우자가 있거나 배우자가 사망 · 이혼한 경우 포함) 및 조정대상지역 공고 전 매매계약하고 계약금을 받은 사실이 증빙서류에 의해 확인되는 경우 기본세율 적용(2018년 8월 28일 이후 양도분부터)
5) 2017년 8월 3일부터 2018년 3월 31일까지의 양도분만 10% 가산됨
6) 지정지역 내 비사업용토지는 추가 10% 가산되나, 2019년 2월 현재 지정지역 없음

토막지식 조정대상지역

서울특별시	전지역
부산광역시	동래구 · 수영구 · 해운대구
경기도	고양시 · 과천시 · 광명시 · 남양주시 · 성남시 · 하남시 · 화성시(동탄2) · 용인 수지 · 용인 기흥, 구리시, 안양 동안, 광교지구, 수원 팔달
세종특별자치시	가람동 · 고운동 · 나성동 · 다정동 · 도담동 · 대평동 · 반곡동 · 보람동 · 새롬동 · 소담동 · 아름동 · 어진동 · 종촌동 · 한솔동 금남면 : 집현리 연기면 : 누리리 · 산울리 · 세종리 · 한별리 · 해밀리 연동면 : 다솜리 · 용호리 · 합강리

토막지식 2주택 소유자 중 양도세 중과세 제외 예시

- (일정가격 이하 주택) 기준시가 1억 이하 주택(정비구역 내 주택 제외), 지방 3억 이하 주택
- (장기임대주택) 일정호수 이상 주택을 건설하거나 매입해서 장기간 임대한 주택으로 일정 요건을 갖춘 주택
- (상속주택) 상속일로부터 5년이 경과되지 않은 주택
- (장기사원용) 종업원에게 10년 이상 무상으로 제공한 주택
- (근무형편 등) 근무상 형편, 취학, 질병요양 등의 사유로 1년 이상 거주하고 직장 문제, 학업, 치료문제가 해소된 후 3년내 팔 경우
- (혼인 · 노부모 봉양) 결혼일 또는 합가일로부터 5년이 경과되지 않은 주택
- (가정어린이집) 지방자치단체에서 인가받고 국세청에 사업자 등록한 후 5년 이상 가정어린이집으로 사용하는 주택
- (일시적 주택) 새 집을 산 후 3년 이내에 기존 주택을 팔 경우

| 참고 | 분양권, 조합원입주권 등 차이

(주택개발의 절차)

기본계획 수립▶안전진단▶정비구역 지정▶추진위원회 구성▶조합설립(인가)▶사업시행인가▶관리처분 인가▶착공 및 분양▶입주 및 청산

(조합원입주권)

"도시및주거환경 정비법" 제48조의 규정에 따른 관리처분계획의 인가로 인하여 취득한 입주자로 선정된 지위를 말한다. 1세대 1주택의 판정에 있어 주택수에 포함하는 조합원입주권은 동법에 따른 주택재건축사업 또는 주택재개발사업을 시행하는 정비사업조합의 조합원으로서 취득한 것에 한하며, 이에 부수되는 토지를 포함한다. 조합원입주권은 관리처분계획의 인가 이후에는 기존 주택에 대한 소유권이 아닌 입주할 예정인 주택(아파트 등)에 대한 권리로 바뀌게 된다.

(분양권)

주택개발절차에서 발생하는 신규 공동주택은 기존 조합원분과 새롭게 발생한 일반분양분으로 나눌 수 있다. 일반분양분은 개발사업의 각종 비용을 충당하고 조합원의 수익을 높여주는 역할을 하는데. 이때, 일반분양으로 취득한 권리가 분양권이다.

(차이)
조합원입주권과 분양권은 양도소득세를 계산하거나 대출기준에 부합하는지 여부를 판단할 때 주택수에 산입하는지 여부 등이 다르다.

(2) 비사업용토지

2007년부터 적용하던 비사업용토지 중과세율을 2009년 3월 16일부터 한시적으로 유예하였던 것을 2014년 1월 1일 완전 폐지 및 완화하였다. 따라서 2007년 1월 1일부터 2009년 3월 15일까지의 기간 중에 양도한 경우에만 60%의 중과세율을 적용하였고 2009년 3월 16일부터 2015년 12월 31일까지 양도분은 가산세율 적용을 유예, 2016년 1월 1일 이후 양도분부터는 일반세율에 10%p를 추가과세하고 있다. 다만, 비사업용토지를 2년(1년) 미만 단기 보유하고 양도함으로써 40%(50%)의 단일세율과 비사업용토지 세율(일반세율+10%p)이 경합하는 경우 산출세액이 큰 것을 적용한다. 한편, 비사업용토지에 대한 장기보유특별공제는 2016년 12월 31일까지 적용하지 않다가 2017년 1월 1일 이후 양도하는 분부터는 적용하고 있다.

(3) 주식

구 분			세 율	
대주주	중소기업	상장 · 비상장	1)	
	중소기업 외	상장 · 비상장	과세표준	세 율
			3억 이하	20%

구 분			세 율
			과세표준 | 세 율 3억 초과 | 25%
		1년 미만 보유	30%
대주주외	중소기업	상장&장외거래 비상장	10%
	중소기업 외	상장&장외거래 비상장	20%

1) 중소기업 주식 등은 '19. 1. 1. 이후 양도분부터 적용

(4) 파생상품 등

과세시기	과세대상	세 율	비 고
2016.1.1. 이후 양도분	코스피 200 선물 · 옵션	20% (탄력세율 5% → 10% 1)	장내파생상품
	해외파생상품		장외파생상품 일부 포함
2016.7.1. 이후 양도분	미니코스피 200 선물 · 옵션		장내파생상품
2017.4.1. 이후 양도분	코스피 200 주식워런트 증권		파생결합증권

1) '18.4.1. 양도분부터 탄력세율 10% 적용

바) 8.2 부동산 대책과 2018 개정세법

2017년 8월 2일에 도입된 부동산 시가 안정정책으로 취득, 보유, 처분의 부동산 거래단계 중 보유단계와 처분단계의 과세를 강화하고, 부

동산 대출을 억제하는 내용이 담긴 정책이다. 이는 6월 19일에 있었던 1차 부동산대책에 이은 추가 대책으로 주요 항목은 다음과 같다.

항 목	효 과
조정대상지역, 투기과열지구, 투기지역 지정	지역별 세무, 행정적 규제 강화
다주택자 금융규제 강화	대출규제를 통한 투기수요 차단
청약제도 개편	공급단계의 투기수요 차단

상기 항목별 자세한 내용을 살펴보도록 하자.

(1) 조정대상지역, 투기과열지구, 투기지역 지정 및 해당 지역

<table>
<tr><th>항 목</th><th>조정대상지역</th><th>투기과열지구</th><th>투기지역</th></tr>
<tr><td>기존</td><td colspan="2">• 청약 1순위 자격제한
– 5년 내 당첨사실이 있는 자의 세대에 속한 자
– 세대주가 아닌 자, 2주택 이상 소유 세대에 속한 자
• 민영주택 재당첨 제한
• 재건축 조합원당 재건축 주택공급수 제한(1주택)</td><td rowspan="2">• 양도세 가산세율 적용
– 1세대가 주택과 조합원 분양권을 3개 이상 또는 비사업용 토지를 보유한 경우 양도세율 +10%p
• 주담대 만기연장 제한
• 기업자금대출 제한
• 농어촌주택취득 특례 배제
– 농어촌주택도 양도세 주택수 산정 시 포함</td></tr>
<tr><td></td><td>• 전매제한
– 소유권이전등기시(서울, 과천 · 광명)/ 1년 6개월(성남)
• 단기 투자수요 관리
– 중도금대출보증 발급요건 강화, 2순위 신청시 청약통장 필요, 1순위 청약일정 분리
• LTV, DTI 10%p 하향 (투기과열지구 · 투기지역 외)</td><td>• 전매제한
– 소유권이전등기시
• 재건축 조합원 지위양도 금지(조합설립인가 후)
• 민간택지 분양가 상한제 적용 주택의 분양가 공시</td></tr>
</table>

<table>
<tr><th>항 목</th><th>조정대상지역</th><th>투기과열지구</th><th>투기지역</th></tr>
<tr><td rowspan="3">8.2
대책</td><td>• 청약1순위 자격요건 강화
– 청약통장 가입 후 2년 경과 + 납입횟수 24회 이상
• 가점제 적용 확대(조정대상지역 75%, 투기과열지구 100%)
• 오피스텔 전매제한 강화(소유권이전등기시까지) 및 거주자 우선분양 적용(20%)</td><td rowspan="2">• 재개발 · 재건축 규제 정비
– 재개발 등 조합원 분양권 전매제한(소유권이전 등기시)
– 정비사업 분양(조합원/일반) 재당첨 제한(5년)
– 재건축 조합원 지위 양도제한 예외 사유 강화
• 거래 시 자금조달계획, 입주계획 신고 의무화
– 거래가액 3억 원 이상 주택</td><td rowspan="2">• 주담대 건수 제한
– 차주당 1건 → 세대당 1건</td></tr>
<tr><td rowspan="2">• 양도세 가산세율 적용
– 2주택자 +10%p
– 3주택자 이상 +20%p
• 다주택자 장기보유특별공제 적용 배제
• 1세대 1주택 양도세 비과세 요건 강화
– 2년 이상 거주요건 추가
• 분양권 전매시 양도세율 50%로 일괄 적용</td></tr>
<tr><td colspan="2">• LTV · DTI 40% 적용(주담대 1건 이상 보유세대 30%, 실수요자 50%)</td></tr>
<tr><td>적용
지역</td><td>서울(전역, 25개구), 경기(과천 · 성남 · 하남 · 고양 · 광명 · 남양주 · 동탄2), 부산(해운대 · 연제 · 동래 · 부산진 · 남 · 수영구 · 기장군), 세종</td><td>서울(전역, 25개구), 경기(과천), 세종</td><td>서울(강남 · 서초 · 송파 · 강동 · 용산 · 성동 · 노원 · 마포 · 양천 · 영등포 · 강서), 세종</td></tr>
</table>

| 참고 | 지역 비교

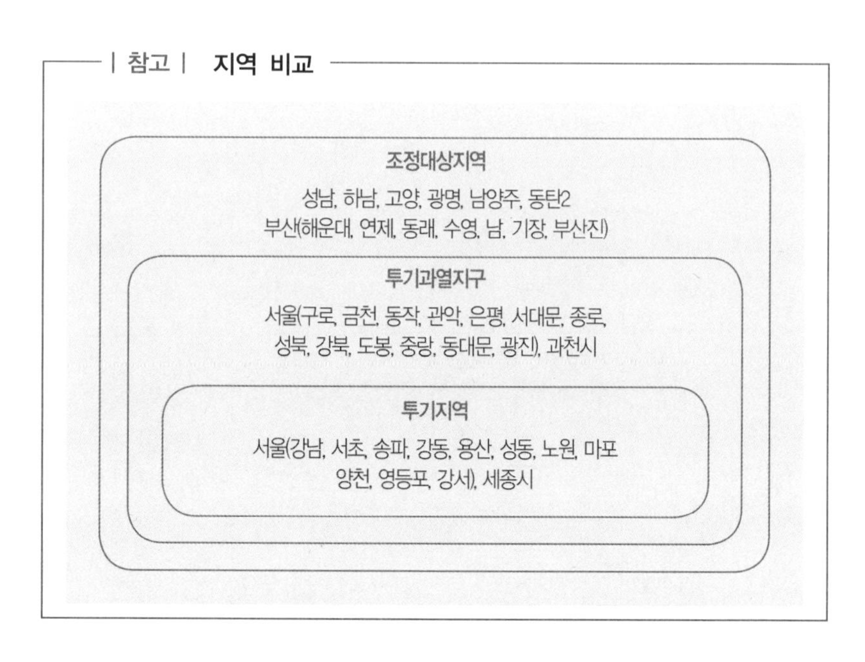

| 참고 | 사업진행단계

조합설립 →(1년) 사업시행인가 →(1년) 관리처분인가 →(6월) 착공 →(3년) 준공

(조합원분양) (일반분양)

(2) 다주택자 금융규제 강화

투기지역 내에서는 주택담보대출을 차주당 1건에서 세대당 1건으로 제한하고 투기과열지구 및 투기지역은 기본 LTV · DTI 40% 적용하도록 한다. 또한 주택담보대출을 1건 이상 보유한 세대에 속한 자가 추가로 주택담보대출을 받을 경우 LTV · DTI 비율을 10%p씩 강화하여 투기과열지구 및 투기지역*에서는 LTV · DTI를 각각 30% 적용하

도록 하였다. 하지만 '투기지역 내 주택담보대출 건수 제한 강화'에 따라 세대 기준으로 투기지역 내에서 이미 주택담보대출이 1건 있을 경우에는 추가 대출이 불가능하다. 다만 실수요자의 내집 마련 지원을 위해 아래의 요건을 충족한 서민 · 실수요자*는 LTV · DTI를 10%p 완화하여 적용한다.

| 참고 | **서민 · 실수요자 요건(모두 충족)**

① 무주택세대주
② 부부 합산 연소득 6천만 원(생애최초구입자는 7천만 원) 이하
③ 주택가격은 투기과열지구 · 투기지역 6억 원 이하, 조정대상지역 5억 원 이하

이때 아파트 분양에 따른 중도금 대출 보증도 현재 1인당 2건 이하에서 세대당 2건까지로 제한하였다. 이를 정리하면 다음과 같다.

구 분	투기과열지구, 투기지역		투기과열지구, 투기지역 외 조정대상지역		조정대상지역 외 수도권	
	LTV	DTI	LTV	DTI	LTV	DTI
서민실수요자(완화)	50%	50%	70%	60%	70%	60%
주담대미보유(기본)	40%	40%	60%	50%	70%	60%
주담대 1건 이상 보유(강화)	30%	30%	50%	40%	60%	50%

* 질병치료 등 불가피성이 인정되는 주택구입목적 외 주택담보대출에 대해서는 투기과열지구 및 투기지역의 강화된 LTV·DTI 적용 예외를 인정(LTV 50%, DTI 50%)
* 이주비, 중도금 대출에는 DTI 적용 배제

또한 투기과열지구 내에서 주택 거래시 자금조달계획 및 입주계획 등의 신고를 의무화(민간택지, 공공택지 모두 적용)하여 투기과열지

구 내 거래가액 3억 원 이상 주택(분양권, 입주권 포함)을 거래하는 경우 기존 「부동산 거래신고 등에 관한 법률」의 계약 당사자, 계약일, 거래가액 외에 자금조달계획 및 입주계획을 추가로 신고해야 한다. 이렇게 신고된 내역은 자금출처 확인 등을 통해 증여세 등 탈루여부 조사, 전입신고 등과 대조하여 위장전입, 실거주 여부 확인 등에 활용할 예정이며 실효성 있는 적용을 위해 미신고자, 허위신고자 등에 대해서는 과태료를 부과하도록 하였다.

(3) 청약제도 개편

최초 주택 공급단계에서의 투기수요를 차단하기 위해 투기과열지구 및 조정대상지역에는 ① 1순위 자격 요건 강화, ② 가점제 적용 확대 등을 도입하고 전국에 ③ 가점제 당첨자의 재당첨 제한, ④ 예비입주 선정시 가점제 우선 적용 등을 도입하였다.

항 목	내 용
1순위 자격 요건강화	투기과열지구 및 조정대상지역의 1순위 자격을 청약통장 가입 후 2년, 납입횟수 24회(국민주택에 한해 적용) 이상
가점제 적용 확대	투기과열지구 및 조정대상지역의 가점제 비율을 상향1)
가점제 당첨자의 재당첨 제한	과거 투기과열지구 · 조정대상지역이 아닌 지역은 재당첨 제한이 적용되지 않아 1순위 자격 획득 후 1순위 청약 신청 및 당첨 가능하여 가점이 높은 일부 무주택자가 순회하여 지방의 인기 민영주택을 6개월마다 당첨 후 분양권 전매를 반복하던 불합리함이 존재 (개정) 가점제로 당첨된 자와 당첨된 세대에 속한 자는 2년간 가점제 적용을 배제

항 목	내 용
민영주택 예비입주자 선정시 가점제 우선 적용(전국)	과거에는 청약 당첨자가 계약을 포기하여 미계약분 발생시 예비입주자(일반 공급 주택수의 20% 이상)를 추첨제로 선정되었음 (개정) 예비입주자 선정시 추첨제가 아닌 가점제를 우선 적용하여 무주택 세대의 당첨기회를 확대

| 참고 | 민영주택 가점제 적용비율

구 분	85㎡ 이하		85㎡ 초과	
	현 행	개 선	현 행	개 선
수도권 공공택지	100%	100%	50% 이하에서 지자체장이 결정	
투기과열지구	75%	100%	50%	50%
조정대상지역	40%	75%	0%	30%
기타 지역	40% 이하에서 지자체장 결정		0%	0%

(국민주택은 공급물량의 100%를 순차제 방식으로 무주택세대에 우선적으로 공급중)

사) 저가양도, 고가양수 등 특수관계인 간 양수도

사업자가 아닌 개인의 입장에서 양도소득세 과세대상 자산을 양도하는 경우 소득세법에 따라 양도소득세가 과세된다. 양도소득세는 양도가에 따라 양도소득이 달라져 과세되는 세액에 영향을 준다. 이를 이용하여 납세의무자가 특수관계인에게 시가보다 낮은 가액으로 양도하거나 특수관계인의 자산을 시가보다 높은 가액으로 양수하는 경우 납세의무자의 과세액이 부당하게 감소할 수 있다. 이를 제한하기 위해 세법에서는 특수관계자와의 거래를 통해 양도소득세를 부당히 감소시키는 경우 납세의무자의 세액계산을 인정하지 않고 시가에 따라 재계산하여 세금을 부과하는 부당행위계산규정을 마련하고 있다.

특수관계인에게 주식과 같은 자산을 저가양도, 고가양수하는 경우 상속세및증여세법에서는 증여이익이 있다고 보아 과세하는 규정을 두고 있다. 따라서 상기 양도소득세와 증여세가 동시에 과세되어 이중과세가 될 수 있기 때문에 일정요건을 충족하는 경우 증여세를 과세하지 않는다. 하지만 위의 증여재산가액은 개인과 법인 간에 재산을 양수 또는 양도하는 경우로서 그 대가가 법인세법상 시가의 범위에 해당되어 법인세법상 부당행위계산의 부인의 규정이 적용되지 아니하는 경우에는 거짓 그 밖의 부정한 방법으로 상속세 또는 증여세를 감소시킨 것으로 인정되는 경우를 제외하고는 저가양수 또는 고가양도에 따른 이익의 증여 등의 규정을 적용하지 아니한다.

11 퇴직소득

퇴직소득은 임직원의 퇴사를 이유로 지급되는 소득으로서 소득세법에서 열거하고 있는 과세대상 세목 중 하나이다. 퇴직소득은 근로소득과 발생 사유는 유사하지만 근로를 제공하는 다년간의 소득이 한 번에 지급되기 때문에 종합소득과 같이 누진세율로 과세한다면 납세의무자에게 불리하게 된다. 따라서 종합소득에 포함하지 않고 별도로 분류하여 퇴직소득을 과세하고 있다. 또한 퇴직소득은 소득을 지급하는 법인이나 개인사업자의 사업소득 손금이나 필요경비를 인정하는지 여부가 달라지기 때문에 퇴직소득을 지급하는 입장에서 법인세와 소득세의 규정도 아울러 살펴보아야 한다. 이를 정리하면 다음과 같다.

| 참고 | **퇴직소득의 세무**

항 목	소득세법		법인세법
규정 대상	퇴직자(수입)	사업자(지급)	
주요 내용	퇴직소득과 연금소득	사업소득 필요경비	법인소득 손금

가) 퇴직소득 수입자

퇴직소득은 퇴직의 사유로 회사로부터 지급받는 소득금액을 말하며 회사는 '근로자 퇴직급여 보장법'에 따라 재직 임직원의 퇴사에 퇴직금을 지급하여야 한다. 그런데 근퇴법에는 회사의 퇴직급여 지급의무를 퇴사시에 지급하는 퇴직금과 퇴사에 대비해 미리 외부 사업자에게 적립하는 연금으로 구분하여 규정하고 있다. 퇴직소득의 수입자에게 적용되는 세법의 내용과 퇴직금 및 퇴직연금제도의 과세방법 차이를 비교하여 보도록 한다.

항 목	정 의	소득의 종류
퇴직급여	계속근로기간 1년에 대하여 30일분 이상의 평균임금을 퇴직금으로 퇴직 근로자에게 지급할 수 있는 제도	퇴직소득
퇴직연금	임원 또는 직원의 퇴직을 퇴직급여의 지급사유로 하고 임원 또는 직원을 수급자로 하는 연금으로서 기획재정부령으로 정하는 것	종합소득(연금소득)

먼저 퇴직시에 일시금의 형태로 퇴직금을 지급받는다면 퇴직소득으로 보아 퇴직소득에 대한 세액을 납부하여야 한다. 이때 임원이 회사로부터 지급받는 퇴직소득금액이 아래의 금액을 초과하는 경우 근로소득으로 보아 과세된다.

> ① + ②
> ① 2011년 12월 31일에 퇴직하였다고 가정할 때 지급받을 퇴직소득금액
> ② 퇴직한 날부터 소급하여 3년 동안 지급받은 총급여의 연평균환산액
> (x) 1/10 (x) 2012년 1월 1일 이후의 근무기간/12 (x) 2

따라서 2배수를 초과하는 퇴직급여는 근로소득으로 과세된다.

한편, 퇴직소득에 대한 소득세의 계산방식은 여러 차례 개정되어 왔는데 이로 인해 퇴직소득을 계산할 때에는 퇴직의 시기에 따라 경과규정을 다르게 적용하는 불편함이 생기게 되었다. 현행 소득세법에 따른 퇴직소득세의 계산식은 다음과 같다.

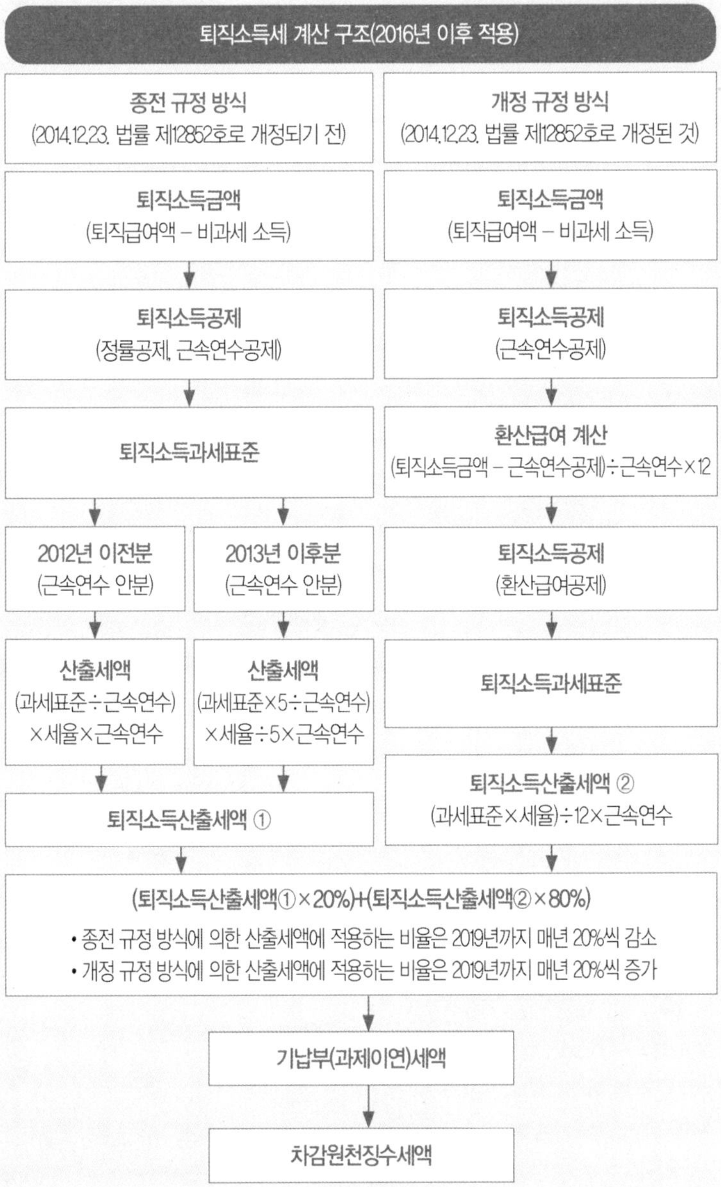

퇴직소득세 계산 구조(2016년 이후 적용)

종전 규정 방식 (2014.12.23. 법률 제12852호로 개정되기 전)	개정 규정 방식 (2014.12.23. 법률 제12852호로 개정된 것)
퇴직소득금액 (퇴직급여액 – 비과세 소득)	퇴직소득금액 (퇴직급여액 – 비과세 소득)
↓ 퇴직소득공제 (정률공제, 근속연수공제)	↓ 퇴직소득공제 (근속연수공제)
↓ 퇴직소득과세표준	↓ 환산급여 계산 (퇴직소득금액 – 근속연수공제)÷근속연수×12
↓ 2012년 이전분 (근속연수 안분) / 2013년 이후분 (근속연수 안분)	↓ 퇴직소득공제 (환산급여공제)
↓ 산출세액 (과세표준÷근속연수)×세율×근속연수 / 산출세액 (과세표준×5÷근속연수)×세율÷5×근속연수	↓ 퇴직소득과세표준
↓ 퇴직소득산출세액 ①	↓ 퇴직소득산출세액 ② (과세표준×세율)÷12×근속연수

↓

(퇴직소득산출세액①×20%)+(퇴직소득산출세액②×80%)

- 종전 규정 방식에 의한 산출세액에 적용하는 비율은 2019년까지 매년 20%씩 감소
- 개정 규정 방식에 의한 산출세액에 적용하는 비율은 2019년까지 매년 20%씩 증가

↓

기납부(과제이연)세액

↓

차감원천징수세액

종전 규정 방식(2015년 이전 퇴직)

⊙ 퇴직급여액

⊙ 퇴직소득금액 = 퇴직급여액 – 비과세 소득

⊙ 퇴직소득공제

- 정률공제(퇴직소득금액 × 40%)
- 근속연수공제

근속연수	공제금액
5년 이하	근속연수 × 30만 원
10년 이하	150만 원 + (근속연수 – 5) × 50만 원
20년 이하	400만 원 + (근속연수 – 10) × 80만 원
20년 초과	1,200만 원 + (근속연수 – 20) × 120만 원

⊙ 퇴직소득과세표준 = 퇴직소득금액 – 퇴직소득공제

⊙ 퇴직소득산출세액(① = ㉮ + ㉯)

* 과세표준은 근속연수로 안분

㉮ 2012년 이전분

= (과세표준 ÷ 근속연수) × 세율 × 근속연수

㉯ 2013년 이후분 = (과세표준 ÷ 근속연수) × 5 × 세율 ÷ 5 × 근속연수

〈기본세율〉

과세표준	세율	누진공제
1,200만 원 이하	6%	–
4,600만 원 이하	15%	1,080,000원
8,800만 원 이하	24%	5,220,000원
15,000만 원 이하	35%	14,900,000원
30,000만 원 이하	38%	19,400,000원
50,000만 원 이하	40%	25,400,000원
50,000만 원 초과	42%	35,400,000원

개정 규정 방식(2016년 이후 퇴직)

퇴직급여액

⊙ 퇴직소득금액(㉮) = 퇴직급여액 – 비과세 소득

⊙ 근속연수공제(㉯)

근속연수	공제금액
5년 이하	근속연수 × 30만 원
10년 이하	150만 원 + (근속연수 – 5) × 50만 원
20년 이하	400만 원 + (근속연수 – 10) × 80만 원
20년 초과	1,200만 원 + (근속연수 – 20) × 120만 원

* 정률공제(40%) 폐지

⊙ 환산급여(㉰) = (㉮ – ㉯) ÷ 근속연수 × 12

⊙ 퇴직소득과세표준 = 환산급여 – 환산급여공제

〈환산급여공제〉

환산급여	공제금액
8백만 원 이하	전액 공제
7천만 원 이하	8백만 원+(㉰–8백만 원) × 60%
1억 원 이하	4천520만 원+(㉰–7천만 원) × 55%
3억 원 이하	6천170만 원+(㉰–1억 원) × 45%
3억 원 초과	1억 5천170만 원+(㉰–3억 원) × 35%

⊙ 퇴직소득산출세액(②)

= (과세표준 × 세율*) ÷ 12 × 근속연수

⊙ 경과규정에 의한 퇴직소득산출세액

= (① × 적용비용) + (② × 적용비율)

① 종전규정(2015년) 산출세액
② 개정규정(2016년) 산출세액
〈연도별 산출세액 적용비율〉

구분	2016년	2017년	2018년	2019년
종전방식 산출세액	80%	60%	40%	20%
개정방식 산출세액	20%	40%	60%	80%

퇴직소득세 계산의 어려움을 감안하여 국세청에서는 퇴직소득세를 비교적 간편하게 계산할 수 있는 세액계산 프로그램을 작성하여 공시하고 있다. 자세한 사항은 국세청홈페이지(http : //www.nts.go.kr)에서 확인하도록 하자.

Case Study 퇴직소득세 계산하기

홍길동씨는 ㈜국세에 2003.01.01 입사하였고 2019.03.28 퇴사하였음.
퇴사시점에 기 중간정산분(2010.06.30 중간정산)을 합산하여 정산하려고 함.
중간정산 시 지급받은 퇴직급여는 138,000,000원, 기납부세액은 4,020,000원이며,
최종 퇴사 시 받은 퇴직급여 5천만 원 중 2천만 원만 2019.04.01. IRP계좌로 이체.

① 종전규정 방식에 의한 산출세액 : 8,504,466원

퇴직소득금액	188,000,000	(138,000,000 + 50,000,000)
(-) 퇴직소득공제	84,800,000	
정률공제	75,200,000	= 188,000,000 × 40%
근속연수공제	9,600,000	= 400만 원 + 80만 원(17년 − 10년)
(=) 퇴직소득과세표준	103,200,000	

	2012년 이전 근무	2013년 이후 근무	합 계
과세표준 안분	60,705,882 (103,200,000 × 10/17)	42,494,118 (103,200,000−60,705,882)	103,200,000
(÷) 근속연수	10년	7년	
(=) 연평균과세표준	6,070,588		
(=) 환산과세표준		30,352,940	

(÷ 근속연수 × 5)			
(×) 세율	6%	15%	
(=) 연평균산출세액	364,235	3,472,941	
(×) 근속연수	10년		
÷ 5 × 근속연수		÷ 5 × 7년	
(=) 퇴직소득산출세액	3,642,350	4,862,116	8,504,466

② 개정규정 방식에 의한 산출세액 : 10,475,799원

퇴직소득금액	188,000,000	= (138,000,000 + 50,000,000)
(-) 퇴직소득공제	8,000,000	
근속연수공제	9,600,000	= 400만 원 + 80만 원(17년 - 10년)
(=) 환산급여	125,929,411	= (188,000,000-9,600,000) ÷ 17년 × 12
(-) 환산급여공제	73,368,234	=61,700,000+(125,929,411-100,000,000) × 45%
(=) 퇴직소득과세표준	52,561,177	
(×) 세율	24%	
(=) 환산산출세액	7,394,682	
÷ 12 × 근속연수	÷ 12 × 17년	
(=) 퇴직소득산출세액	10,475,799	

③ 차감원천징수세액 : 3,636,920원

특례적용산출세액*	10,081,532	(①8,504,466 × 20%) + (②10,475,799 × 80%)
(-) 기납부세액	4,020,000	
(=) 차감납부세액	6,061,532	
(-) 이연퇴직소득세	2,424,612	= 6,061,532 × (20,000,000 ÷ 50,000,000)
(=) 차감원천징수세액	3,636,920	

* (2019년 특례적용 산출세액 비율) 종전 : 개정 = 20% : 80%

만약에 퇴직소득을 연금계좌에 입금하고 매년 연금의 형태로 받는 경우 퇴직소득이 아닌 연금소득으로 보아 종합소득세를 과세하게 된다. 매년 지급받는 연금소득에 대한 종합소득을 과세하는 방법은 다음과 같다.

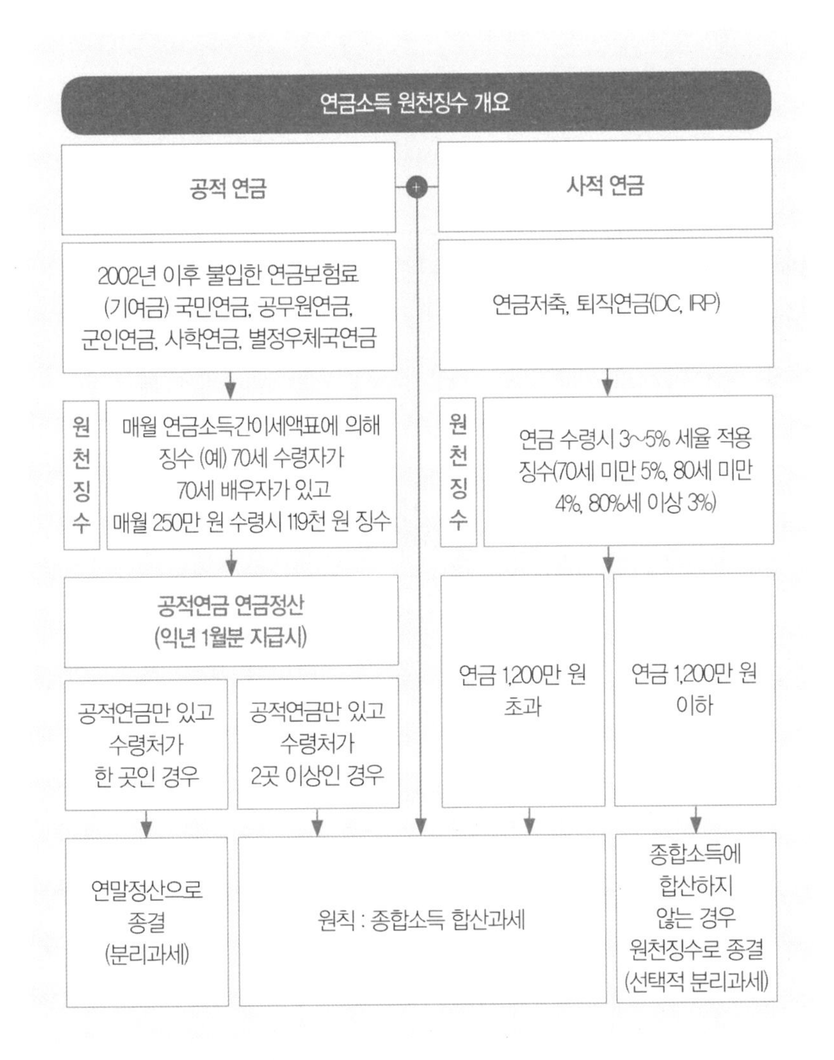

나) 퇴직소득 지급자

퇴직소득을 지급하는 사업자는 지급하는 퇴직급여를 비용(손금)으로서 소득금액에서 차감할 수 있다. 하지만 퇴직급여의 명목으로 회사의 특수관계인인 임원에게 자금을 제공하고 법인의 소득을 감소시켜 세부담액을 줄일 수 있기 때문에 법인세법과 소득세법에서는 퇴직급여를 비용(손금)으로 처리하기 위한 요건을 두고 있다.

다) 퇴직급여충당부채와 퇴직연금충당부채

회사는 임직원에게 근속연수에 비례한 퇴직급여를 지급할 의무를 지며 이러한 의무의 합리적인 추정액을 재무상태표에 부채로 기록한다. 퇴직급여충당부채는 이렇게 임직원의 퇴사가 확정되기 전이라도 예상되는 퇴직급여의 지급금액을 부채로 인식한 것을 말하며 이를 위해 회사는 같은 누적금액의 비용을 퇴직급여로 인식한다. 법인세법과 소득세법에서는 이렇게 인식한 퇴직급여의 비용에 일정한 한도를 두어 비용(손금)으로 인정하여 소득금액을 줄일 수 있게 하고 있다.

회사의 퇴직급여 지급 의무를 재무상태표에 부채로 인식하여도 실제 회사가 도산하는 등의 유동성 위기를 겪을 때 근로자는 퇴직급여를 지급받지 못하는 경우가 많았다. 이를 개선하여 근로자의 수급권을 현실적으로 보장하기 위해 퇴직연금제도가 도입되었다. 일정 규모 이상의 회사는 앞서 계산된 지급의무의 금액 중 80% 이상을 외부 퇴직연금사업자에게 직접 적립하여야 하고 적립된 금액은 근로자의 퇴사 등의 사유로만 지급되도록 하여 회사가 경영상의 어려움을 겪어도 근로자는 퇴직 등의 사유에 따라 적립된 기금을 제공받을 수 있게 하였다. 이러한 퇴직연금제도는 확정급여형 퇴직연금제도와 확정기여형 퇴직연금제도로 구분할 수 있다.

항 목	운용지시, 운용책임	회계처리
확정급여형(DB)	회사(사업자)	외부적립액 자산으로 인식
확정기여형(DC)	근로자	외부적립액 비용으로 인식

두 제도는 외부에 적립된 기금에 대해 운용지시와 책임을 회사와 근로자 중 누가 부담하는지에 따라 구분된다. 확정급여형 퇴직연금제도는 외부에 적립된 기금에 대해 회사가 운용을 지시하고 그에 따른 수익이나 손실을 인식하기 때문에 외부에 적립된 기금을 회사의 자산으로 인식한다. 확정기여형 퇴직연금제도는 근로자가 운용지시와 수익을 가져가기 때문에 회사는 재무상태표에 외부 적립액을 자산으로 기록하지 않고 단지 현금을 적립할 때마다 이를 퇴직급여라는 비용으로 인식하게 된다. 이러한 퇴직연금제도의 선택에 따라 달라지는 세무처리방식은 다음과 같다.

항 목	회계처리	특 징
확정급여형(DB)	자산으로 인식	자산인식액 중 세무상 한도까지 비용(손금) 신고조정
확정기여형(DC)	비용으로 인식	비용인식액을 전액 세무상 비용(손금)으로 인정

확정기여형 퇴직연금은 외부에 기금을 납입하는 시점에 회사는 회계상 비용으로 처리하고 이를 세법에서 비용(손금)으로 인정한다. 그리고 회사는 외부에 적립한 금액만큼 이후에 퇴직금을 지급할 의무에서 벗어나므로 퇴직급여충당부채도 인식하지 않는다. 반면에 확정급

여형 퇴직연금에 가입한 사업자는 기금의 운용을 지시하고 그에 따른 수익이나 손실을 부담하기 때문에 근로자에게 정해진 퇴직급여를 지급할 의무는 유지한 채 외부에 적립된 기금에 대한 회사의 권리도 유지하게 된다. 따라서 재무상태표에 퇴직급여충당부채와 외부적립자산을 모두 인식하게 되는 것이다. 이때 확정기여형 퇴직연금과 달리 외부 적립액을 비용으로 인식하지 못하지만 세법에서는 확정급여형 퇴직연금에 대해서도 세무상 비용(손금)을 인정하여 주기 위해 세무상 한도금액까지 세무조정시에 반영하도록 하고 있다.

라) 퇴직소득 수립자와 지급자의 세무처리 정리

상 황		지급자		수입자
지급형태	수입형태	법인사업자	개인사업자	
공적연금 불입(사업자)	연금수령	손금(한도)	비용	연금소득
	일시금수령	손금(한도)	비용	퇴직소득
사적연금 불입(근로자) –연금세액공제 받음	연금수령	–	–	연금소득
	일시금수령(연금 외)	–	–	기타소득
사적연금 불입(근로자) –연금세액공제 안받음	연금수령	–	–	비과세
	일시금수령(연금 외)	–	–	
퇴직연금 불입(사업자)	연금수령	손금(한도)	비용	연금소득
	일시금수령	손금(한도)	비용	연금소득

위에서 '연금수령'이란 다음의 요건을 갖추어 수령하는 것을 말한다.

항 목	내 용
원칙	1. 가입자가 55세 이후 연금계좌취급자에게 연금수령 개시를 신청한 후 인출할 것 2. 연금계좌의 가입일부터 5년이 경과된 후에 인출할 것. 다만, 법 제20조의 3 제1항 제2호 가목에 따른 금액(퇴직소득이 연금계좌에서 직접 인출되는 경우를 포함하며, 이하 "이연퇴직소득"이라 한다)이 연금계좌에 있는 경우에는 그러하지 아니한다. 3. 과세기간 개시일(연금수령 개시를 신청한 날이 속하는 과세기간에는 연금수령 개시를 신청한 날로 한다) 현재 다음의 계산식에 따라 계산된 금액(이하 "연금수령한도"라 한다) 이내에서 인출할 것. 이 경우 제20조의 2 제1항에 따라 인출한 금액은 인출한 금액에 포함하지 아니한다. [연금계좌의 평가액 / (11 – 연금수령연차)] × [120 / 100]
부득이한 사유로 인한 인출	1. 다음 각 목의 어느 하나에 해당하는 사유가 발생하여 연금계좌에서 인출하려는 사람이 해당 사유가 확인된 날부터 6개월 이내에 그 사유를 확인할 수 있는 서류를 갖추어 연금계좌를 취급하는 금융회사 등(이하 "연금계좌취급자"라 한다)에게 제출하는 경우 가. 천재지변 나. 연금계좌 가입자의 사망 또는 해외이주 다. 연금계좌 가입자 또는 그 부양가족[법 제50조에 따른 기본공제 대상이 되는 사람(소득의 제한은 받지 아니한다)으로 한정한다]이 질병·부상에 따라 3개월 이상의 요양이 필요한 경우 라. 연금계좌 가입자가 「채무자 회생 및 파산에 관한 법률」에 따른 파산의 선고 또는 개인회생절차개시의 결정을 받은 경우 마. 연금계좌취급자의 영업정지, 영업 인·허가의 취소, 해산결의 또는 파산선고 2. 제40조의 2 제3항 제1호 및 제2호를 충족한 연금계좌 가입자가 제118조의 5 제1항 및 제2항에 따른 의료비(본인을 위한 의료비에 한정한다)를 연금계좌에서 인출하기 위하여 해당 의료비를 지급한 날부터 6개월 이내에 기획재정부령으로 정하는 증명서류를 연금계좌취급자에게 제출하는 경우

마) 현실적인 퇴직 사유

사업자는 세법에서 인정하는 현실적인 퇴직사유를 충족하여야 이를 비용(손금)으로 인정받을 수 있다. 만약 사유에 포함되지 않는 이유로 퇴직금을 지급한다면 이는 세법에서 업무와 관련이 없는 자금의 제공으로 보아 가지급금에 해당하는 것으로 본다. 가지급금은 사업자에게 세무상의 불이익을 주므로 아래의 현실적인 퇴직 사유를 숙지하여 불합리한 세무처리를 받지 않도록 유의해야 한다.

항 목	내 용
법인세법	현실적인 퇴직은 법인이 퇴직급여를 실제로 지급한 경우로서 다음 각 호의 어느 하나에 해당하는 경우를 포함하는 것으로 한다. 1. 법인의 직원이 해당 법인의 임원으로 취임한 때 2. 법인의 임원 또는 직원이 그 법인의 조직변경·합병·분할 또는 사업양도에 의하여 퇴직한 때 3. 「근로자퇴직급여 보장법」 제8조 제2항에 따라 퇴직급여를 중간정산하여 지급한 때(중간정산 시점부터 새로 근무연수를 기산하여 퇴직급여를 계산하는 경우에 한정한다) 4. (삭제, 2015. 2. 3.) 5. 정관 또는 정관에서 위임된 퇴직급여지급규정에 따라 장기 요양 등 기획재정부령으로 정하는 사유로 그 때까지의 퇴직급여를 중간정산하여 임원에게 지급한 때(중간정산 시점부터 새로 근무연수를 기산하여 퇴직급여를 계산하는 경우에 한정한다)
소득세법	소득세법 기본통칙 22-0…1 [현실적인 퇴직의 범위] ① 다음 각 호의 1에 해당하는 경우에는 규칙 제17조에 규정하는 현실적인 퇴직에 포함하는 것으로 한다. 1. 법인의 직영차량 운전기사가 법인소속 지입차량의 운전기사로 전직하는 경우 2. 근로자가 사규 또는 근로계약에 의하여 정년퇴직을 한 후 다음날

항 목	내 용
	당해 사용자의 별정직사원(촉탁)으로 채용된 경우 ② 다음 각 호의 1에 해당하는 경우에는 현실적인 퇴직으로 보지 아니한다. 1. 임원이 연임된 경우 2. 법인의 대주주 변동으로 인하여 계산의 편의, 기타 사유로 전근로자에게 퇴직금을 지급한 경우 3. 기업의 제도·기타 사정 등을 이유로 퇴직금을 1년 기준으로 매년 지급하는 경우(시행규칙 제17조 제7호에 정하는 경우를 제외한다) 4. 비거주자의 국내사업장 또는 외국법인의 국내지점의 근로자가 본점(본국)으로 전출하는 경우 5. 정부 또는 산업은행 관리기업체가 민영화됨에 따라 전근로자의 사표를 일단 수리한 후 재채용한 경우 6. 2 이상의 사업장이 있는 사용자의 근로자가 한 사업장에서 다른 사업장으로 전출하는 경우

한편 퇴직금을 받은 임직원은 지급의 형태에 따라 퇴직소득이나 기타소득, 연금소득으로 구분하여 과세되며, 만약 퇴사 외 등의 사유로 지급받는 금액이 있다면 실질에 맞게 근로소득 등으로 처리될 수 있다.

바) 퇴직 전 중간지급

임직원이 현실적인 퇴사 전에 퇴직금을 정산받는 경우 요건에 따라 사업자와 임직원의 세무처리가 달라진다. 먼저 사업자는 세법에서 정한 중간지급사유에 해당하는 이유로 지급하지 않는 경우 가지급금으로 처리된다. 임직원은 세법에서 정한 특정 사유에 해당한다면 퇴직금으로 과세되고 그렇지 않은 경우 실질에 따라 근로소득 등으로 세무처리가 될 수 있다.

[사업자의 중간지급사유]

항 목
법인세법과 소득세법에서는 아래의 중간정산사유에 해당하는 경우 현실적인 퇴직으로 본다. 근퇴법 시행령 제3조 [퇴직금의 중간정산 사유] ① 법 제8조 제2항 전단에서 "주택구입 등 대통령령으로 정하는 사유"란 다음 각 호의 어느 하나에 해당하는 경우를 말한다. 1. 무주택자인 근로자가 본인 명의로 주택을 구입하는 경우 2. 무주택자인 근로자가 주거를 목적으로 「민법」 제303조에 따른 전세금 또는 「주택임대차보호법」 제3조의2에 따른 보증금을 부담하는 경우. 이 경우 근로자가 하나의 사업에 근로하는 동안 1회로 한정한다. 3. 6개월 이상 요양을 필요로 하는 다음 각 목의 어느 하나에 해당하는 사람의 질병이나 부상에 대한 요양 비용을 근로자가 부담하는 경우 가. 근로자 본인 나. 근로자의 배우자 다. 근로자 또는 그 배우자의 부양가족 4. 퇴직금 중간정산을 신청하는 날부터 역산하여 5년 이내에 근로자가 「채무자 회생 및 파산에 관한 법률」에 따라 파산선고를 받은 경우 5. 퇴직금 중간정산을 신청하는 날부터 역산하여 5년 이내에 근로자가 「채무자 회생 및 파산에 관한 법률」에 따라 개인회생절차개시 결정을 받은 경우 6. 사용자가 기존의 정년을 연장하거나 보장하는 조건으로 단체협약 및 취업규칙 등을 통하여 일정 나이, 근속시점 또는 임금액을 기준으로 임금을 줄이는 제도를 시행하는 경우 6의 2. 사용자가 근로자와의 합의에 따라 소정근로시간을 1일 1시간 또는 1주 5시간 이상 변경하여 그 변경된 소정근로시간에 따라 근로자가 3개월 이상 계속 근로하기로 한 경우

6의 3. 법률 제15513호 근로기준법 일부 개정법률의 시행에 따른 근로시간의 단축으로 근로자의 퇴직금이 감소되는 경우
7. 그 밖에 천재지변 등으로 피해를 입는 등 고용노동부장관이 정하여 고시하는 사유와 요건에 해당하는 경우

[임직원의 퇴직금 인정 중간지급 사유(소득세법)]

항 목
사용자 부담금을 기초로 하여 현실적인 퇴직을 원인으로 지급받는 소득 중 각 호의 어느 하나에 해당하는 사유가 발생하였으나 퇴직급여를 실제로 받지 아니한 경우는 퇴직으로 보지 아니할 수 있다. 1. 종업원이 임원이 된 경우 2. 합병·분할 등 조직변경, 사업양도, 직·간접으로 출자관계에 있는 법인으로의 전출 또는 동일한 사업자가 경영하는 다른 사업장으로의 전출이 이루어진 경우 3. 법인의 상근임원이 비상근임원이 된 경우
계속근로기간중에 다음 각 호의 어느 하나에 해당하는 사유로 퇴직급여를 미리 지급받은 경우(임원인 근로소득자를 포함하며, 이하 "퇴직소득중간지급"이라 한다)에는 그 지급받은 날에 퇴직한 것으로 본다. 1. 「근로자퇴직급여 보장법 시행령」 제3조 제1항 각 호의 어느 하나에 해당하는 경우 2. (삭제, 2015. 2. 3.) 3. 「근로자퇴직급여 보장법」 제38조에 따라 퇴직연금제도가 폐지되는 경우

PART 03

주식은 챙길 것이 정말 많아요

가 주식의 종류와 특징

1 학습목표

학습내용	효 과
주식의 종류	• 주식회사의 주식이 가지는 기본적인 의미를 이해한다. • 주식의 종류와 종류별 특징을 이해한다.
증자와 감자	• 자본금의 증가와 감소에 따라 회사의 이해관계자에 미치는 영향을 예상하여 보자.

2 TALK

선생님, 컨설팅을 하다보면 주식에 대한 얘기가 정말 많이 나오는 것 같아요.

그렇죠. 주식은 단순히 투자의 대상이 아니라 주주의 권리와 의무, 회사의 가치가 모두 포함된 것이기 때문입니다.

맞아요. 전에는 단순히 재테크의 수단으로밖에 생각하지 않았는데 최대주주가 되고 배당을 결정할 수 있게 되니까 고려할 사항이 너무 많아지더라고요.

주식에 대해 배울 게 많아서 걱정되시죠? 괜찮아요.
주식을 보유한 주주의 권리와 의무에 대해
먼저 살펴보았으니까 이번 단원에서는 주식을
이용한 수준 높은 컨설팅 방법을 배워보도록 하시죠.

네, 감사합니다. 혹시 어렵지는 않겠죠? 주식을 배울
때는 상법이랑 세법이 꼭 필요한 것 같더라고요.

주식회사가 상법에 따라 만들어진 것이고
주식 그자체가 가치가 있을 뿐만 아니라
배당소득이 발생하게 되므로 세법지식이
필요합니다. 하지만 하나하나 천천히 저와 함께
배워나가면 됩니다. 그럼 시작해 볼까요?

3 주식시장의 종류와 특징

주식은 주주의 권리를 나타내는 유가증권으로 다양한 특징이 있다. 먼저 주식은 원칙적으로 자유롭게 거래할 수 있어 투자자의 권리를 이전하기 쉽다. 이렇게 자유롭게 자본을 조달하고 투자자의 권리를 이전하기 쉬운 것이 주식회사제도가 생겨난 이유이기도 하다. 여기에서 주식의 이전을 더욱 쉽게 하고자 주식이 거래되는 시장을 조성하고 일정 규모 이상의 검증된 회사 주식을 거래하도록 만든 것이 주식거래시장과 상장제도이다. 우리나라에는 현재 3개의 공식적인 주식시장이 존재하는데 이 시장에서 거래되기 위해서는 상장의 절차를 거쳐야 하고 이 절차를 IPO(Initial Public Offering)라고 한다.

분 류	영문명	주요 대상
유가증권시장	코스피(KOSPI)	우리나라 대표증권시장
코스닥시장	코스닥(KOSDAQ)	IT, CT기업과 벤처기업의 자금조달을 목적으로 1996년 7월 개설된 첨단 벤처기업 중심 시장
코넥스시장	코넥스(KONEX)	자본시장을 통한 초기 중소·벤처기업의 성장지원 및 모험자본 선순환 체계 구축을 위해 개설된 초기·중소기업전용 신시장

상기 상장시장에서 거래되는 주식을 상장주식이라고 부르며 상장주식 외의 주식을 비상장주식이라고 부른다.

토막지식 주권불소지제도

주권불소지제도는 상법에 따라 주권 실물을 소지하지 않으려는 주주가 그 의사를 발행회사에 표시하여 해당 주권을 제출하고, 발행회사는 주권을 접수한 뒤 주주에게 불소지신고필증을 교부하는 한편 제출받은 주권은 폐기하거나 또는 명의개서대리인에게 임치하는 것을 말한다. 이러한 불소지제도는 증권실물을 반환에 필요한 최소량만 보관하고 남은 증권은 불소지처리함으로써 관리비용을 대폭 줄이고, 불필요한 증권실물의 이동이 제거되어 투자자의 권리가 안전하게 보호할 수 있다.

상법 제358조의 2【주권의 불소지】

① 주주는 정관에 다른 정함이 있는 경우를 제외하고는 그 주식에 대하여 주권의 소지를 하지 아니하겠다는 뜻을 회사에 신고할 수 있다.

② 제1항의 신고가 있는 때에는 회사는 지체없이 주권을 발행하지 아니한다는 뜻을 주주명부와 그 복본에 기재하고, 그 사실을 주주에게 통지하여야 한다. 이 경우 회사는 그 주권을 발행할 수 없다.

③ 제1항의 경우 이미 발행된 주권이 있는 때에는 이를 회사에 제출하여야 하며, 회사는 제출된 주권을 무효로 하거나 명의개서대리인에게 임치하여야 한다.

④ 제1항 내지 제3항의 규정에 불구하고 주주는 언제든지 회사에 대하여 주권의 발행 또는 반환을 청구할 수 있다.

4 지분 이전에는 세금이 발생합니다.

지분의 이전이란 양도나 증여의 방식으로 주식의 소유권이 이전되는 것을 말한다. 주식은 재산적 가치가 있어 '양도'와 같이 주식의 이전에는 그에 상응하는 대가를 받아야 하지만 대가를 받지 않는 '증여'나 '상속'의 방식으로 이전이 가능하다. 세법에서는 이 과정에서 발생되는 소득에 과세하고 있다. 주식의 이전이 발생하는 방식에 따라 과세하는 세목과 세액이 달라진다.

분 류	소득자	소득의 종류	세 목
양도	양도자	양도차익	양도소득세/법인세
증여	수증자	자산수증이익	상속 · 증여세/법인세
상속	상속인	상속재산소득	상속 · 증여세/법인세

만약에 주식을 양도하는 경우 상장주식은 주로 거래되는 시장이 있으므로 주식의 시가를 확인할 수 있지만 비상장주식은 그렇지 않다. 따라서 비상장주식을 거래하기 위해서는 거래당사자의 공정한 거래나 과세를 위해 주식의 시가를 계산해야 하는 절차가 필수적이다. 주식의 가치를 평가하는 방식은 후술하는 단원에서 자세히 살펴볼 것이다.

5 자기주식은 언제나 취득할 수 있을까?

자기주식은 주식을 발행한 회사가 직접 자기가 발행한 주식을 취득하는 것을 말한다. 회사가 자기주식을 취득하면 시장에서 유통되는 주식수가 감소하게 되고 주주총회를 개최하였을 때 결의에 참여할 수 있는 주식의 수도 감소하게 된다. 따라서 자기주식의 취득으로 기존의 주주는 실질적인 지분율이 증가하는 효과를 얻게 된다. 또한 상법에서는 자기주식의 경우에는 의결권뿐만 아니라 이익배당권도 제한하기 때문에 배당할 총액에 대해 기타의 주주에게 배분되는 금액이 증가하게 된다. 결국 자기주식은 다른 주주가 가진 주식의 가치를 증가시키는 효과를 가진다. 상법에서는 이러한 자기주식의 취득을 위해 일정한 요건을 충족하도록 하고 있다.

토막지식 **자기주식 취득 요건**

분 류	항 목
취득대상 요건	• 상장된 주식은 거래소에서 취득 가능 • 일반적으로 모든 주주가 가진 주식에 대해 균등한 조건으로 취득 가능
취득금액 제한	자기주식의 취득 총액은 직전 결산기의 대차대조표상의 순자산액에서 아래의 금액을 뺀 금액을 초과하지 못한다. • 자본금의 액 • 그 결산기까지 적립된 자본준비금과 이익준비금의 합계액 • 그 결산기에 적립하여야 할 이익준비금의 액 • 회계 원칙에 따른 자산 및 부채에 대한 평가로 인하여 증가한 대차대조표상의 순자산액으로서, 미실현손실과 상계(相計)하지 아니한 금액
결의	일반적으로는 주주총회의 결의로 보유기간을 정하여 취득하지만 정관에 정한 경우 이사회의 결의로 자기주식 취득 가능(정관에 이사회결의로 이익배당을 할 수 있게 한 경우)

자기주식을 취득하려는 회사는 미리 주주총회의 결의로 다음의 사항을 결정하여야 한다. 다만, 이사회의 결의로 이익배당을 할 수 있다

고 정관으로 정하는 경우에는 이사회의 결의로써 취득이 가능하다.

- 취득할 수 있는 주식의 종류 및 수
- 취득가액의 총액의 한도
- 1년을 초과하지 아니하는 범위에서 자기주식을 취득할 수 있는 기간

6 증자

증자는 자본금의 증가를 의미하는데 증자를 통해 새롭게 주식이 발행된다. 이때 주식의 발행대가로 주주로부터 현금 등을 수령하는 경우 이를 유상증자로 부르며, 유상증자는 이사회의 결의로서 결정할 수 있다. 또한 주식을 대가없이 발생할 수 있는데 이를 무상증자라고 하며 이 둘의 구분과 효과를 정리하면 아래 표와 같다.

<table>
<tr><th colspan="2">분 류</th><th>효 과</th></tr>
<tr><td colspan="2">유상증자</td><td>현금 증가, 자본금 증가, 주식수 증가</td></tr>
<tr><td rowspan="2">무상증자</td><td>준비금 자본전입</td><td>준비금 감소, 자본금 증가, 주식수 증가</td></tr>
<tr><td>주식배당</td><td>이익잉여금 감소, 자본금 증가, 주식수 증가</td></tr>
</table>

회사가 새롭게 발행하는 주식은 기존 주주가 지분율에 비례하여 인수하는 것이 원칙이며 이러한 권리를 기존 주주가 보유한 신주인수권이라고 부른다. 하지만 신주 발행시에 특정 주주만 주식을 인수하거나 주주가 아닌 자에게 주식을 발행하는 경우도 있다. 이렇게 신주인수권을 제한하는 경우 기존 주주와 신규 주주 간에 부의 이동이 발생할 수 있으므로 법에서 정한 요건과 절차를 갖추어야 한다.

토막지식 제3자 신주배정의 요건과 절차

유상증자는 원칙적으로 신주인수권을 가진 기존 주주에게 지분율에 비례해서 하는 것이 보통이지만 정관상 주주의 신주인수권 배제에 관한 규정이 있거나 주주총회 특별결의로써 특정의 제3자에게 신주인수권을 부여하는 경우에는 제3자에게 배정하는 것이 가능하다.

제3자 신주배정으로 인해 발생하는 증자의 효과는 다음과 같다.

- 기존 주주의 지분율이 하락하고 신규 주주가 새롭게 주주로 편입
- 회사에 현금이 유입되어 자산과 자본이 동시에 증가

이러한 제3자 신주배정방식의 유상증자는 회사가 대규모 투자를 계획할 때 필요자금을 모집하기 위해 주로 이용하는 방법이다.

아프리카TV 오픈스튜디오, 100억 원 투자유치

ZDNET KOREA 안희정 기자 2018/11/22

아프리카TV는 자회사인 아프리카오픈스튜디오가 사모펀드인 스트라이커캐피탈매니지먼트로부터 100억 원을 투자받고 유상증자를 결정했다고 22일 밝혔다. 아프리카오픈스튜디오는 아프리카TV의 100% 자회사로, 아프리카TV의 오프라인 플랫폼인 오픈스튜디오를 운영하고 있다. 유상증자는 스트라이커캐피탈매니지먼트를 대상으로 한 제3자배정증자로 이루어지며, 신주 발행규모는 40만 주다.

이번 유상증자는 아프리카TV의 e스포츠 사업을 위한 온 · 오프라인 커뮤니티 강화가 목적이다. 투자처인 스트라이커캐피탈매니지먼트는 e스포츠산업의 성장과 아프리카TV의 오프라인 플랫폼에 대한 시장 기대를 높게 평가해 투자를 결정했다.

7 현물출자

유상증자는 일반적으로 주주로부터 현금을 납입받지만 현금 외의 자산을 주금으로 납입받을 수도 있다. 이를 현물출자라고 한다. 그런데 유상증자의 방식에 따라 기존 주주의 지분율이 변동될 수도 있고 회사가 발행한 주식의 가치대비 납입받는 자산의 가치가 다른 경우 기존의 주주와 신규 주주 간에 부의 이동이 발생할 수 있다. 따라서 현금 외의 자산을 납입받는 현물출자는 발행하는 주식의 가치와 납입

받는 자산의 가치 모두 공정하게 평가해야 하는 문제가 발생한다. 상법에서는 현물출자의 요건으로 정관에 그 내용을 기재하게 함과 함께 별도의 요건과 절차를 두고 있다.

분 류	항 목
대상재산	양도가능한 자산으로서 동산 · 부동산 · 무체재산권 · 고객관계 · 영업상의 비밀 등 재산적 가치가 있는 사실관계도 가능함
요건과 절차	1. 현물출자를 하는 자의 성명과 그 목적인 재산의 종류, 수량, 가액과 이에 대하여 부여할 주식의 종류와 수를 사전에 결정 2. 이사는 주식발행의 사항을 조사하게 하기 위해 검사인의 선임을 법원에 청구(상법 제422조)
검사인 미선임 요건	1. 현물출자의 목적인 재산의 가액이 자본금의 5분의 1을 초과하지 아니하고 5천만 원을 초과하지 아니하는 경우 2. 현물출자의 목적인 재산이 거래소의 시세 있는 유가증권인 경우 가격이 법에서 정한 방법으로 산정된 시세를 초과하지 아니하는 경우 3. 변제기가 돌아온 회사에 대한 금전채권을 출자의 목적으로 하는 경우로서 그 가액이 회사장부에 적혀 있는 가액을 초과하지 아니하는 경우

8 감자와 주식의 소각

증자가 자본금의 증가라면 감자는 자본금의 감소를 의미한다. 감자는 주주로부터 납입받은 자본금을 일정한 목적에 따라 환급하거나 사용하는 경우에 발생한다. 환급이란 주주로부터 주식을 회수하고 주식의 가치에 해당하는 현금을 지급하는 것을 말하며 이를 유상감자라고 한다. 반대로 회사에 손실이 누적되어 결손금이 있는 경우 자본에 음수로 기록된 결손금을 없애기 위해 같은 자본 내에 있는 자본금을 이용하여 상계할 수 있다. 이때에는 주식수의 변동도 없고 현금이 지출되지도 않은 채 자본금이 감소되는데 이렇게 현금의 지급 없이 이루어지는 감자를 무상감자라고 한다.

감자는 회사의 영업기반인 자본금이 감소되는 중요한 사건으로 채권자와 주주 모두에게 영향을 미치기 때문에 주주총회 특별결의 사항이고 채권자 보호절차도 거쳐야 한다. 하지만 결손금의 보전 목적의 감자는 보통결의 사항에 해당한다. 감자를 종류에 따라 분류하면 다음과 같다.

분 류		효 과
유상감자 (실질적감자)	주식소각	현금 감소, 자본금 감소, 이익잉여금 감소, 주식수 감소
	이익소각	현금 감소, 이익잉여금 감소
무상감자 (명목상감자)	결손보전감자	자본잉여금 감소, 결손금 감소
	주식병합 액면감소 주식소각	자본금 감소, 자본잉여금 증가, 주식수 감소

상기 유상증자와 같이 출자액을 환급하는 감자를 실질적감자라고 부르고, 그렇지 않은 것을 명목상감자라고 표현한다.

상기 감자의 방식에 대해 자본금과 주식수, 대가지급여부를 정리하면 다음과 같다.

정리하기

자기주식의 특징

- 자기주식의 취득으로 다른 주주가 보유한 주식의 지배력이 증가한다.
- 자기주식으로 회사가 취득한 주식은 의결권과 배당권이 제한된다.
- 자기주식을 취득하기 위해서는 일정한 요건을 갖추어야 한다.

일반적으로 현물출자를 어떻게 이용할까?

- 제3자가 보유한 자산을 인수받고 주식을 발행하여 신규 주주로 등록
- 주식을 현물출자하여 모 · 자회사 관계 상실

감자의 특징

- 감자는 일반적으로 주주총회 특별결의 사항이며 채권자 보호절차가 필요하다.
- 유상증자와 무상증자로 나뉘며 감자의 방식에 따라 재무상태표와 주식수의 변동이 발생한다.

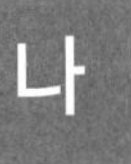

나 지분이전 설계하기

1 학습목표

학습내용	효과
주식의 이전	• 기본적인 주식의 이전 방법과 과세방식 이해하기
주식의 저가양도	• 저가양도의 과세방식 이해하기

2 TALK

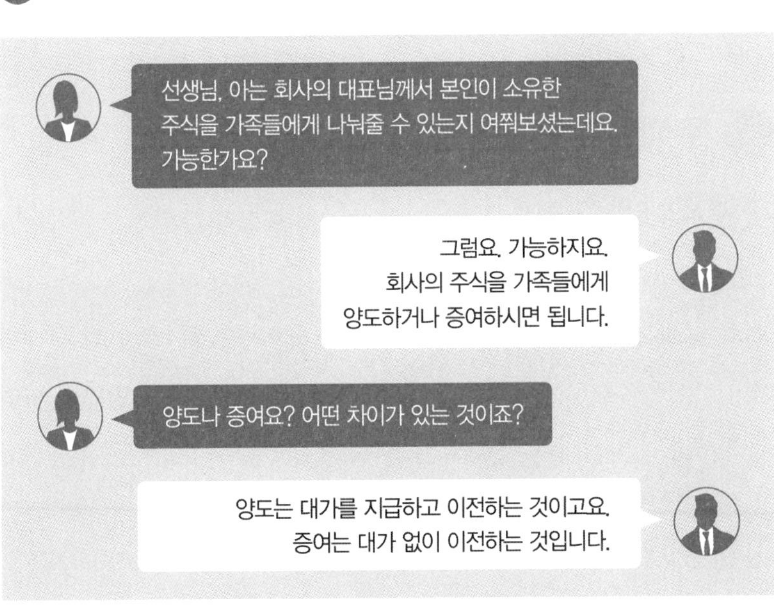

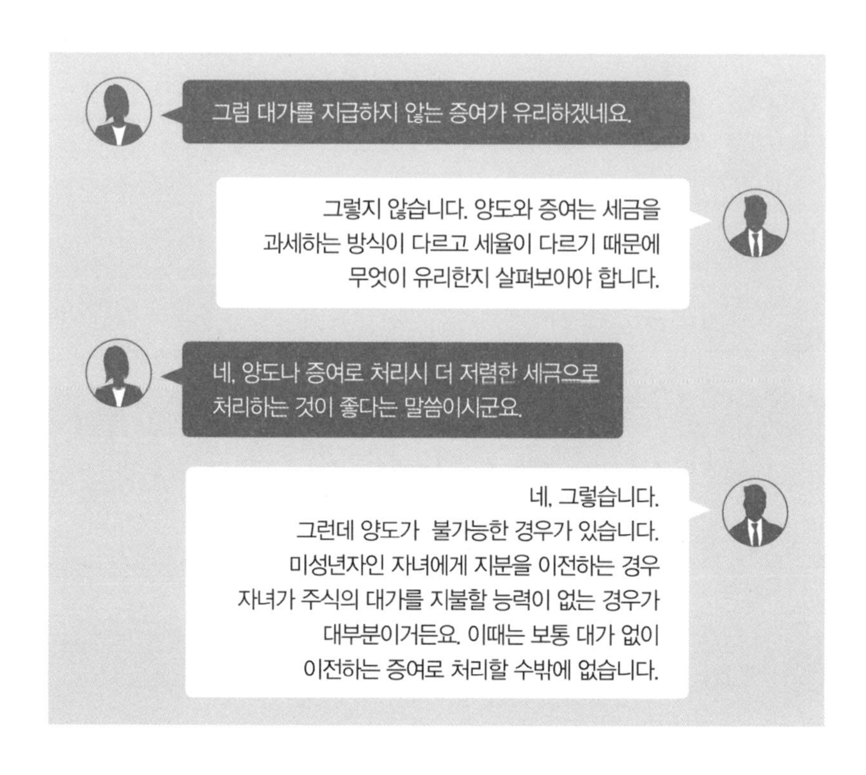

3 주식(지분) 이전과 과세의 방법

가) 주식의 양도와 증여

지분을 이전하는 대표적인 방법은 주식을 양도하거나 증여하는 것이다. 대가를 지급하고 주식을 이전하는 것은 양도에 해당하며, 대가 없이 주식을 이전하는 것은 증여에 해당한다. 이때 이전 방법에 따라서 과세하는 방식이나 세금을 납부하는 자가 달라지기 때문에 세부담이 적은 방법을 선택할 수 있다. 그런데 여기서 주의할 점이 있다. 만약 양도가 증여보다 세 부담이 적어도 대가를 지불해야 하기 때문에,

소득재원이 없어 양도대가를 지불할 능력이 없는 자가 자산을 취득하게 되면 자금출처의 소명 문제가 생길 수 있다. 더욱이 미성년자인 자녀에게 지분을 이전하는 경우라면 보통 자녀에게 소득재원이 없는 경우가 대부분이기 때문에 양도의 방식보다는 증여의 방식으로 지분을 이전해야 한다. 아래에서 양도와 증여의 차이점을 비교하여 보자.

구 분	양 도	증 여
대가의 지급	대가를 지급	대가를 지급하지 아니함
과세 세목	양도소득세	증여세
세율	중소기업 소액주주 10% 중소기업 대주주(*) 주식 20% 과세표준 3억 원 초과분 25%(**) 부동산과다법인(6% ~ 42%)	10% ~ 50%
납세의무자	양도자	수증자
필요경비 차감	취득가액을 차감함 일반적으로 액면가액	취득가액을 차감하지 아니함 다만, 증여재산공제 차감함
증권거래세 부담	부담	부담하지 아니함
주의사항	취득자가 양도대금을 지불할 능력이 있는지 확인이 필요함	10년 내 사전증여자산이 있는지 검토가 필요함

(*) 지분율 4% 또는 보유액 15억(10억, 2020.4.1. 이후) 이상
(**) 2019년도까지 적용이 유예되어 20%로 과세됨

주식가치에 따라 양도와 증여의 세액을 비교하여 보도록 하자.

Case Study 주가가 10만 원인 경우

Case :

주당 가치 10만 원, 액면가액 5천 원, 이전할 주식 수 500주, 중소기업 대주주 대표이사가 자녀(미성년자)에게 이전

1) 양도시 양도소득세

구 분	양 도
양도가액	5,000만 원
취득가액	250만 원
양도차익	4,750만 원
세율	20%
양도소득세	950만 원
지방소득세	95만 원
증권거래세	25만 원
합계	1,070만 원

*양도소득기본공제(250만 원) 고려하지 아니함

2) 증여시 증여세

구 분	증 여
증여가액	5,000만 원
증여재산공제	2,000만 원
과세표준	3,000만 원
세율	10%
증여세	300만 원
지방소득세	–
증권거래세	–
합계	300만 원

*신고세액공제(3%) 고려하지 아니함

Case Study 주가가 50만 원인 경우

Case :

주당 가치 50만 원, 액면가액 5천 원, 이전할 주식 수 500주, 중소기업 대주주 대표이사가 자녀(미성년자)에게 이전

1) 양도시 양도소득세

구 분	양 도
양도가액	2억 5,000만 원
취득가액	250만 원
양도차익	2억 4,750만 원
세율	20%
양도소득세	4,950만 원
지방소득세	495만 원
증권거래세(0.5%)	125만 원
합계	5,570만 원

*양도소득기본공제(250만 원) 고려하지 아니함

2) 증여시 증여세

구 분	증 여
증여가액	2억 5,000만 원
증여재산공제	2,000만 원
과세표준	2억 3,000만 원
세율	20%
증여세	3,600만 원
지방소득세	–
증권거래세	–
합계	3,600만 원

*신고세액공제(3%) 고려하지 아니함

나) 저가 양도

양도소득세는 양도차익에 대해 과세한다. 주식의 경우 취득가액이 액면금액인 경우가 많아 액면금액과 양도 시가의 차이가 양도소득세 과세표준이 되고, 과세표준에 양도소득세율을 곱한 금액을 양도소득세로 납부하게 된다. 따라서 양도 당시 시가가 액면가액과 차이가 적을수록 납부할 세금은 적어진다.

그런데 양도가액은 반드시 시가와 일치해야 하는 것일까? 그렇지 않다. 시가와 양도가액은 충분히 달라질 수 있다. 급하게 처분하는 자산의 경우 시가보다 저렴하게 시장에서 거래될 수 있고, 시가보다 낮은 금액에 양도하면 양도차익과 양도소득세로 납부할 세금도 줄어든다. 만약 양도가액을 액면가액으로 정한다면 양도차익이 전혀 없게 되므로 납부할 양도소득세가 없게 되겠지만 세법에서는 이렇게 거래가액을 조정하여 세금을 줄이는 행위를 제한하고 있다. 특수관계인에게 저가 양도시에는 저가양도 자체를 세금을 줄이기 위한 부당거래로 보고 양도가액을 시가로 의제하여 다시 세금을 계산하도록 한다. 그러므로 저가양도시에는 부당행위에 해당하는 여부를 잘 판단하여야 한다.

소득세법에서 정하고 있는 부당행위 요건은 다음과 같다.

관련법령 **양도소득의 부당행위계산부인 과세요건**

소득세법 제101조【양도소득의 부당행위계산】

① 납세지 관할 세무서장 또는 지방국세청장은 양도소득이 있는 거주자의 행위 또는 계산이 그 거주자의 특수관계인과의 거래로 인하여 그 소득에 대한 조세 부담을 부당하

게 감소시킨 것으로 인정되는 경우에는 그 거주자의 행위 또는 계산과 관계없이 해당 과세기간의 소득금액을 계산할 수 있다.

소득세법 시행령 제167조【양도소득의 부당행위계산】

③ 법 제101조 제1항에서 "조세의 부담을 부당하게 감소시킨 것으로 인정되는 경우"란 다음 각 호의 어느 하나에 해당하는 때를 말한다. 다만, 시가와 거래가액의 차액이 3억원 이상이거나 시가의 100분의 5에 상당하는 금액 이상인 경우로 한정한다.

1. 특수관계인으로부터 시가보다 높은 가격으로 자산을 매입하거나 특수관계인에게 시가보다 낮은 가격으로 자산을 양도한 때
2. 그밖에 특수관계인과의 거래로 해당 연도의 양도가액 또는 필요경비의 계산시 조세의 부담을 부당하게 감소시킨 것으로 인정되는 때

소득세법상 부당거래는 특수관계인 간의 거래를 기본요건으로 두고 있다. 가족관계 등 특수관계에 있지 않은 사람들 간에 누군가 손해를 보면서 가격을 낮춰서 양도할 이유가 없다고 보기 때문이다. 예를 들어 시가가 10억인 아파트를 특별한 사정이 없는 한 1억에 팔 사람은 아무도 없겠지만 가족 간에는 세금을 줄이기 위한 목적으로 충분히 10억짜리 아파트를 1억에 팔 수 있다고 본다.

그러므로 10억짜리 아파트를 1억에 팔게 되면 10억에 판 것으로 보아 다시 양도소득세를 과세하는 한편 구입한 사람에게는 9억의 무상이익에 대하여 증여세를 과세한다. 이때 시가와 거래가액의 차액에서 시가의 30%나 3억 중 작은 금액을 차감한 금액을 기준으로 증여세를 과세하므로 6억(10억 - 1억 - min(10억*30%, 3억)에 대하여 증여재산가액으로 보아 증여세를 과세한다.

그렇다면 특수관계가 없는 사람들 간에는 저가양도를 하더라도 문제가 없을까? 그렇지 않다. 부당행위에는 해당하지 않지만 상증세법

상 저가양도에 따른 이익의 증여 규정에 따라 추가 증여세를 납부해야 할 수 있다. 다시 시가 10억짜리 아파트를 친구에게 1억에 팔았다고 가정해 보자. 보통의 친구라면 소득세법에서 정하고 있는 특수관계에 해당하지 않아 저가로 아파트를 양도하더라도 소득세법상 부당행위에는 해당하지 않는다. 그래서 양도세는 1억을 기준으로 납부한다. 문제는 10억짜리 아파트를 1억에 산 친구는 저가양도를 통하여 9억의 무상이익을 취득하게 되는데 9억 중 3억을 초과하는 6억에 대하여 증여세를 납부해야 한다.

증여세의 과세요건을 자세히 살펴보자.

관련법령 **저가양수 · 고가양도의 증여세 과세요건**

상속증여세법 제35조【저가 양수 또는 고가 양도에 따른 이익의 증여】

① 특수관계인 간에 재산(전환사채 등 대통령령으로 정하는 재산은 제외한다. 이하 이 조에서 같다)을 시가보다 낮은 가액으로 양수하거나 시가보다 높은 가액으로 양도한 경우로서 그 대가와 시가의 차액이 대통령령으로 정하는 기준금액(이하 이 항에서 "기준금액"이라 한다) 이상인 경우에는 해당 재산의 양수일 또는 양도일을 증여일로 하여 그 대가와 시가의 차액에서 기준금액을 뺀 금액을 그 이익을 얻은 자의 증여재산가액으로 한다. (2015.12.15. 개정)

② 특수관계인이 아닌 자 간에 거래의 관행상 정당한 사유 없이 재산을 시가보다 현저히 낮은 가액으로 양수하거나 시가보다 현저히 높은 가액으로 양도한 경우로서 그 대가와 시가의 차액이 대통령령으로 정하는 기준금액 이상인 경우에는 해당 재산의 양수일 또는 양도일을 증여일로 하여 그 대가와 시가의 차액에서 대통령령으로 정하는 금액을 뺀 금액을 그 이익을 얻은 자의 증여재산가액으로 한다. (2015.12.15. 개정)

상속세 및 증여세법 제26조【저가 양수 또는 고가 양도에 따른 이익의 계산방법 등】

② 법 제35조 제1항에서 "대통령령으로 정하는 기준금액"이란 다음 각 호의 금액 중 적은 금액을 말한다. (2016.2.5. 개정)

1. 시가(법 제60조부터 제66조까지의 규정에 따라 평가한 가액을 말한다.

이하 이 조에서 "시가"라 한다)의 100분의 30에 상당하는 가액
2. 3억 원
③ 법 제35조 제2항에서 "대통령령으로 정하는 기준금액"이란 양도 또는 양수한 재산의 시가의 100분의 30에 상당하는 가액을 말한다. (2016.2.5. 개정)
④ 법 제35조 제2항에서 "대통령령으로 정하는 금액"이란 3억 원을 말한다. (2016.2.5. 개정)

이상의 소득세와 증여세의 과세요건과 기타의 사항을 정리하면 아래 표와 같다.

저가양도시 문제		특수관계인 O	특수관계인 X
소득세	부당행위여부	O	X
	요건	시가와 거래가액의 차액이 다음 중 적은 금액 이상인 경우 ① 3억 원 ② 시가의 5%	–
	효과	시가 양도한 것으로 양도소득세 재계산	–
증여세	증여의제 여부	O	O
	요건	시가와 거래가액의 차액이 다음 금액 중 적은 금액 이상인 경우 ① 3억 원 ② 시가의 30%	시가와 거래가액의 차액이 시가의 30% 이상인 경우
	효과	[시가 – 거래가액 – min(시가 *30%, 3억)]에 증여세 과세	(시가 – 거래가액 – 3억)에 증여세 과세

예를 들어 시가 9억의 아파트를 3억 원에 판매한 경우에 각각 과세 요건을 충족하는지 판단하여 보자.

저가양도시 문제		특수관계인 O	특수관계인 X
소득세	부당행위여부	O	X
	요건	9억 – 3억 〉 4,500만 원 [Min(3억, 9억 × 5%)]	–
	효과	9억을 기준으로 양도소득세 재계산	–
증여세	증여의제 여부	O	O
	요건	9억 – 3억 〉 2억 7,000만 원 [Min(3억, 9억 × 30%]	9억 – 3억 〉 2억 7,000만 원 (9억 * 30%)
	효과	3억 3천만 원 [9억 – 3억 – min (9억 * 30%, 3억)]에 증여세 과세	3억(9억 – 3억 – 3억)에 증여세 과세

위와 마찬가지로 주식 또한 저가양도시 같은 방식으로 과세된다. 예를 들어 시가 5만 원, 액면가액이 1만 원인 주식 1만주를 액면가로 양도시에 발생하는 과세문제를 판단하여 보자.

저가양도시 문제		특수관계인 O	특수관계인 X
소득세	부당행위여부	O	X
	요건	5억 – 1억 〉 2,500만 원 [Min(3억, 5억 × 5%)]	–
	효과	5억을 기준으로 양도소득세 재계산	–
증여세	증여의제 여부	O	O
	요건	5억 – 1억 〉 1억 5,000만 원 [Min(3억, 5억 × 30%]	5억 – 1억 〉 1억 5천만 원 (5억 * 30%)
	효과	2억 5천만 원 [5억 – 1억 – min (5억 * 30%, 3억)]에 증여세 과세	1억(5억 – 1억 – 3억)에 증여세 과세

위의 사례에서 소득세와 증여세의 과세액을 계산하여 보면 다음과 같다.

① 소득세 : 부당행위계산의 부인

구 분	특수관계인 O	특수관계인 X
양도가액	5억 원	1억 원
취득가액	1억 원	1억 원
양도차익	4억 원	–
세율	20%	–
양도소득세	8,000만 원	–
지방소득세	800만 원	–
증권거래세(0.5%)	250만 원	50만 원
합계	9,050만 원	50만 원

* 양도소득기본공제(250만 원) 고려하지 아니함

② 증여세 : 주식 저가 양도에 따른 이익의 증여

구 분	특수관계인 O	특수관계인 X
증여가액	2억 5천만 원	1억
증여재산공제	5,000만 원(자녀 가정)	–
과세표준	2억	1억
세율	20%	10%
증여세	3,000만 원	1,000만 원

* 신고세액공제(3%) 고려하지 아니함

토막지식

[국세기본법의 특수관계인]

"특수관계인"이란 본인과 다음 각 목의 어느 하나에 해당하는 관계에 있는 자를 말한다. 이 경우 이 법 및 세법을 적용할 때 본인도 그 특수관계인의 특수관계인으로 본다.

가. 혈족 · 인척 등 아래에서 정하는 친족관계
나. 임원 · 사용인 등 아래에서 정하는 경제적 연관관계
다. 주주 · 출자자 등 아래에서 정하는 경영지배관계

[혈족·인척 친족관계]

1. 6촌 이내의 혈족
2. 4촌 이내의 인척
3. 배우자(사실상의 혼인관계에 있는 자를 포함한다)
4. 친생자로서 다른 사람에게 친양자 입양된 자 및 그 배우자·직계비속

[임원·사용인 등 경제적 연관관계]

1. 임원과 그 밖의 사용인
2. 본인의 금전이나 그 밖의 재산으로 생계를 유지하는 자
3. 제1호 및 제2호의 자와 생계를 함께 하는 친족

[주주·출자자 등 경영지배관계]

1. 본인이 개인인 경우
   가. 본인이 직접 또는 그와 친족관계 또는 경제적 연관관계에 있는 자를 통하여 법인의 경영에 대하여 지배적인 영향력을 행사하고 있는 경우 그 법인
   나. 본인이 직접 또는 그와 친족관계, 경제적 연관관계 또는 가목의 관계에 있는 자를 통하여 법인의 경영에 대하여 지배적인 영향력을 행사하고 있는 경우 그 법인
2. 본인이 법인인 경우
   가. 개인 또는 법인이 직접 또는 그와 친족관계 또는 경제적 연관관계에 있는 자를 통하여 본인인 법인의 경영에 대하여 지배적인 영향력을 행사하고 있는 경우 그 개인 또는 법인
   나. 본인이 직접 또는 그와 경제적 연관관계 또는 가목의 관계에 있는 자를 통하여 어느 법인의 경영에 대하여 지배적인 영향력을 행사하고 있는 경우 그 법인
   다. 본인이 직접 또는 그와 경제적 연관관계, 가목 또는 나목의 관계에 있는 자를 통하여 어느 법인의 경영에 대하여 지배적인 영향력을 행사하고 있는 그 법인

라. 본인이 「독점규제 및 공정거래에 관한 법률」에 따른 기업집단에 속하는 경우 그 기업집단에 속하는 다른 계열회사 및 그 임원

[지배적인 영향력]

1. 영리법인인 경우
  가. 법인의 발행주식총수 또는 출자총액의 100분의 30 이상을 출자한 경우
  나. 임원의 임면권의 행사, 사업방침의 결정 등 법인의 경영에 대하여 사실상 영향력을 행사하고 있다고 인정되는 경우
2. 비영리법인인 경우
  가. 법인의 이사의 과반수를 차지하는 경우
  나. 법인의 출연재산(설립을 위한 출연재산만 해당한다)의 100분의 30 이상을 출연하고 그 중 1인이 설립자인 경우

[다른 법률과의 차이]

(1) 법인세법

① 법인이므로 자연인에만 존재하는 친족관계는 규정하고 있지 않다.

② 법인세법에서는 주주, 임직원과 그 친족으로 규정하여 특수관계인의 범위를 주주에 한하지 않고 있다. 국세기본법에서는 친족이더라도 간접적으로 지배력을 행사하거나 행사할 수 있는 경우에 한하여 특수관계인으로 보고 있다.

③ 국세기본법상 주주는 주주로서 지배적인 영향력이 있는 자로 제한적으로 규정하고 있으며 법인세법상 주주는 소액주주(1% 미만)를 제외한 모든 주주로 폭넓게 규정하고 있다.

④ 타 법률에 비해 지배와 피지배관계를 명확히 규정한다.

(2) 상증세법

① '사용인'의 출자에 의하여 지배하고 있는 법인의 사용인을 포함하고 있다.(지배력 기준은 국세기본법과 동일)

② '임원'은 퇴직 후 3년(해당 기업이 「독점규제 및 공정거래에 관한 법률」 제14조에 따른 공시대상기업집단에 소속된 경우는 5년)이 지나지 않은 임원까지 그 범위에 포함하고 있다.(사외이사는 제외하고 있어 퇴직 후에는 특수관계 없음)

(3) 소득세법 : 국세기본법 준용

(4) 부가가치세법 : 소득세법과 법인세법을 모두 준용. 소득세법은 국세기본법을 그대로 준용하므로 국세기본법과 법인세법을 포괄한다.

영업 포인트

양도와 증여의 차이점?

- 양도와 증여의 가장 큰 차이점은 대가를 지불했는지 여부
- 양도세는 양도자가 세금을 납부하지만, 증여세는 수증자가 세금을 납부함
- 비특수관계자와의 거래에서 양도세 부당행위 문제가 발생하지 아니하나, 증여세 증여의제 문제가 발생 가능함

필수로 알아둘 사항

- 대가 지불여부에 따라 세금을 계산하는 방식이 달라지므로 어느 것이 유리한지 판단해야 함
- 양도가 증여보다 유리하다고 할지라도 미성년자 등 양도대금을 부담할 능력이 없는 자에게 자산을 이전하는 경우에는 증여의 방법을 택해야 함
- 비특수관계자 간의 저가양도거래에서도 증여세 문제가 발생할 수 있다는 점을 유의해야 함

다 초과배당 설계하기

1 학습목표

학습내용	효 과
초과배당	• 초과배당의 개념 이해하기 • 초과배당을 이용한 부의 이전 절세효과를 계산하여 보기

2 TALK

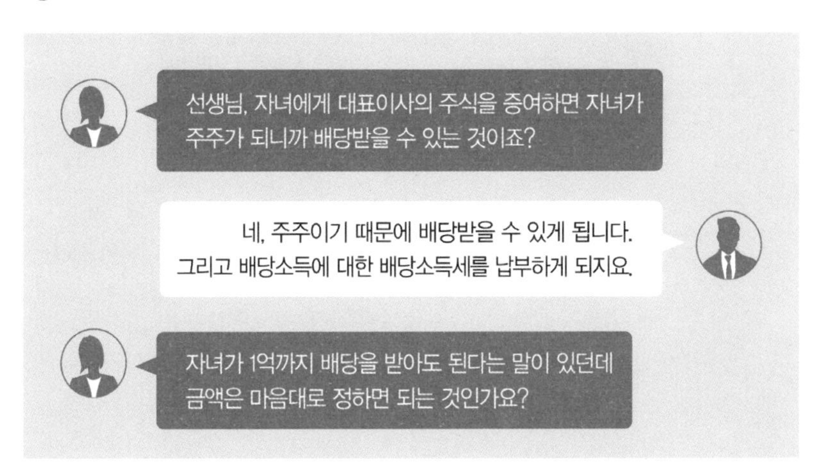

아니요, 그렇지 않습니다.
원칙은 주주가 지분율에 비례하여 배당을 받아야 합니다.
말씀하신 건 초과배당이라고 하는데요.
대주주가 받을 배당을 포기하고 소액주주들에게
나눠주는 제도입니다. 이렇게 하면 소액주주가
대주주보다 더 많은 배당을 받을 수 있지요.

아, 그럼 대표이사인 아버지가 받을 배당을 자녀에게 줄
수 있는 거네요. 그렇다면 세금은 똑같은 거 아닌가요?

아닙니다. 대표이사는 급여 등 다른 소득이 있는 경우가
많아서 배당을 2천만 원 이상 받는 경우 더 많은 세금을
부담하기 때문에 소득이 없는 자녀 등에게 배당을
해주는 것이 절세 측면에서 더 나을 수 있지요.

아, 그렇군요. 그렇다면 초과배당도 소득세만 부담하면
되는 건가요? 초과배당도 배당이니까요. 아버지에게
직접 받는다면 증여세도 또 내야 하는 거 아닌가 해서요.

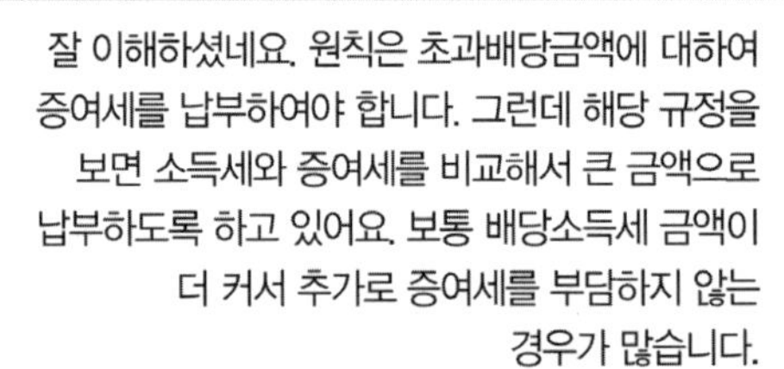

잘 이해하셨네요. 원칙은 초과배당금액에 대하여
증여세를 납부하여야 합니다. 그런데 해당 규정을
보면 소득세와 증여세를 비교해서 큰 금액으로
납부하도록 하고 있어요. 보통 배당소득세 금액이
더 커서 추가로 증여세를 부담하지 않는
경우가 많습니다.

③ 초과배당의 이해와 과세

배당은 지분율에 따라 지급하는 것이 원칙이기 때문에 주주총회에서 결정된 총 배당금액에서 주주의 지분율을 곱한 금액을 배당으로 받게 된다. 그럼에도 불구하고 최대주주가 본인의 배당금을 포기하고 소액주주에게 지분율보다 많은 배당금을 지급하는 것을 초과배당이라고 한다.

주주	지분율	균등배당시	초과배당	
			실제배당금액	변동액
대주주(부)	80%	8,000만 원	–	(–)8,000만 원
소액주주(자)	10%	1,000만 원	5,000만 원	4,000만 원
소액주주(녀)	10%	1,000만 원	5,000만 원	4,000만 원
합계	100%	1억 원	1억 원	–

지분율에 따라 아버지가 받을 수 있는 배당금액은 8,000만 원임에도 이를 포기하고 자녀들이 추가로 배당을 받게 되면 이는 초과배당이 된다. 아버지가 포기한 8,000만 원이 두 자녀에게 이전된 결과 자녀별로 균등배당시 받을 수 있는 1,000만 원보다 더 받은 4,000만 원이 초과 배당된다. 세법에서는 초과배당 중 최대주주가 포기함으로써 최대주주의 특수관계인이 추가로 받은 배당금액을 증여재산가액으로 보아 증여세를 과세한다. 사례에서는 자녀들이 본인의 지분율보다 추가로 받은 4,000만 원이 증여재산가액으로 증여세 납부대상이 된다. 하지만 초과배당에 대한 증여세가 초과배당에 대한 소득세 상당액보다 적은 경우에는 증여재산가액으로 보지 않는다.

이를 정리하면 세법에서는 초과 배당소득에 대한 소득세와 증여세를 비교하여 소득세가 증여세보다 높은 경우에는 소득세로 세금을 납부하고 증여재산가액으로 보지 않는다. 반대로 증여세가 높은 경우에는 증여재산가액으로 보아 증여세를 부과하고, 소득세 상당액은 증여세 계산시 산출세액에서 공제해 주고 있다. 소득세와 증여세 중에 큰 금액으로 과세하는 것이다.

토막지식 초과배당시 증여세와 소득세의 비교

위의 사례에서 자녀에게 각각 4,000만 원의 초과배당이 지급된 경우 세법에서 증여세와 배당소득세를 비교하여 더 큰 금액으로 과세한다. 이때 증여세와 비교하는 소득세 상당액은 상증세법에서 정한 방법에 따라 계산한다.

초과배당금액에 대한 소득세 상당액 = 초과배당금액 * 과세율

(*) 과세율 : 상증세법 시행규칙 제10조의3

초과배당금액	과세율
5천220만 원 이하	초과배당금액 × 100분의 14
5천220만 원 초과 8천800만 원 이하	731만 원 + (5천220만 원 초과 초과배당금액 × 100분의 24)
8천800만 원 초과 1억 5천만 원 이하	1천590만 원 + (8천800만 원 초과 초과배당금액 × 100분의 35)
1억 5천만 원 초과 3억 원 이하	3천760만 원 + (1억 5천만 원 초과 초과배당금액 × 100분의 38)
3억 원 초과 5억 원 이하	9천460만 원 + (3억 원 초과 초과배당금액 × 100분의 40)
5억 원 초과	1억 7천460만 원 + (5억 원 초과 초과배당금액 × 100분의 42)

상기 사례에서 최대주주의 자녀에 대한 사전증여재산에 따라 소득세상당액과 증여세를 계산하여 보자.

① 사전증여재산이 5천만 원인 경우

[초과배당에 대한 증여세]

구 분	증여세
초과배당금액	4,000만 원
사전증여재산	5,000만 원
증여재산가액	9,000만 원
증여재산공제	5,000만 원
과세표준	4,000만 원
세율	10%
산출세액	400만 원
기납부세액(*)	–
납부할 세액	400만 원

(*) 사전증여시 납부한 세액 차감(5천만 원 이내이므로 납부한 세금 없음)

[초과배당에 대한 소득세]

구 분	소득세 상당액
초과배당금액	4,000만 원
세율	14%
소득세 상당액	560만 원

소득세 상당액(560만 원)이 증여세(400만 원)보다 크다는 것을 확인할 수 있다. 이 경우 초과배당금액 4,000만 원을 증여재산가액으로 보아 과세하지 아니한다.

② 사전증여재산이 5억 원인 경우

[초과배당에 대한 증여세]

구 분	증여세
초과배당금액	4,000만 원
사전증여재산	5억 원
증여재산가액	5억 4,000만 원
증여재산공제	5,000만 원
과세표준	4억 9,000만 원
세율	1억 이하 10%, 1억 초과 20%
산출세액	8,800만 원
기납부세액(*)	8,000만 원
납부할 세액	800만 원

(*) 사전증여시 납부한 세액 차감((5억 - 5,000만 원) * 20% = 8,000만 원)

[초과배당에 대한 소득세 상당액]

구 분	소득세 상당액
초과배당금액	4,000만 원
세율	14%
소득세 상당액	560만 원

소득세 상당액(560만 원)이 증여세(800만 원)보다 적다. 이 경우 초과배당금액 4,000만 원을 증여재산가액으로 보아 증여세를 과세하는 것이다.

관련법령

상속세 및 증여세법 제41조의2【초과배당에 따른 이익의 증여】

① 법인이 이익이나 잉여금을 배당 또는 분배(이하 이 항에서 "배당 등"이라 한다)하는

경우로서 그 법인의 대통령령으로 정하는 최대주주 또는 최대출자자(이하 이 조에서 "최대주주 등"이라 한다)가 본인이 지급받을 배당 등의 금액 전부 또는 일부를 포기하거나 본인이 보유한 주식 등에 비례하여 균등하지 아니한 조건으로 배당 등을 받음에 따라 그 최대주주 등의 특수관계인이 본인이 보유한 주식 등에 비하여 높은 금액의 배당 등을 받은 경우에는 제4조의2 제2항에도 불구하고 법인이 배당 등을 한 날을 증여일로 하여 그 최대주주 등의 특수관계인이 본인이 보유한 주식 등에 비례하여 균등하지 아니한 조건으로 배당 등을 받은 금액(이하 이 조에서 "초과배당금액"이라 한다)을 그 최대주주 등의 특수관계인의 증여재산가액으로 한다.

② 제1항에 따라 초과배당금액에 대하여 증여세를 부과할 때 해당 초과배당금액에 대한 소득세 상당액은 제56조 및 제57조에 따른 증여세산출세액에서 공제한다.

③ 초과배당금액에 대한 증여세액이 초과배당금액에 대한 소득세 상당액보다 적은 경우에는 제1항을 적용하지 아니한다.

상속세 및 증여세법 시행령 제31조의2【초과배당에 따른 이익의 계산방법 등】

〈중략〉

③ 법 제41조의 2 제2항 및 제3항에 따른 초과배당금액에 대한 소득세 상당액은 초과배당금액에 대하여 해당 초과배당금액의 규모와 소득세율 등을 감안하여 기획재정부령으로 정하는 율을 곱한 금액으로 한다. (2016.2.5. 신설)

상속세 및 증여세법 시행규칙 제10조의3【소득세 상당액의 계산】

영 제31조의 2 제3항에서 "기획재정부령으로 정하는 율"이란 다음 표의 구분에 따른 율을 말한다.

초과배당금액	율
5,220만 원 이하	초과배당금액 X 14%
5,220만 원 초과 8,800만 원 이하	731만 원 + (5,220만 원을 초과하는 초과배당금액 X 24%)
8,800만 원 초과 1억 5천만 원 이하	1,590만 원 + (8,800만 원을 초과하는 초과배당금액 X 35%)
1억 5천만 원 초과 3억 원 이하	3,760만 원 + (1억 5천만 원을 초과하는 초과배당금액 X 38%)
3억 원 초과 5억 원 이하	9,460만 원 + (3억 원을 초과하는 초과배당금액 X 40%)
5억 원 초과	1억 7,460만 원 + (5억 원을 초과하는 초과배당금액 X 42%)

초과배당은 초과배당금액의 크기와 사전증여금액에 따라서 증여세로 과세되거나 배당소득세로 과세될 수 있다. 초과배당이 증여세로 과세되는 경우 다음 연도에 초과배당을 하더라도 증여세로 과세될 가능성이 높다. 이미 적용되는 증여세율이 높아져 있기 때문에 소득세 상당액을 계산 시 적용되는 세율보다 높기 때문이다. 그러므로 초과배당을 실시하기 전에 초과배당금액이 증여세로 과세되지 않는지 반드시 체크하여야 한다. 또한 상속증여세의 대표적인 특징 중에 10년 합산과세규정이 있다. 증여시점을 기준으로 10년 내에 사전증여재산이 있다면 이를 합산하여 과세한다는 내용인데, 초과배당이 증여세로 과세되는 경우라면 당연히 합산하지만, 증여세로 과세하지 아니하고 소득세로 납부하는 경우는 어떨까? 증여세 과세대상이 아니므로 합산할 증여재산가액에서 제외된다. 초과배당이 상속증여플랜에서 효과적인 이유가 이 때문이다.

토막지식 **초과배당의 증여재산가액 합산**

[문서번호] 서면-2016-법령해석재산-4195(2016.10.25)

[제 목] 초과배당에 대한 증여세 산출세액이 소득세 상당액보다 적은 경우 재차 증여에 따른 증여세 과세가액 합산여부

[요 지] 초과배당금액에 대한 증여세액이 초과배당금액에 대한 소득세 상당액보다 적은 경우 상속세 및 증여세법 41의2 ①을 적용할 수 없으므로 증여세 과세대상에 해당하지 않아 합산할 증여재산가액도 없는 것임

한편 배당소득이 증가하는 경우 소득자에 대한 건강보험료가 증가하기 때문에 이를 고려하여 배당소득과 증여세의 절세플랜을 설계할 필요가 있다.

구 분	2,000만 원 이하	3,400만 원 초과 1억 3,000만 원 이하	1억 3,000만 원 초과
과세 기준	분리과세 기준	피부양자 박탈기준	
배당소득 외 소득이 있는 경우	14%	기본소득세율 + 소득월액건강보험료	기본소득세율 + 소득월액건강보험료
배당소득 외 소득이 없는 경우	14%	14% + 소득월액건강보험료	기본소득세율 + 소득월액건강보험료

(*) 소득월액 건강보험료 : (배당소득 - 3,400만 원) * 건강보험료율

배당소득금액(a)	130,000,000
Gross-up(*)(b)	12,100,000
종합소득금액(c=a+b)	142,100,000
소득공제(기본공제만 적용)(d)	1,500,000
과세표준(e=c-d)	140,600,000
세율(f)	35%
산출세액(g=e*f)	30,110,000
배당세액공제(h)(**)	11,910,000
결정세액(i=g-h)	18,200,000
지방소득세(j=i*10%)	1,820,000
총부담세액(k=i+j)	20,020,000
부담률(k/a)	15.4%

(*) Gross-up : (130,000,000 − 20,000,000) × 11% = 12,100,000
(**) 배당세액공제 : Min[12,100,000, (30,110,000 − 18,200,000)]

영업 포인트

초과배당 컨설팅

- 초과배당금액에 대한 증여세/소득세 과세 방법 이해하기

- 증여재산가액으로 보아 증여세가 과세되지 아니하는 초과배당금액 설정하기

필수로 알아둘 사항

- 사전증여재산(10년/5년 내)이 있는 경우 증여재산가액에 합산하여 증여세를 계산해야 함
- 배당소득금액 이외에 다른 소득 규모를 파악하여 초과배당금액에 대한 소득세 예상이 필요함
- 초과배당소득 발생으로 추가 건강보험료 부담이 발생할 수 있음

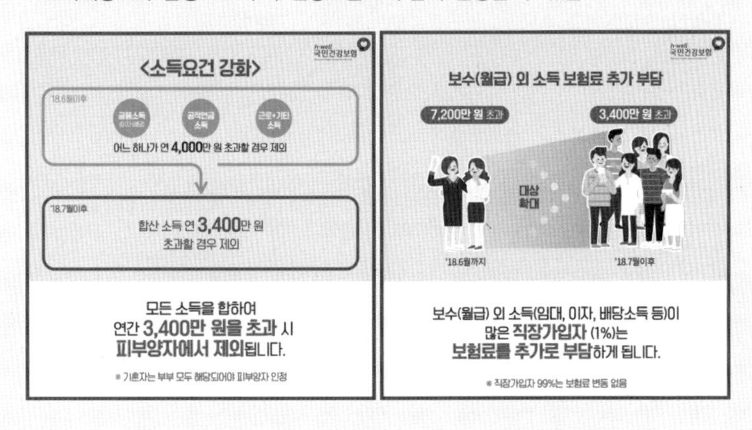

라 명의신탁주식의 문제와 환원

1 학습목표

학습내용	효 과
주식의 명의신탁	• 명의신탁의 발생 원인을 이해하기 • 명의신탁의 문제점과 해소방안을 알아보기

2 TALK

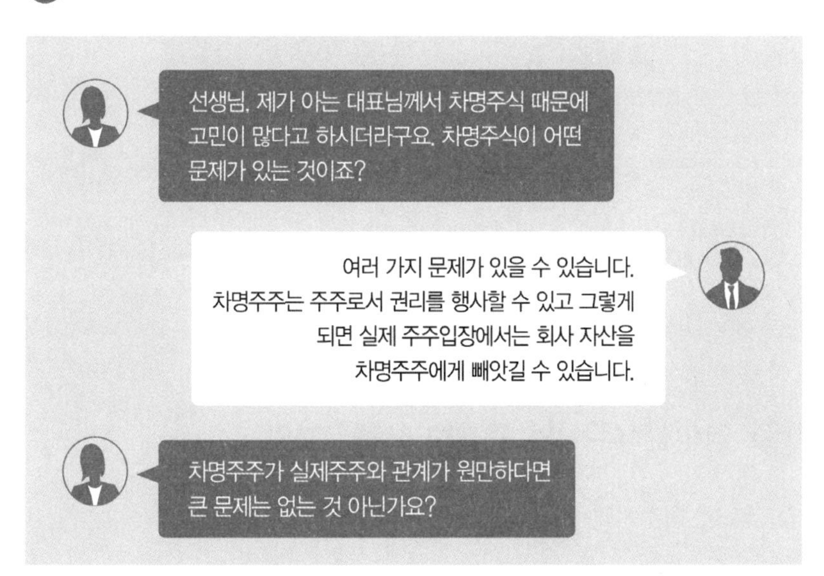

그렇지 않습니다. 당장은 아무런 문제가 없을 수 있지만 차명주주가 갑자기 사망하게 되면 차명주식이 상속되어 상속인과 소유권 분쟁을 해야 할 수 있습니다.

그렇네요. 상속인 입장에서는 주식이 차명인지 알기 어렵고 당연히 소유권을 주장하게 되겠네요. 차명주식에 대한 문제를 해결하는 방법은 무엇인가요?

차명주식을 실제주주에게로 이전해야 합니다. 이때 주식을 양도하거나 증여하여야 하는데 관련 세금이 발생할 수 있습니다. 그래서 세 부담을 최소화 할 수 있는 방법을 찾아야 합니다.

주식가치가 많이 올라가 있다면 자동적으로 세금 부담도 올라가겠네요. 차명주식을 해결하고 싶어도 세금부담이 너무 크면 어떻게 해야 할까요?

여러 가지 내용을 체크해 보아야 합니다. 일정 요건을 충족하면 명의신탁주식 간소화 제도를 활용하여 추가 세금없이 환원이 가능합니다. 만약 간소화 제도의 활용이 힘든 경우라면 특수관계자 여부를 고려하여 저가양도의 방법을 활용할 수 있습니다.

③ 명의신탁주식의 문제점과 해결방안

가) 명의신탁주식의 특징

명의신탁주식이란 실제소유자와 명의자가 다른 주식을 말한다. 쉽게 말해서 실제 주식을 소유하고 있는 사람이 다른 사람의 명의를 빌려서 주식을 소유하고 있는 것처럼 이름을 올려두는 것이다. 차명주식이라는 표현을 사용하기도 한다. 명의신탁주식이 발생하는 원인은 다음과 같다.

(1) 상법상 발기인 요건

과거(2001년 7월 23일 이전) 상법은 법인 설립시 발기인이 최소 3인 이상일 것을 요건으로 하고 있었다. 따라서 1인주주인 회사를 설립하는 것 자체가 불가능하였고 이로 인해 어쩔 수 없이 명의신탁주식이 발생하는 경우가 많았다. 이렇게 과거 상법상 요건을 충족하기 위하여 부득이하게 명의신탁주식이 발생한 회사에게 명의신탁에 따른 문제를 해소할 기회를 주기 위해 명의신탁주식을 쉽게 환원할 수 있는 제도를 운영하고 있다.

(2) 명의신탁과 과점주주 과세

법인의 주식을 50% 초과하여 보유하는 주주를 과점주주라고 한다. 과점주주가 되는 경우 세법상 추가로 부담하는 세금은 이 다음과 같이 발생하여 이를 회피하기 위해 명의신탁을 이용하기도 한다.

(가) 출자자의 제2차 납세의무

출자자의 제2차 납세의무는 과점주주가 법인의 체납한 국세에 대하여 보충적으로 부담하는 납세의무를 말한다. 법인이 국세를 납부할 능력이 없는 경우에 체납한 국세 중 과점주주의 지분율을 곱한 금액만큼을 과점주주가 부담하여야 한다. 과점주주의 기준이 50%이므로 이를 초과하여 지분을 소유하지 아니하는 경우 출자자의 제2차 납세의무를 피할 수 있다는 생각에 명의신탁주식이 발생하는 것이다.

관련법령

국세기본법 제39조【출자자의 제2차 납세의무】

법인의 재산으로 그 법인에 부과되거나 그 법인이 납부할 국세 및 체납처분비에 충당하여도 부족한 경우에는 그 국세의 납세의무 성립일 현재 다음 각 호의 어느 하나에 해당하는 자는 그 부족한 금액에 대하여 제2차 납세의무를 진다. 다만, 제2호에 따른 과점주주의 경우에는 그 부족한 금액을 그 법인의 발행주식 총수(의결권이 없는 주식은 제외한다. 이하 이 조에서 같다) 또는 출자총액으로 나눈 금액에 해당 과점주주가 실질적으로 권리를 행사하는 주식 수(의결권이 없는 주식은 제외한다) 또는 출자액을 곱하여 산출한 금액을 한도로 한다.(2018.12.31. 개정)

1. 무한책임사원
2. 주주 또는 유한책임사원 1명과 그의 특수관계인 중 대통령령으로 정하는 자로서 그들의 소유주식 합계 또는 출자액 합계가 해당 법인의 발행주식 총수 또는 출자총액의 100분의 50을 초과하면서 그에 관한 권리를 실질적으로 행사하는 자들(이하 "과점주주"라 한다)

(나) 간주취득세

지방세법에서는 법인의 과점주주가 법인이 소유하고 있는 부동산을 취득한 것으로 보아 간주취득세 납세의무를 부여하고 있다. 과점주주에 대하여 법인의 재산을 취득한 것으로 보아 취득세를 부과하는 것은 과점주주가 되면 해당 법인의 재산을 사실상 임의처분하거나 관리 · 운용할 수 있는 지위에 서게 되어 실질적으로 그 재산을 직접 소유하는 것과 크게 다를 바 없다는 점에서 담세력이 있다고 보기 때문이다(대법원 2014. 9. 4. 선고 2014두36266 판결 등).

간주취득세의 납세요건과 과세액의 계산방법은 다음과 같다.

① 과점주주가 아닌 자가 과점주주가 된 경우
: (취득가액 – 감가상각 누계액) * 과점주주 지분율 * 2.2%

② 이미 과점주주인 자의 지분율이 증가한 경우
: (취득가액 – 감가상각 누계액) * (과점주주 현재 지분율 – 증가전 지분율) * 2.2%

관련법령

지방세법 제7조【납세의무자 등】

⑤ 법인의 주식 또는 지분을 취득함으로써 「지방세기본법」 제46조 제2호에 따른 과점주주(이하 "과점주주"라 한다)가 되었을 때에는 그 과점주주가 해당 법인의 부동산 등(법인이 「신탁법」에 따라 신탁한 재산으로서 수탁자 명의로 등기·등록이 되어 있는 부동산등을 포함한다)을 취득(법인설립 시에 발행하는 주식 또는 지분을 취득함으로써 과점주주가 된 경우에는 취득으로 보지 아니한다)한 것으로 본다. 이 경우 과점주주의 연대납세의무에 관하여는 「지방세기본법」 제44조를 준용한다.

지방세법 시행령 제11조【과점주주의 취득 등】

① 법인의 과점주주(「지방세기본법」 제46조 제2호에 따른 과점주주를 말한다. 이하 같다)가 아닌 주주 또는 유한책임사원이 다른 주주 또는 유한책임사원의 주식 또는 지분(이하 "주식등"이라 한다)을 취득하거나 증자 등으로 최초로 과점주주가 된 경우에는 최초로 과점주주가 된 날 현재 해당 과점주주가 소유하고 있는 법인의 주식 등을 모두 취득한 것으로 보아 법 제7조 제5항에 따라 취득세를 부과한다.

② 이미 과점주주가 된 주주 또는 유한책임사원이 해당 법인의 주식 등을 취득하여 해당 법인의 주식등의 총액에 대한 과점주주가 가진 주식 등의 비율(이하 이 조에서 "주식 등의 비율"이라 한다)이 증가된 경우에는 그 증가분을 취득으로 보아 법 제7조 제5항에 따라 취득세를 부과한다. 다만, 증가된 후의 주식 등의 비율이 해당 과점주주가 이전에 가지고 있던 주식 등의 최고비율보다 증가되지 아니한 경우에는 취득세를 부과하지 아니한다.

③ 과점주주였으나 주식 등의 양도, 해당 법인의 증자 등으로 과점주주에 해당되지 아니하는 주주 또는 유한책임사원이 된 자가 해당 법인의 주식 등을 취득하여 다시 과점주주가 된 경우에는 다시 과점주주가 된 당시의 주식 등의 비율이 그 이전에 과점주주가 된 당시의 주식 등의 비율보다 증가된 경우에만 그 증가분만을 취득으로 보아 제2항의 예에 따라 취득세를 부과한다.

④ 법 제7조 제5항에 따른 과점주주의 취득세 과세자료를 확인한 시장·군수·구청장은

그 과점주주에게 과세할 과세물건이 다른 특별자치시·특별자치도·시·군 또는 구(자치구를 말한다. 이하 "시·군·구"라 한다)에 있을 경우에는 지체 없이 그 과세물건을 관할하는 시장·군수·구청장에게 과점주주의 주식 등의 비율, 과세물건, 가격명세 및 그밖에 취득세 부과에 필요한 자료를 통보하여야 한다.

지방세법 제10조【과세표준】

④ 제7조 제5항 본문에 따라 과점주주가 취득한 것으로 보는 해당 법인의 부동산 등에 대한 과세표준은 그 부동산 등의 총가액을 그 법인의 주식 또는 출자의 총수로 나눈 가액에 과점주주가 취득한 주식 또는 출자의 수를 곱한 금액으로 한다. 이 경우 과점주주는 조례로 정하는 바에 따라 과세표준 및 그밖에 필요한 사항을 신고하여야 하되, 신고 또는 신고가액의 표시가 없거나 신고가액이 과세표준보다 적을 때에는 지방자치단체의 장이 해당 법인의 결산서 및 그밖의 장부 등에 따른 취득세 과세대상 자산총액을 기초로 전단의 계산방법으로 산출한 금액을 과세표준으로 한다.

상기의 과점주주의 지분율을 판단 시 특수관계자 지분율을 포함하여 계산하기 때문에 최대주주 1인 뿐만 아니라 그의 가족들이 보유한 주식수를 합한 지분율이 기준이 된다. 그러므로 가족들 명의로 지분을 이전하는 것은 과점주주를 피하기 위한 수단으로 적절치 못하다. 그렇다고 가족이 아닌 자들에게 명의신탁을 하는 것은 더 큰 리스크가 존재한다는 점을 인지하여야 한다.

(3) 배당소득 종합과세 회피

우리나라 소득세는 6~42%의 누진과세 체계를 이루고 있다. 소득구간별로 세율이 달라지기 때문에 소득이 많은 사람일수록 많은 세금을 부담하게 된다. 이러한 누진과세 체계에서는 소득을 한 사람이 아닌 여러 사람으로 분산하면 누진세를 회피해 세 부담을 낮출 수 있다. 소득을 낮추어 적용 세율을 줄이는 효과와 동시에 낮은 세율로 여러 번 과세됨으로써 실제로 부담하는 세 부담이 줄어드는 것이다.

소득세 과세대상인 배당소득은 금융소득으로 2천만 원까지 낮은 세율로 분리과세되는 특징이 있다. 그리고 분리과세되는 금액 기준인 2천만 원은 1인당 기준이므로 여러 명의 주주가 2천만 원 이하 배당금을 받는다면 모두 분리과세 적용이 가능하다.

[배당소득의 분산과 과세소득 비교]

구 분	단 독	분 산				
대상	주주1	주주1	주주2	주주3	주주4	주주5
급여	1억	1억				
배당	1억	2천만 원	2천만 원	2천만 원	2천만 원	2천만 원
배당소득세	(*)2,420만 원	308만 원	308만 원	308만 원	308만 원	308만 원

(*) 2천만 원 * 15.4% + 8천만 원 * 26.4%(가정)

위와 같이 배당소득 1억 원을 1인의 주주가 아닌 5인의 주주가 나누어 받는 경우 총 880만 원의 절세효과가 발생하게 된다.

나) 명의신탁주식의 문제점

이제 명의신탁주식으로 인해 발생 가능한 문제점을 살펴보자. 당장 발생하지 않아도 추후에 예상하지 못한 문제가 발생하여 기업을 경영하기 어려운 상황에 이를 수 있다.

(1) 경영권문제

명의신탁주식은 다른 사람의 이름으로 명의개서를 해놓은 주식이다. 그런데 대부분의 주식이 신탁되었다는 것을 신고하여 표시해두는 것은 아니다. 주식의 신탁자(실소유자)는 명의신탁주식임을 알지만 당장은 문제가 되지 않으니 별다른 조치없이 그대로 두는 경우가 대부분이다.

그런데 신탁자와 수탁자(명의신탁주주)의 관계가 원만할 때는 문제가 없지만, 두 당자사 간에 문제가 생기는 경우에 수탁자가 주식의 실소유주임을 주장하여 수탁자가 주주총회에 참석하여 의결권 행사를 하거나, 주주의 고유 권리인 배당을 요구할 수 있다. 이렇게 수탁자가 주주권을 행사하게 되면, 주식의 실제소유자는 수탁자가 주주권을 행사하지 못하도록 조치를 취하여야 한다.

예를 들어 주주총회에서는 임원의 해임 및 주요 사업부의 매각 또는 합병결의 등 결정이 수행되는데 수탁자가 이를 목적으로 주주총회를 소집한다면 실제소유자는 주주총회에 참석하여 수탁자가 발의한 내용에 대한 반대 의사를 표시해야 한다. 이렇게 회사가 정상적으로 운영되기 어려운 상황으로 진행되면 신탁자와 수탁자 간 갈등은 더 깊어질 수밖에 없다.

그리고 수탁자의 신용이 좋지 못하여 명의신탁주식이 압류될 수도 있다. 선의의 제3자는 보호받을 권리가 있으므로 이 주식이 명의신탁주식임을 알지 못한 채권자는 압류로 인한 권리 보호를 주장할 것이다. 신탁자는 이렇게 압류가 되는 상황까지 예측하기는 사실상 어렵다. 고스란히 명의신탁주식 비율만큼에 해당하는 회사의 가치를 빼앗기게 되는 것이다. 다음의 대법원 판례를 살펴보자.

대법원 2017.3.23. 선고 2015다248342 전원합의체 판결 [주주총회결의 취소]
〈상장회사의 주주명부상 주주가 회사를 상대로 주주총회결의의 취소 등을 구하는 사건〉

〈중략〉
특별한 사정이 없는 한 주주명부에 적법하게 주주로 기재되어 있는 자는 회사에 대한 관계에서 그 주식에 관한 의결권 등 주주권을 행사할 수 있고, 회사 역시 주주명부상 주주 외에 실제 주식을 인수하거나 양수하고자 하였던 자가 따로 존재한다는 사실을 알았든 몰랐든 간에 주주명부상 주주의 주주권 행사를 부인할 수 없으며, 주주명부에 기재를 마치지 아니한 자의 주주권 행사를 인정할 수도 없다. 주주명부에 기재를 마치지 않고도 회사에 대한 관계에서 주주권을 행사할 수 있는 경우는 주주명부에의 기재 또는 명의개서청구가 부당하게 지연되거나 거절되었다는 등의 극히 예외적인 사정이 인정되는 경우에 한한다. 자본시장법에 따라 예탁결제원에 예탁된 상장주식 등에 관하여 작성된 실질주주명부에의 기재는 주주명부에의 기재와 같은 효력을 가지므로(자본시장법 제316조 제2항), 이 경우 실질주주명부상 주주는 주주명부상 주주와 동일하게 주주권을 행사할 수 있다.

(2) 명의신탁주식의 상속

더 큰 문제는 수탁자가 사망하는 경우이다. 수탁자가 사망하게 되면 수탁자 명의로 되어 있는 주식은 자연스럽게 수탁자의 상속인에게 상속된다. 상속인의 경우 동 주식이 신탁재산인지 확인하기 어렵고 상속인은 주식이 피상속인의 고유재산임을 주장할 가능성이 높다. 따라서 신탁자(실소유자)와 상속인(명의수탁자)은 법정 다툼을 통해서 소유권 문제를 해결할 수밖에 없다.

반대로 명의수탁자의 상속인 스스로가 명의신탁재산이 자신들의 재산이 아님을 주장할 수도 있다. 신탁자 사망 시 명의신탁주식은 상속인의 상속재산에 포함하여 상속세 신고를 해야 하기 때문이다. 명의신탁주식 이외에 다른 재산이 많은 경우 또는 명의신탁주식의 가치가 높은 경우라면 명의신탁주식으로 인한 상속세 부담이 커질 수 있다. 하지만 비상장주식은 유동성이 낮은 재산이다. 상속세를 부담하기 위하여 주식을 현금화하기가 어렵다는 뜻이다. 상속세는 부담해야 하지만 당장 주식을 처분하여 유동자산을 마련하기가 쉽지 않다. 신탁자에게 주식 매수를 요청할 수 있지만 소유권에 대한 다툼이 있는 시점에 신탁자가 주식 대가를 지급할 가능성은 만무하다. 상속인 입장에서는 명의신탁주식을 상속받지만 당장 상속세를 부담해야 하는 문제가 발생하는 것이다.

(3) 가업승계

가업승계를 계획하고 있는 법인이라면 명의신탁주식은 큰 걸림돌이 될 수 있다. 명의신탁주식이 실소유자의 주식으로 인정받기 어렵기 때문이다. 명의신탁주식의 환원이 이루어지지 못한 상태에서 가업의 승계가 이루어진다면 명의신탁주식에 대해서는 가업상속공제를 적용받기 어렵다. 가업상속공제를 통해 10년 이상 영위한 중소기업은 원활한 가업승계를 위하여 최대 500억 원까지 상속공제를 적용하여 상속세 부담을 줄일 수 있지만 명의신탁주식은 피상속인이 소유하고 있는 재산으로 인정받기 어려워 가업상속공제도 적용하지 못하는 문제가 발생하는 것이다.

이때 사전 증여를 통하여 가업을 승계하고자 하는 기업의 오너는 증여세 과세특례를 통하여 증여세 부담을 줄일 수 있다. 100억 원을 한도로 하여 10%(30억 초과분 20%) 세율이 적용되므로 세 부담을 크게 줄일 수 있다는 이점이 있다. 그런데 가업상속주식에 대한 증여세 과세특례를 적용받기 위해서는 증여자의 지분비율이 50% 이상인 경우에만 적용이 가능하다. 명의신탁주식을 제외한 지분율이 50% 미만인 경우 증여세 과세특례를 적용받기 어려운 것이다.

비상장 중소기업은 가업승계가 잘 이루어져야 영속성 있는 운영이 가능하다. 가업이 다음 세대로 이전되는 과정에서 납부하게 되는 세금 부담이 매우 크다면 가업이 그대로 유지되기 어려울 수 있다. 실제로 상속세 납부때문에 기업이 매각되는 경우도 많다. 따라서 가업상속 플랜은 회사의 존폐위기를 결정할 수 있는 중요한 의사결정이 될 수 있다. 이때 명의신탁주식은 가업상속 플랜을 결정하는데 굉장한 방해요소가 될 수 있으므로 명의신탁주식의 위험성을 이해하고 이를 해결하기 위한 노력이 필요하다.

다) 해결방안

(1) 명의신탁주식 환원 간소화 제도

과거 상법상 발기인 규정은 주식회사 설립 시 3인 이상을 발기인으로 하는 요건을 가지고 있었다. 이러한 상법 규정은 어쩔 수 없이 명의신탁주식이 발생할 수밖에 없는 결과를 낳았다. 상법에서 발기인의 수를 강제하여 명의신탁주식이 발생한 회사는 억울한 부분이 있다. 그래서 이를 구제해 주는 제도를 운영하고 있다.

토막지식 **법인설립시기별 발기인 제한**

2001년 7월 23일 이전	2001년 7월 24일 이후
3인 이상	제한 없음

명의신탁주식 간소화 제도를 통해 명의신탁주식을 환원할 수 있는 회사의 요건은 다음과 같다.

토막지식 **명의신탁주식 간소화 제도 적용요건**

1. 주식발행법인이 2001년 7월 23일 이전에 설립된 법인으로 「조세특례제한법시행령」 제2조에서 정하는 중소기업에 해당할 것
2. 실제소유자와 명의수탁자(실명전환 전 주주명부 등에 주주로 등재되어 있던 자로서 국내에 주소를 두고 있는 거주자를 말한다. 이하 이 조에서 같다)가 법인설립 당시 발기인으로서 설립 당시에 명의신탁한 주식을 실제소유자에게 환원하는 경우일 것
3. 제2호의 설립 당시 명의신탁주식에는 법인설립 이후에 「상법」 제418조 제1항 및 「자본시장과 금융투자업에 관한 법률」 제165조의 6 제1항 제1호에서 정하는 주주배정방식으로 배정된 신주를 기존주주가 실권 없이 인수하는 증자(이하 이 조에서 "균등증자"라고 하며, 무상증자 또는 주식배당을 원인으로 증자한 경우를 포함한다)를 원인으로 명의수탁자가 새로이 취득한 주식을 포함한다.

만약 실명 전환할 주식가액이 20억 원 이상인 경우나 신청 서류만으로 실제소유자 여부가 불분명한 경우에는 객관적이고 공정한 처리를 위해 명의신탁주식 실명전환 자문위원회를 열어 다시 실제소유자 인정여부를 결정하게 된다.

간소화 제도는 요건을 충족하면서 명의신탁주식임을 증명할 수 있는 근거가 명확한 경우에 간단하게 명의신탁주식을 환원할 수 있다는 큰 이점이 있다. 그런데 명의개서 이후에 간소화 제도를 이용해야 하

기 때문에 자칫 환원신청이 받아들여지지 못할 경우 문제가 발생할 수 있다는 점을 유의해야 한다. 명의개서를 통하여 실제소유자로 명의를 변경하였으나 명의신탁임이 인정되지 아니하는 경우 명의개서가 증여에 해당하여 증여세 부담이 발생하는 것이다. 그러므로 간소화 제도를 통하여 실소유자에게 명의신탁주식이 환원 가능한지 여부를 전문가와 검토한 이후에 신청하는 것이 중요하다.

(2) 저가양도

명의신탁주식을 입증하기 위한 근거서류가 부족하여 간소화 제도를 적용하기 사실상 어려운 경우가 많다. 이 경우 명의신탁주식을 지금처럼 보유하고 있는 경우에 발생할 리스크를 감안하여 해결책을 찾을 필요가 있다. 먼저 수탁자가 명의신탁주식을 실제소유자에게 대가를 지급받고 양도할 수 있다. 이 경우 수탁자가 지급받는 대가와 액면가액의 차이만큼이 양도차익에 해당하여 양도소득세를 부담해야 하고 양도대가만큼 현금이 지급되어야 한다.

다음으로 수탁자가 실제소유자에게 명의신탁주식을 증여하는 방법이 있다. 증여는 양도와 달리 대가없이 실행 가능하지만 실소유자는 본래 자기 재산을 받는 것에 증여세를 부담하는 일이 부담스러울 수 있다. 명의신탁주식의 평가 가치가 커질수록 부담해야 할 증여세도 함께 커지기 때문에 쉽게 결정하기 어려운 문제인 것은 사실이다.

우리 소득세법은 특수관계자 간 거래에서 시가가 아닌 가격으로 거래가격을 조정하는 경우 이를 조세 부담을 감소시키기 위한 거래로 보고 있으며, 부당행위계산 부인규정에 따라 시가를 기준으로 다시 소득세를 계산하고 있다. 따라서 거래상대방의 특수관계자 여부에 따라 부당행위가 적용 가능한 점에 유의하여야 한다.

만약 실소유자와 특수관계에 있지 아니하는 명의수탁자가 주식을 시가보다 저가에 양도하는 경우 시가보다 낮은 가액으로 양수한 자가 얻게 되는 이익이 3억 원을 초과한다면 이를 저가양도에 따른 증여이익으로 보아 증여세를 과세하고 있다. 따라서 시가와 거래가액의 차액이 3억 원을 초과하지 아니하는 범위 내에서 명의신탁주식을 저가로 양수할 수 있을 것이다. 다만, 유상거래이므로 증권거래세는 발생한다는 점에 유의하자.

보론(CASE)

1 학습목표

학습내용	효 과
유상감자와 이익소각	• 유상감자의 의미와 자본금 감소의 방법을 이해한다. • 이익소각의 방식과 절세방안을 이해한다.
특허권의 이전	• 특허권을 이용한 부의 이전 절세방법을 이해한다.
불균등 증·감자	• 일반적인 증·감자의 방법과 불균등 증·감자를 이용한 절세방법을 이해한다.

2 유상감자와 이익소각의 비교

가) 개요

최대주주가 경영권을 이전하기 위해서는 주식을 이전해야 하고 주식의 이전에는 과세가 불가피한 경우가 많다. 이때 과세되는 금액은 주식의 가치에 비례하기 때문에 절세를 위해 주식의 가치를 낮추기 위한 다양한 시도가 있어왔다. 그 중 하나가 법인의 이익잉여금을 통해 감자하거나 소각하여 회사의 잉여자금을 줄이는 방법이다. 기업가치가 너무 높아져 앞으로 발생할 회사의 승계나 처분 과정에서 과도한 세금 부담을 걱정하는 대표자들에게 필요한 플랜이 될 수 있다.

토막지식 이익소각이란 무엇일까?

이익소각이란 정관에 기재하는 경우 이익으로 주식을 소각하는 것을 말한다. 이익소각은 다음과 같은 특징이 있다.

(상법 제343조 제1항, 증권거래법 189조 제1항에서 상장회사의 이익소각을 인정)

- 자본금의 금액이 줄지 않으면서 주식의 수는 감소
- 자본금이 변동되지 않아 채권자의 보호절차는 수행하지 않아도 됨
- 따라서 이사회의 결의만으로 소각이 가능

유상감자나 이익소각을 실행하게 되면 법인의 이익잉여금을 주주에게 이전할 수 있다. 이 과정에서 회사의 재산이 줄어들고, 주당 가치는 감소하게 된다. 또한 지분이 가족 등에게 분산되어 있는 경우 가족들에게 법인자산을 분배할 수 있다는 이점이 있다. 하지만 법인이 지급하는 감자 또는 소각 대가는 배당으로 간주되어 배당소득세를 납부하게 되는데 취득가액을 초과하여 지급받은 대가가 배당소득세 과세대상이 되므로 대가를 지급받는 주주가 회사의 주식을 얼마에 취득하였는지 확인하여야 한다.

토막지식 유상감자와 이익소각의 차이점

유상감자 : 유상감자시 자본금과 이익잉여금이 함께 감소한다. 액면가액만큼은 자본금에서 감소하고 액면가와 시가 차이만큼이 이익잉여금에서 감소하게 된다. 자본금을 감소시키므로 상법상 채권자 보호 절차가 별도로 필요하다.

이익소각 : 자본금의 변화 없이 이익잉여금만으로만 소각대가를 지급한다. 주식수는 감소하였음에도 불구하고 자본금의 변화가 없으므로 주식변동상황명세서상의 자본금 명세가 맞지 않는 문제가 발생한다.

나) 고려사항

유상감자나 이익소각을 실행하기 위해 회사는 다음 항목에 대해 확인할 필요가 있다.

- 상계할 수 있는 이익잉여금이 있는지 확인
- 대가로 지급할 현금성 자산 등 유동자산이 있는지 확인
- 감소할 주식수를 결정하기 위한 주식가치평가

다) 증여 후 감자 플랜

의제배당으로 인한 과세액을 최소화하기 위해 최대주주가 보유한 주식을 배우자 등에게 증여한 후에 감자하는 방식의 절차와 세 효과를 알아보자. 증여 후 감자는 감자시에 과세되는 의제배당에 대한 이해가 필요하다.

소득세법 제17조【배당소득】

① 배당소득은 해당 과세기간에 발생한 다음 각 호의 소득으로 한다.

3. 의제배당(擬制配當)

② 제1항 제3호에 따른 의제배당이란 다음 각 호의 금액을 말하며, 이를 해당 주주, 사원, 그 밖의 출자자에게 배당한 것으로 본다.

1. 주식의 소각이나 자본의 감소로 인하여 주주가 취득하는 금전, 그 밖의 재산의 가액(價額) 또는 퇴사·탈퇴나 출자의 감소로 인하여 사원이나 출자자가 취득하는 금전, 그 밖의 재산의 가액이 주주·사원이나 출자자가 그 주식 또는 출자를 취득하기 위하여 사용한 금액을 초과하는 금액

증여 후 감자를 실행하기 위해 감자에 참여하는 주식이 증여받은 자가 이미 보유하고 있던 주식인지 여부를 확인해야 한다. 감자하는

경우에 감자 또는 소각하는 주식이 당초 주주가 보유하고 있는 주식인지 증여받은 주식인지 여부에 따라 과세되는 금액이 달라질 수 있기 때문이다. 이러한 경우 기존 보유주식과 증여받은 주식을 구분하고, 특정주식을 감자하여 의제배당으로 과세되는 소득을 최소화하는 전략을 세울 수 있다. 하지만 증여 후 감자는 조세회피로 세무조사를 받을 위험이 있으므로 전문가와 반드시 상의 후에 진행하는 것이 좋다.

| 참고 | 관련 법령과 유권해석

상법 제438조(자본금 감소의 결의)

① 자본금의 감소에는 제434조에 따른 결의가 있어야 한다.
② 제1항에도 불구하고 결손의 보전(補塡)을 위한 자본금의 감소는 제368조 제1항의 결의에 의한다.
③ 자본금의 감소에 관한 의안의 주요내용은 제363조에 따른 통지에 적어야 한다. 〈개정 2014. 5. 20.〉[전문개정 2011. 4. 14.]

제439조(자본금 감소의 방법, 절차)

① 자본금 감소의 결의에서는 그 감소의 방법을 정하여야 한다.
② 자본금 감소의 경우에는 제232조를 준용한다. 다만, 결손의 보전을 위하여 자본금을 감소하는 경우에는 그러하지 아니하다.
③ 사채권자가 이의를 제기하려면 사채권자집회의 결의가 있어야 한다. 이 경우에는 법원은 이해관계인의 청구에 의하여 사채권자를 위하여 이의 제기 기간을 연장할 수 있다.[전문개정 2011. 4. 14.]

제343조(주식의 소각)

① 주식은 자본금 감소에 관한 규정에 따라서만 소각(消却)할 수 있다. 다만, 이사회의 결의에 의하여 회사가 보유하는 자기주식을 소각하는 경우에는 그러하지 아니하다.
② 자본금감소에 관한 규정에 따라 주식을 소각하는 경우에는 제440조 및 제441조를 준용한다.[전문개정 2011. 4. 14.]

집행기준 17-27-3【취득가액이 다른 동일법인 주식 감자시 취득가액 계산】

거주자가 동일법인의 주식을 서로 다른 취득가액으로 취득·보유하던중 그 주식의 일부가 소각되어 의제배당이 발생하는 경우 주식을 취득하기 위하여 소요된 금액의 산정방법은 다음과 같다.

1. 매매 또는 단기투자목적으로 주식을 보유하고 있는 사업자는 주식을 총평균법·이동평균법에 의한 평가방법 중 해당 납세지 관할 세무서장에게 신고한 방법에 의하여 계산하되, 유가증권의 평가방법을 납세지 관할 세무서장에게 신고하지 아니한 경우에는 총평균법에 따라 계산한다.
2. 매매 또는 단기투자목적으로 주식을 보유하고 있는 사업자가 아닌 자(개인주주를 포함한다)는 총평균법에 따라 그 주식을 취득하기 위하여 소요된 금액을 계산한다.
3. 취득가액이 다른 주식을 보유한 비사업자인 개인주주의 주식을 특정하여 유상소각하는 경우, 의제배당 소득금액 계산 시 취득가액은 개별주식의 가액을 입증하는 경우 그 가액을 취득가액으로 한다.

3 특허권

가) 개요

회사가 신제품을 개발하거나 제품을 생산하는 공정을 개선하는 방식으로 무형자산을 개발하고 이를 특허로 등록하는 경우가 있다. 이러한 특허권은 회사의 자산으로 인식되어 회사의 사업에 이용되는 일정 기간 동안 상각을 통하여 비용이 인식된다. 그리고 임직원 개인이 개발하여 등록한 특허를 회사가 이용하기 위해서는 해당 특허권자에게 사용대가를 지급하거나 특허권자로부터 특허권을 양수하여야 한다.

회사의 중요기술이 될 수 있는 특허는 해당 사업에 대한 이해도가 높은 회사의 임직원 개인에 의하여 개발될 수 있다. 임직원 개인이 개발한 특허권을 법인에게 양도하는 경우 특허권자가 법인으로부터 지급받는 대가는 특허권자의 기타소득이 되어 종합소득세 납부 대상이 된다. 이처럼 개인이 출원한 특허가 있다면 특허권자는 회사와 특허 사용 또는 매매 거래를 할 수 있으며, 법인 자산을 유동화하는 방법으로 활용될 수 있다.

나) 특허권 양수도(사용) 계약

특허권을 통한 법인 자산의 유동화는 다음과 같은 절차에 따라 진행된다.

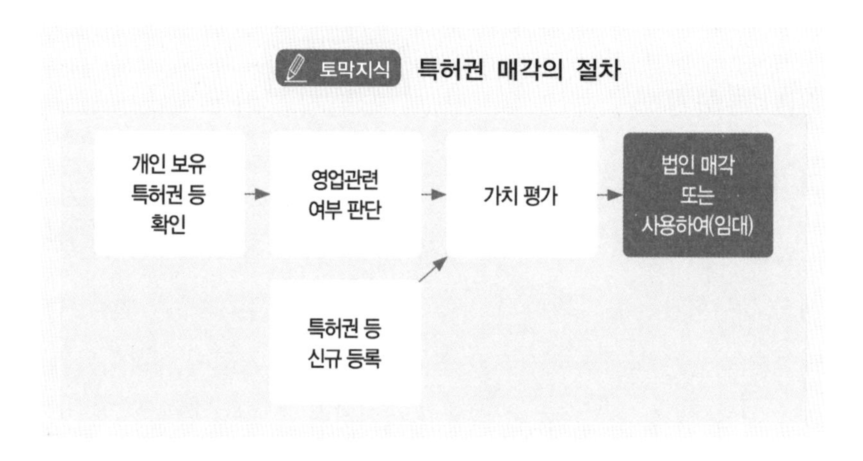

임직원이 보유하고 있는 특허권을 회사가 이용하고자 하는 경우 회사 영업과 관련성을 잘 판단하여 가치를 평가하고 적절한 대가를 지급하여 한다. 또한 특허 등록이 되어 있지 않다면 특허 등록 절차가 별도로 필요하다. 그리고 회사 내부에서 개발한 특허를 특정 개인의 권리로 등록하는 경우에 세무조사 대상이 될 수 있음을 유의하여야 한다.

[관련기사] '업무상 배임' A사 등 대표들 기소

[the L] 회사 상표권 사용료 대표 명의로 등록해 수수료 챙겨

백인성 (변호사) 기자 | 입력 : 2018.05.13 14:43

A사 등 업체 대표들이 회사 명의로 등록해야 할 상표권을 개인 명의로 등록해 업체로부터 수수료를 받아 챙긴 혐의(업무상 배임 등)로 재판에 넘겨졌다. 13일 검찰에 따르면 서울중앙지검 형사6부(부장검사 박지영)는 지난달 30일 ○○○ A사 대표와 ○○○ 이사장, ○○○ B사 대표를 업무상 배임 등 혐의로 불구속 기소했다.

이들은 대표 개인의 명의로 상표권을 등록한 이후 업체로부터 수수료를 받아 챙긴 혐의를 받고 있다. 회사에서 가맹 사업에 사용할 목적으로 개발한 상표는 회사 명의로 등록해야 하는데 이를 개인 명의로 등록해서 수수료를 챙겼다는 것이다. 앞서 경제민주화실현전국네트워크와 정의당 등은 지난 2015년 10월 A사 등의 경영진을 특정경제범죄가중처벌법상 배임 등 혐의로 고발한 바 있다. 이들이 가맹점 상표권을 이용해서 부당한 이득을 챙겼다는 의혹이다.

이들과 함께 고발된 C사 ○○○ 대표에 대해서는 기소유예 처분했다. 기소유예란 피의자의 혐의가 인정되지만 범행 동기나 정황 등을 고려해 바로 기소하지 않는 처분을 말한다. 김 대표에 대해서는 상표 등록 이후 업체로부터 수수료를 받지 않은 점, 사건이 불거진 이후 상표권을 회사 명의로 되돌려놓은 점 등이 고려된 것으로 전해졌다. (후략)

관련판례

법인, 조심2010중0471 , 2011.06.23

[제 목]

쟁점특허권은 청구법인과 대표이사가 공동발명한 것으로 보아야 함

[요 지]

대표이사 명의로 되어 있는 쟁점특허권을 청구법인과 공동발명한 것으로 보아 취득가액의 50%를 손금불산입하여 대표이사에게 상여로 소득처분하고 소득금액변동통지한 처분은 정당함

[판 단]

상기 사실관계를 종합하여 보면, 청구법인의 쟁점특허권은 조○○ 개인의 독창적인 창안이라고 주장하지만, 쟁점특허권은 청구법인의 업무와 연관이 있는 것으로 청구법인의 구조금속제품 제조 및 크린룸 등의 시공과정에서 얻은 아이디어를 토대로 한 것이거나 동종

업체와의 신제품 · 신기술 개발을 위해 경쟁하는 과정에서 획득하였을 가능성이 높고, 판넬 제품의 특성상 단순한 구상만으로 제품생산이 가능한 것이 아니며, 제품의 실현가능성 및 효율성 등을 검증하기 위해 시제품의 제작 및 실험이 필요하고, 거기에는 상당한 설비 및 비용이 소요될 것이므로 어느 한 개인의 힘으로 이를 모두 이루었다는 것은 신빙성이 없어 보이는 점, 청구법인이 연구개발투자기업인 벤처기업으로 지정되고, 쟁점특허권과 유사한 ○○○에 청구법인의 기여도가 나타나고 있는 점, 조○○이 개인적으로 부담하였다고 주장하는 특허권 비용은 2002년 이후 비용으로 쟁점특허권의 출원과는 연관이 없는 점 등으로 미루어 볼 때, 쟁점특허권이 조○○ 명의로 되어 있었지만 실제로는 청구법인이 개발하였거나 청구법인과 조○○이 공동으로 개발한 것으로 보이므로, 쟁점특허권의 기술가치 평가액에 기초한 지급금액(취득가액)의 50%인 20억 원을 손금불산입하고, 동 금액을 조○○에게 상여로 소득처분하여 소득금액변동통지한 처분은 달리 잘못이 없다 할 것이다.

다) 세금효과

특허와 같은 권리(무형자산)를 양도하거나 대여하고 그 대가로 받는 금액은 특허권자의 기타소득으로 분류되어 과세된다. 기타소득은 실제 필요경비로 사용된 금액과 의제경비(60%) 중에 큰 금액을 비용으로 인정하고 있다. 기타소득금액 계산 시 의제필요경비율(60%)을 적용하게 되면 특허권 양도가액의 40%가 기타소득금액이 된다. 따라서 의제필요경비 공제효과와 특허권의 상각비를 고려한 세금효과를 분석해 보면 다음과 같다.

Case Study 특허권 양도대가 5억 원 가정시

구 분	금 액	절세효과	비 고
양도대가(A)	5억	5억 * 11%(22%) = 5,500만 원	[회사] 상각비를 통한 법인세 절세효과
필요경비(B)	3억	3억 * 38.5% = 1억 1,600만 원	[특허권자] 공제 통한 소득세 절세효과(소득세율 35% 가정)

구 분	금 액	절세효과	비 고
기타소득(A-B)	2억	2억 * 38.5% = 7,700만 원	[특허권자] 납부할 세액

4 불균등증자와 불균등감자

가) 개요

회사가 자금조달을 위해 유상증자의 방식으로 신주를 발행하면 기존 주주들은 자신의 지분율에 비례하여 신주를 인수할 권리를 가진다. 이때 증자에 참여하는 주주는 증자 대금을 납입하여 지분을 추가로 취득하게 된다. 여기서 증자가액을 얼마로 해야 하는지가 이슈가 될 수 있다. 주식의 거래가격을 알 수 있는 상장회사라면 거래시세가 기준이 되겠지만 비상장회사의 경우에는 별도로 주식의 시가를 결정해야 한다. 세법에서 정하는 시가의 원칙에 따른 제3자 간에 통상적으로 거래되는 가액이지만, 불분명한 경우 상속증여세법상 보충적 평가 방법에 따른 가액을 시가로 이용하여야 한다. 이렇게 결정된 증자가액이 시가보다 높거나 낮은 경우 주주 일부가 증자에 참여하지 않으면 주주 간에 부의 이동이 발생한다. 예를 들어 액면가액으로 유상증자가 이루어지는 경우 모든 주주들이 참석하는 경우라면 증자 후 지분율의 변동이 없으므로 자본거래에 따른 부의 이동이 발생하지 않지만, 일부 주주가 액면 유상증자에 참여하지 않는다면 액면가액인 저가로 회사의 지분을 추가로 인수한 참여자는 적은 대가로 지분율을 늘리게 되고, 액면 유상증자에 참여하지 않은 주주는 지분율 감소에 따른 손해를 보게 된다. 실권한 주주가 유상증자에 참여한 주주에게 이득을 분여하게 되는 것이다. 상증세법에서는 이러한 부의 이동으로 이득을 얻은 자에게 증여세를 과세하고 있다.

나) 관련 과세 규정

상속세 및 증여세법 제39조(증자에 따른 이익의 증여)

① 법인이 자본금을 증가시키기 위하여 새로운 주식 또는 지분[신주]을 발행함으로써 다음 각 호의 어느 하나에 해당하는 이익을 얻은 경우에는 주식대금 납입일 등 대통령령으로 정하는 날을 증여일로 하여 그 이익에 상당하는 금액을 그 이익을 얻은 자의 증여재산가액으로 한다.

1. 신주를 시가보다 낮은 가액으로 발행하는 경우 : 다음 각 목의 어느 하나에 해당하는 이익
   가. 해당 법인의 주주 등이 신주를 배정받을 수 있는 권리(신주인수권)의 전부 또는 일부를 포기한 경우로서 해당 법인이 그 포기한 신주(실권주)를 배정하는 경우에는 그 실권주를 배정받은 자가 실권주를 배정받음으로써 얻은 이익
   나. 해당 법인의 주주 등이 신주인수권의 전부 또는 일부를 포기한 경우로서 해당 법인이 실권주를 배정하지 아니한 경우에는 그 신주 인수를 포기한 자의 특수관계인이 신주를 인수함으로써 얻은 이익
   다. 해당 법인의 주주 등이 아닌 자가 해당 법인으로부터 신주를 직접 배정(「자본시장과 금융투자업에 관한 법률」 제9조 제12항에 따른 인수인으로부터 인수·취득하는 경우와 그 밖에 대통령령으로 정하는 방법으로 인수·취득하는 경우를 포함한다. 이하 이 항에서 같다)받음으로써 얻은 이익
   라. 해당 법인의 주주 등이 소유한 주식 등의 수에 비례하여 균등한 조건으로 배정받을 수 있는 수를 초과하여 신주를 직접 배정받음으로써 얻은 이익

상속세 및 증여세법 시행령 제29조(증자에 따른 이익의 계산방법 등)

② 법 제39조 제1항에 따른 이익은 다음 각 호의 구분에 따라 계산한 금액으로 한다. 다만, 증자 전·후의 주식 1주당 가액이 모두 영 이하인 경우에는 이익이 없는 것으로 본다.

1. 법 제39조 제1항 제1호 가목, 다목 및 라목에 따른 이익 : 가목의 규정에 따라 계산한 가액에서 나목에 따른 가액을 차감한 가액에 다목에 따른 실권주수 또는 신주수를 곱하여 계산한 금액
   가. 다음 산식에 의하여 계산한 1주당 가액. 다만, 주권상장법인 등의 경우로서 증자 후의 1주당 평가가액이 다음 산식에 의하여 계산한 1주당 가액보다 적은 경우에는 당해 가액
   [(증자 전의 1주당 평가가액 × 증자 전의 발행주식총수) + (신주 1주당 인수가액 × 증자에 의하여 증가한 주식수)] ÷ (증자 전의 발행주식총수 + 증자에 의하여 증가한 주식수)
   나. 신주 1주당 인수가액
   다. 배정받은 실권주수 또는 신주수(균등한 조건에 의하여 배정받을 신주수를 초과하여 배정받은 자의 경우에는 그 초과부분의 신주수)

2. 법 제39조 제1항 제1호 나목에서 규정하고 있는 이익 : 가목의 규정에 의하여 계산한 가액에서 나목의 규정에 의한 가액을 차감한 가액이 가목의 규정에 의하여 계산한 가액의 100분의 30 이상이거나 그 가액에 다목의 규정에 의한 실권주수를 곱하여 계산한 가액이 3억 원 이상인 경우의 당해 금액
   가. 다음 산식에 의하여 계산한 1주당 가액. 다만, 주권상장법인 등의 경우로서 증자 후의 1주당 평가가액이 다음 산식에 의하여 계산한 1주당 가액보다 적은 경우에는 당해 가액
   [(증자 전의 1주당 평가가액 × 증자 전의 발행주식총수) + (신주 1주당 인수가액 × 증자 전의 지분비율대로 균등하게 증자하는 경우의 증가주식수)] ÷ (증자 전의 발행주식총수 + 증자 전의 지분비율대로 균등하게 증자하는 경우의 증가주식수)
   나. 신주 1주당 인수가액
   다. 실권주 총수 × 증자 후 신주인수자의 지분비율 × (신주인수자의 특수관계인의 실권주수 ÷ 실권주 총수)

상속세 및 증여세법 제39조의2(감자에 따른 이익의 증여)

① 법인이 자본금을 감소시키기 위하여 주식 등을 소각(消却)하는 경우로서 일부 주주 등의 주식 등을 소각함으로써 다음 각 호의 구분에 따른 이익을 얻은 경우에는 감자(減資)를 위한 주주총회결의일을 증여일로 하여 그 이익에 상당하는 금액을 그 이익을 얻은 자의 증여재산가액으로 한다. 다만, 그 이익에 상당하는 금액이

대통령령으로 정하는 기준금액 미만인 경우는 제외한다.
1. 주식 등을 시가보다 낮은 대가로 소각한 경우 : 주식 등을 소각한 주주 등의 특수관계인에 해당하는 대주주 등이 얻은 이익
2. 주식 등을 시가보다 높은 대가로 소각한 경우 : 대주주 등의 특수관계인에 해당하는 주식 등을 소각한 주주 등이 얻은 이익
② 제1항을 적용할 때 이익의 계산방법 및 그 밖에 필요한 사항은 대통령령으로 정한다.

상속세 및 증여세법 시행령 제29조의 2(감자에 따른 이익의 계산방법 등)
① 법 제39조의 2 제1항에 따른 이익은 다음 각 호의 구분에 따라 계산한 금액으로 한다.
1. 주식 등을 시가(법 제60조 및 63조에 따라 평가한 가액을 말한다. 이하 이 조에서 같다)보다 낮은 대가로 소각한 경우
(감자한 주식 등의 1주당 평가액 - 주식 등 소각시 지급한 1주당 금액) × 총감자 주식 등의 수 × 대주주 등의 감자 후 지분비율 × (대주주 등과 특수관계인의 감자 주식 등의 수 ÷ 총감자 주식 등의 수)
2. 주식 등을 시가보다 높은 대가로 소각한 경우[주식 등의 1주당 평가액이 액면가액(대가가 액면가액에 미달하는 경우에는 해당 대가를 말한다. 이하 이 호에서 같다)에 미달하는 경우로 한정한다]
(주식 등의 소각시 지급한 1주당 금액 - 감자한 주식 등의 1주당 평가액) × 해당 주주 등의 감자한 주식 등의 수

② 법 제39조의 2 제1항 각 호 외의 부분 단서에서 "대통령령으로 정하는 기준금액"이란 다음 각 호의 금액 중 적은 금액을 말한다. 〈신설 2016. 2. 5.〉
1. 감자한 주식 등의 평가액의 100분의 30에 상당하는 가액
2. 3억 원

Case Study 불균등증자의 과세

① 불균등증자

액면가액 10,000원, 상증세법상 평가액(시가) 50,000원, 주주B와 C는 액면 유상증자에 참여하지 않음

구 분	지분율	주식수	증자 전	불균등 증자(주식수)	불균등 증자액(액면가액)	증자 후 주식수
주주A	50%	5,000주	2.5억 원	5,000주	0.5억 원	10,000주(66.7%)
주주B	30%	3,000주	1.5억 원	–	–	3,000주(20%)
주주C	20%	2,000주	1억 원	–	–	2,000주(13.3%)
합계	100%	10,000주	5억 원	5,000주	0.5억 원	15,000주

*주주 A, B, C는 특수관계자로 가정

– 균등증자시 가액

[(50,000원 x 10,000주) + (10,000원 x 10,000원)] / (10,000주 + 10,000주)

= 30,000원

– 신주 1주당 인수가액 : 10,000원

균증증자와 신주인수가액의 차이는 20,000원(30,000원 – 10,000원)이다. 균등증자시 계산한 가액(30,000원)의 30%(9,000원)가 넘는 금액이다. 그러므로 증자에 따른 이익의 증여규정이 적용되어 주주A가 증자로 얻은 이익에 대하여 증여세를 부담해야 한다.

증자로 인하여 주주A가 얻은 이익은 다음과 같다.

1) 주주B가 주주A에게 분여한 이익 : (30,000원 – 10,000원) x 3,000주 x 10,000주 / 15,000주 = 40,000,000원

2) 주주C가 주주A에게 분여한 이익 : (30,000원 – 10,000원) x 2,000주 x 10,000주 / 15,000주 = 26,666,666원

그러므로 주주A에게 66,666,666원에 대한 증여세가 과세된다.

주주A가 시가보다 낮은 액면가액으로 증자함에 따라 얻게 되는 이익에 대하여 증여세가 과세되는 것이다.

– 주주A가 얻은 이익

증자 전 주식가치(2억 5천만 원) + 증자 금액(5천만 원) – 증자 후 주식가치(10,000주 x 36,666원) = 66,666,666원

* 증자 후 주당 평가액 : [(50,000원 x 10,000주) + (10,000원 x 5,000주)] / 15,000주 = 36,666원

② 불균등감자

액면가액 10,000원, 상증세법상 평가액(시가) 50,000원, 주주A와 B는 액면 유상증자에 참여하지 않음

구 분	지분율	주식수	증자 전	불균등 감자 (주식수)	불균등 감자액 (액면가액)	감자후 주식수
주주A	50%	5,000주	2.5억 원		-	5,000주(62.5%)
주주B	30%	3,000주	1.5억 원		-	3,000주(37.5%)
주주C	20%	2,000주	1억 원	2,000주	△0.2억 원	-
합계	100%	10,000주	5억 원	2,000주	△0.2억 원	8,000주

*주주 A, B, C는 특수관계자로 가정

- 감자시 주당 평가액 : 50,000원
- 감자시 지급한 1주당 금액 : 10,000원

감자시 주당 평가액과 감자시 지급한 1주당 금액의 차이는 40,000원(50,000원 - 10,000원)이다. 주당 평가액(50,000원)의 30%(15,000원)가 넘는 금액이다. 그러므로 감자에 따른 이익의 증여규정이 적용되어 주주A와 주주B가 감자로 얻은 이익에 대하여 증여세를 부담해야 한다.

감자로 인하여 주주A, 주주B가 얻은 이익은 다음과 같다.

1) 주주C가 주주A에게 분여한 이익 : (50,000원 - 10,000원) x 2,000주 x 5,000주 / 8,000주 = 50,000,000원
2) 주주C가 주주B에게 분여한 이익 : (50,000원 - 10,000원) x 2,000주 x 3,000주 / 8,000주 = 30,000,000원

그러므로 주주A에게 50,000,000원에 대한 증여세가 과세되고, 주주B에게 30,000,000원에 대한 증여세가 과세된다.

주주C가 시가보다 낮은 액면가액으로 감자함에 따라 발생한 손실분이 주주A, B가 얻는 이익이 되어 증여세가 과세되는 것이다.

- 주주 C에게 발생한 손실

증자 전 주식가치(1억 원) - 감자대가(2,000주 x 10,000원) = 80,000,000원

이처럼 증자 또는 감자와 같은 자본거래를 시행할 때에는 증자/감자 대가의 시가여부를 전문가와 검토하여 실행하여야 한다.

PART 04

자산의 증여나 상속은 세금을 고려해야 합니다

가. 자산의 평가가 필요합니다.

나. 상속세는 미리 준비가 필요합니다.

다. 증여세는 정확한 계산이 필요합니다.

라. 사업을 물려주고 싶다면 세 가지 세금을 체크해야 합니다.

마. 기업지배구조 개선

가 자산의 평가가 필요합니다.

1 학습목표

학습내용	효 과
자산의 평가 목적	• 자산의 평가가 필요한 이유는 무엇일까? • 세법에서 규정한 자산의 종류별 평가 방법을 이해한다.
주식가치평가	• 주식가치평가의 여러 방법을 살펴본다. • 세법에서 정한 비상장 주식가치평가 방법을 이해한다.
기타자산의 평가	• 부동산과 영업권의 평가방법을 이해한다.

2 자산 평가의 목적과 기본 원칙

증여세나 상속세는 누군가의 재산을 대가 없이 이전받을 때 발생한다. 재산을 받은 사람은 소득이 생기므로 소득에 과세하기 때문이다. 그런데 과세를 위해서는 얼마의 소득이 생겼는지 계산해야 하므로 현금이 아닌 다른 재산을 받은 경우에 해당 재산의 가치를 평가하여야 소득금액을 정확히 계산할 수 있다. 따라서 상속세및증여세법에서는 재산의 종류에 따라 평가의 방법을 규정하고 있다.

자산의 평가는 원칙적으로 시가에 따른다. 시가의 정의는 다음과 같다.

항 목	내 용
원칙	불특정 다수인 사이에 자유롭게 거래가 이루어지는 경우에 통상적으로 성립된다고 인정되는 가액(수용가격·공매가격 및 감정가격 등 대통령령으로 정하는 바에 따라 시가로 인정되는 것을 포함)
시가를 산정하기 어려움	거래에 따라 세법에 열거된 시가 계산 방식

3 주식의 가치평가

가) 주식가치평가의 개요

주식은 거래되는 시장에 상장되어 있는지 여부에 따라 평가방법이 달라진다. 상장주식은 해당주식이 거래되는 시장이 존재하여 시점별 가격을 쉽게 확인할 수 있다. 따라서 세법에서 인정하는 상장주식의 시가는 이 시점별 가격의 평균을 이용해 계산한다. 반면 비상장주식은 거래가 빈번하지 않은 이유로 가격을 확인하기 어렵기 때문에 별도로 시가를 확인할 수 있는 계산식을 만들어야 한다. 이를 비상장주식의 보충적평가액이라고 한다.

항 목	내 용
상장주식	평가기준일 이전·이후 각 2개월 동안 공표된 매일의 「자본시장과 금융투자업에 관한 법률」에 따라 거래소허가를 받은 거래소 최종 시세가액(거래실적 유무를 따지지 아니한다)의 평균액
비상장주식	보충적 평가방법

비상장주식의 보충적평가방법은 회사의 재무상태표와 손익계산서를 이용한 세무상의 순자산가치와 순손익가치를 통해 계산한다. 자세

한 비상장주식가치평가 방법은 다음에서 자세히 살펴보자.

나) TALK

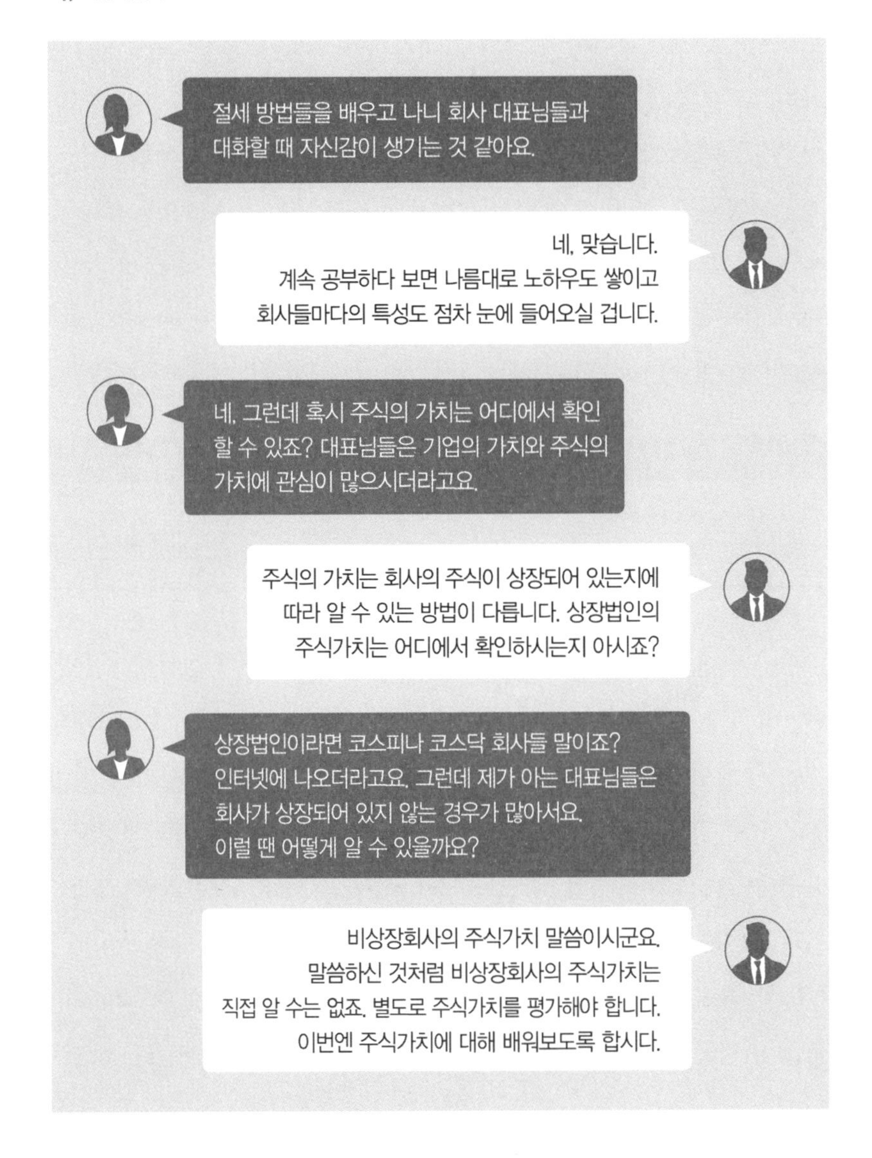

다) 주식가치의 구성

주식회사의 주식이 상장된 경우 온라인을 통해 시장에서 거래되는 주식의 거래가격을 쉽게 확인할 수 있다. 그렇다면 시장에서 하루에도 수십 번 오르내리는 주식의 거래가격은 어떻게 결정되는 것일까? 그리고 주식의 가격이 진정한 주식의 가치라고 할 수 있을까? 이러한 의문을 해결하기 위해 최근에는 주식의 가치를 평가하는 여러 이론이 개발되었는데 해당 이론들은 공통적으로 주식을 보유함으로써 얻을 수 있는 주주의 권리를 통해 주식의 가치를 계산해 보려 한다. 앞서 배운 상법에 따른 주주의 권리 중에 주식의 가치에 직접 영향을 끼치는 것은 아래의 두 가지 항목이다.

분 류	항 목
이익배당권	주식의 기초 가치
이사선임권	경영권 프리미엄

주주는 주식을 통해 회사가 벌어들인 이익을 배당의 절차로 배분받을 수 있다. 따라서 미래에 받을 수 있는 배당의 가치는 주식가치의 기본 구성항목이 된다. 미래에 받을 수 있는 배당은 현재까지 쌓아 놓은 자본의 이익잉여금과 미래에 추가로 벌어들일 것으로 예상되는 당기순이익으로 추정할 수 있으므로 재무상태표의 자본과 손익계산서의 이익이 모두 주식가치 추정에 필요하다.

또한 최대주주의 경우 기본적인 배당의 가치 외에 주주총회의 지배력을 바탕으로 이사를 선임할 수 있는 주도적인 권리를 추가적으로 가진다. 이사의 선임권은 곧 회사의 경영권과 같으므로 최대주주는 회사의 경영권을 주식의 가치에 반영하고자 하는데 이를 경영권 프리미엄이라고 한다. 따라서 주주총회의 지배력을 바탕으로 최대주주가 보유한 주식가치는 소수주주가 보유한 주식가치보다 경영권 프리미엄만큼 차이가 난다. 결국 상법에 규정된 주주의 권리를 바탕으로 재무제표를 통해 주식의 가치에 대한 단서를 얻을 수 있다.

라) 재무상태표와 손익계산서를 통해 보는 주식가치

재무상태표의 자본은 주주의 투자금액이고 회사가 청산하는 경우 주주는 자산에서 부채를 차감한 잔액을 받을 권리를 갖는다. 따라서 재무상태표의 자본은 과거 회사에 대한 투자로 인해 주주가 받을 권리가 있는 금액으로 주식가치의 일부를 형성하고 있다고 볼 수 있다. 하지만 단지 재무상태표를 통한 주식의 가치는 회사의 미래 가치를 반영하고 있다고 보긴 어렵다. 이때 미래가치를 반영하기 위해 손익계산서를 이용할 수 있다. 손익계산서의 이익은 궁극적으로 주주에게 배당으로 돌아갈 금액이다. 따라서 미래에 발생할 이익을 추정한다면 미래에 증가될 주식가치의 일부를 계산해볼 수 있다. 예를 들어 작년의 당기순이익 수준만큼 평생 같은 이익을 얻을 것으로 예상된다면 미래에 예상되는 이익을 현재가치로 계산하여 미래가치를 계산해 볼 수 있다. 결과적으로 재무상태표와 손익계산서는 주식가치를 판단해 볼 수 있는 중요한 단서를 준다.

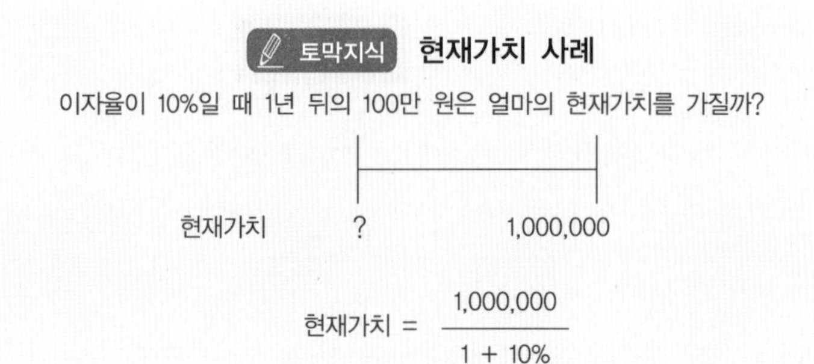

하지만 주의할 점은 미래의 손익 추정은 항상 불확실하다는 점이다. 현재 실무에서 비상장기업의 주식가치평가에 이용하는 기법 중 대부분이 DCF의 방식을 이용하지만 마찬가지로 미래에 대한 추정을 바탕으로 하기 때문에 추정하는 사람의 주관이 개입될 여지가 크다.

마) 주식평가 방법론의 종류

앞서 재무상태표와 손익계산서를 통해 주식가치평가의 단서를 얻을 수 있음을 보았지만 실제 실무에서 주식가치를 평가하는 기법에는 아래의 종류가 있다.

이 론	방 식	특 징
재무관리	수익가치법(DCF, RIM 등)	합리적이지만 시간과 비용의 투입이 많음
	상대가치법(PER 등)	간단하지만 개별 회사의 특수성 반영이 어려움
	자산가치법(청산가치 등)	실제 거래되는 시가와의 괴리
세법	상속세및증여세법에 의한 비상장 주식가치평가	세법에서 정하는 평가 방법

주식가치평가의 기법은 크게 경영학의 재무관리와 세법에서 인정되는 방식으로 나눌 수 있다. 이 중에서 기업 M&A에서 가장 많이 사용되는 방식은 현금흐름할인법으로 그 중에서도 DCF(Discounted Cash Flow) 방식이 많이 사용된다. 하지만 세법에서는 상장되어 있지 않거나 거래가 빈번하지 않은 주식을 비교적 간단하고 정확하게 평가하는 방법을 정할 필요가 있다. 이를 위해 별도로 상속세및증여세법에 '비상장주식의 평가' 방법을 정하고 있다. 이를 과세가 되는 기준으로 이용하기 위함이다.

바) 현금흐름할인법(DCF)

인수합병 실무에서 주로 이용되는 주식가치평가방법은 현금흐름할인법(DCF; Discounted Cash Flow)이다. 회사의 주식가치는 회사의 미래 수익을 추정하여 산정할 수 있음을 보았다. 현금흐름할인법은 회계상의 수익과 이익이 아닌 실제 회사에 유입되는 현금흐름이 회사의 가치를 표현한다고 보아 미래에 회사가 벌어들일 것으로 예상되는 현금흐름을 추정하고 현금흐름의 현재가치를 합계하여 기업가치를 계산한다.

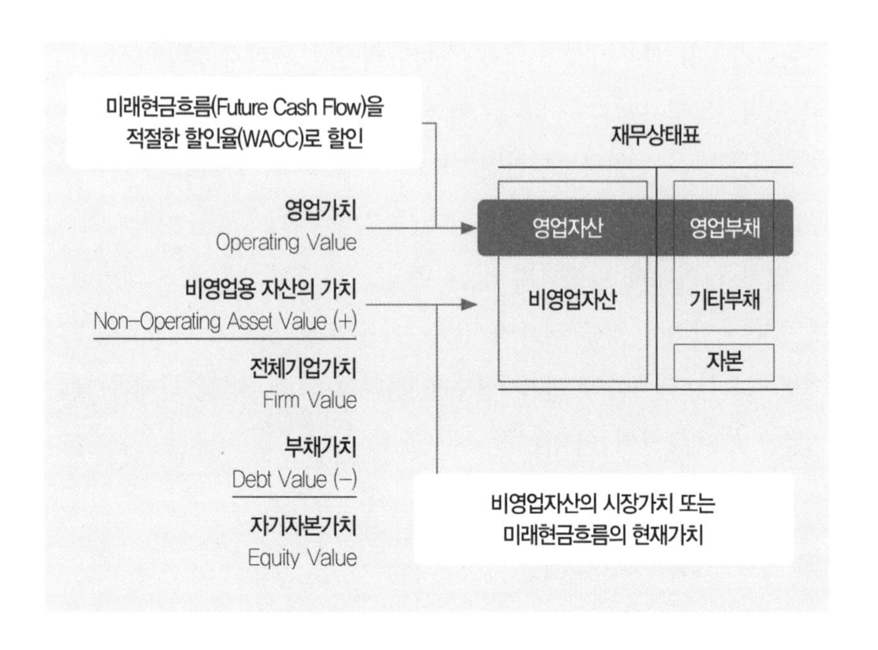

미래현금흐름을 추정하기 위해서는 먼저 미래에 회사가 사업에서 벌어들일 것으로 예상되는 수익과 해당 수익을 위해 발생하는 비용을 추정하여 이익을 계산한다. 그리고 추정된 이익에서 현금흐름을 계산하기 위해 감가상각비와 운전자본, 자본적지출을 가감한다. 이렇게 추정된 현금흐름은 해당 현금흐름에 영향을 미치는 위험이 반영된 할인율(WACC : 가중평균자본비용)로 할인하고 합산되어 기업의 영업가치가 되고, 여기에 기업이 보유하는 비영업자산의 가치를 더하여 전체 기업가치가 된다. 여기에 타인자본인 부채의 가치를 차감하면 자기자본인 주식의 가치가 되고 이를 발행한 주식수로 나누면 주식 한 주당 가치를 구할 수 있다.

[영업현금흐름의 추정]

추정 매출액
(-) 추정 매출원가
(-) 추정 판매비와 관리비

= 세전영업이익(EBIT ; Earnings Before Interest and Taxes)
(-) 영업이익에 대한 세금

= 세후영업이익(NOPLAT ; Net Operating Profit less Adjustedd Taxes)
(+) 감가상각비 등 비현금비용
(±) **운전자본**(Working Capital)**의 증감**
(-) 자본적지출(**CAPEX** ; Capital Expenditures)

= 영업현금흐름(Free Cash Flows)

현금흐름할인법은 미래현금흐름의 추정과 현재가치로의 할인이라는 평가 과정에서 여러 가정을 이용하는데 이들은 주식의 가치에 큰 영향을 미칠 수 있어 합리적인 가정이 적용되었는지 확인할 필요가 있다. 이 중 주식의 가치에 중요하게 영향을 미치는 항목을 정리하면 다음과 같다.

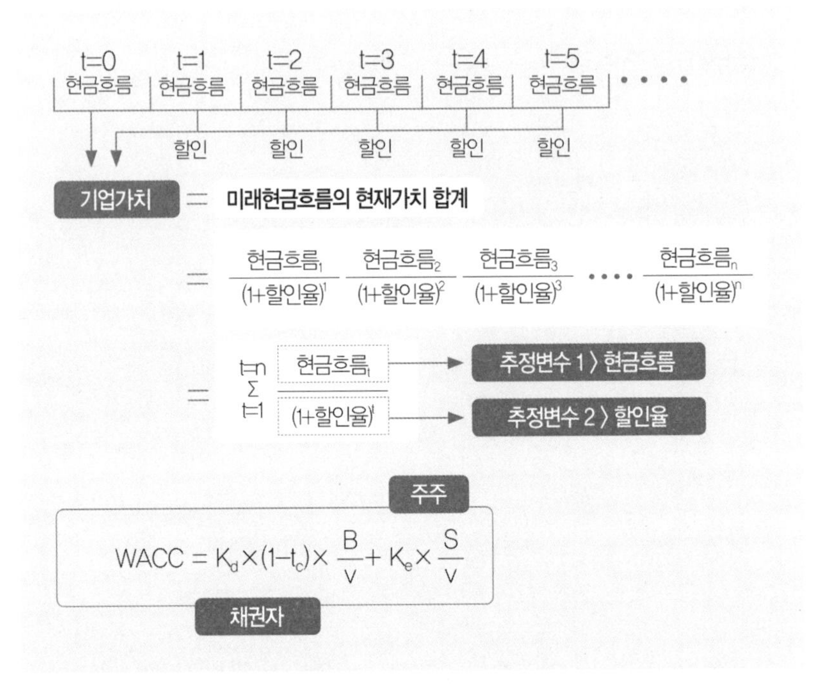

분 류	항 목
수익 · 비용추정	물가성장률, GDP성장률, 임금상승률, (과거)매출액증가율
세금	법인세 명목세율
운전자본 변동	매출채권 회전율, 재고자산 회전율, 매입채무 회전율
할인율	차입이자율, 대용기업 주주요구수익률, 목표자본구조

현금흐름할인법을 통한 주식가치평가는 비교적 합리적인 평가방법이지만 평가에 영향을 미치는 변수가 많고 주관이 개입될 여지가 있어 합리적인 가정의 활용과 평가기관의 공신력이 평가된 주식가치의 신뢰성에 중요한 요소가 된다.

사) 세법에 의한 비상장주식가치평가

세법에서는 과세를 위해 주식의 가치를 확정해야 할 필요가 있다. 따라서 상속세및증여세법에서는 주식가치를 평가하는 절차를 다음과 같이 정하고 그 방식을 규정하고 있다. 상증세법에서는 시가의 원칙으로 제3자 간의 거래금액을 인정한다. 따라서 평가하고자 하는 주식이 과거에 정당하게 거래된 내역이 있고 그 시점으로부터 큰 재무변동이 없는 경우에는 당시에 거래된 주식가치를 현재의 시가로 인정한다. 그러나 이렇게 시가를 알기 어려운 경우가 많아 상속세및증여세법에서는 과세를 위해 주식가치를 평가하는 식을 명확하게 두고 있다. 이를 '보충적평가'라고 한다. 보충적평가는 재무상태표의 자본격인 세무상 순자산과 손익계산서의 당기순이익에서 법인세신고를 위해 조정한 소득금액을 이용하여 주식가치를 평가한다.

[세법상 주식의 시가 산정 절차]

분 류	내 용
시가의 원칙	불특정 다수인 사이에 자유롭게 거래가 이루어지는 경우에 통상적으로 성립된다고 인정되는 가액
시가의제	시가로서 일정 요건을 만족한 수용·공매·감정가(주식 제외) 등이 포함
보충적평가법	비상장주식의 시가를 알기 어려운 경우 재무제표와 세무조정 내역을 이용한 보충적평가법에 따라 계산

토막지식 상속세및증여세법에 따른 비상장주식가치 순서와 평가

1. 보충적평가법의 논리

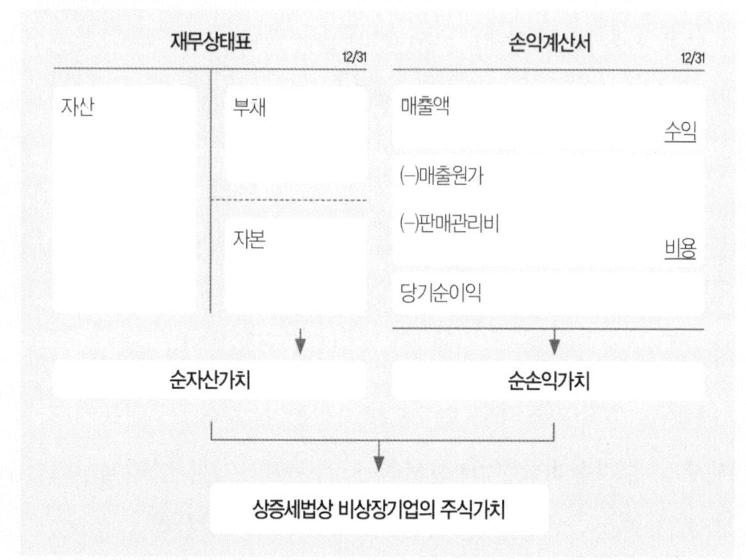

2. 1주당 주식가치 계산식

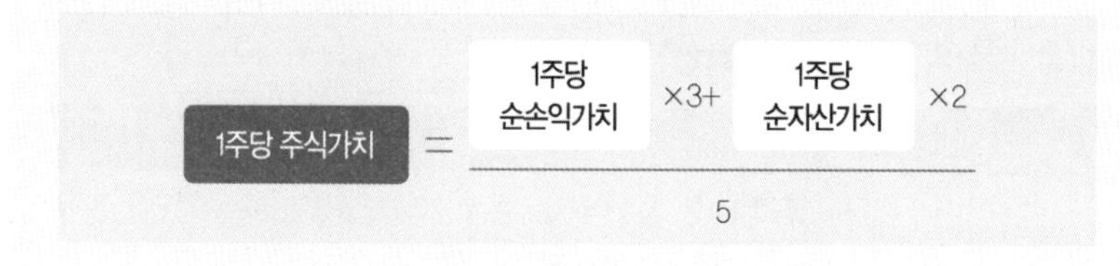

* 부동산과다법인(50%)은 1주당 순손익가치와 1주당 순자산가치를 2대 3의 비율로 가중평균

* 상기 평가액과 1주당 순자산가치 × 80%의 금액 중 큰 금액을 이용

보충적평가방식에 따르면 당기순이익과 유사한 세무상의 조정 소득금액을 주식수로 나눈 '1주당 순손익가치'와 재무상태표의 자본과 유사한 세무상의 순자산을 주식수로 나눈 '1주당 순자산가치'를 가중평균하여 계산한다. 이때 재무상태표에서 세무상 순자산을 계산할 때

에는 자산을 모두 세무상 시가로 평가하고, 자산과 부채의 금액 중에 항목을 가감하여 조정한다.

[순손익가치평가]

명 칭	계 산
(3개사업연도) 순손익액	각 사업연도소득 + 가산항목 – 차감항목
(3개사업연도) 1주당 순손익액	순손익액/사업연도말 발행주식수
1주당 순손익액의 가중평균	[평가기준일 이전 1년이 되는 사업연도의 1주당 순손익액 × 3 + 평가기준일 이전 2년이 되는 사업연도의 1주당 순손익액 × 2 + 평가기준일 이전 3년이 되는 사업연도의 1주당 순손익액 × 1] ÷ 6
1주당 순손익가치	1주당 순손익액의 가중평균 ÷ 10%

[각 사업연도소득 가산항목과 차감항목]

가산항목
국세 또는 지방세의 과오납금의 환급금에 대한 이자
수입배당금액 익금불산입액
기부금 이월금액 중 당해연도 공제금액
증자로 인한 금액. 단, 증자 사업연도에 월할하여 계산함 [유상증자한 주식 등 1주당 납입금액 × 유상증자에 의하여 증가한 주식등 수 × 기획재정부령으로 정하는 율(10%)]

차감항목
당해 사업연도의 법인세액, 법인세액의 감면액 또는 과세표준에 부과되는 농어촌특별세액 및 지방소득세액, 토지 등 양도소득에 대한 법인세 ㄱ. 법인세법 제57조에 따른 외국법인세액으로서 손금에 산입되지 아니하는 세액을 포함

차감항목
함. [각 사업업연도 소득에 포함된 국외원천소득에 대한 외국법인세액을 말하는 것임(재산-54, 2013.02.19.)] ㄴ. 상기 법인세액은 이월결손금을 공제하기 전의 법인세액을 재계산한 금액임(통칙 63-56…9) [이월결손금으로 인하여 이월된 임시투자세액이 있는 경우 그 세액을 공제한 후의 법인세 총결정세액을 재계산하여 적용하는 것임(재산-212, 2011.04.28.)]
벌금 · 과료(통고처분에 의한 벌금 또는 과료에 상당하는 금액을 포함) · 과태료(과료와 과태금을 포함) · 가산금 및 체납처분비
법령에 의하여 의무적으로 납부하는 것이 아닌 공과금
[업무와 관련없는 비용 등] 법인세법 제27조에서 규정하는 금액(업무무관자산을 취득 · 관리함으로써 생기는 비용, 유지비, 수선비 등) 및 시행령 제50조(업무와 관련 없는 지출)의 금액
[주요 세무조정 항목] (1) 기부금의 손금불산입액(법인세법 제24조 및 구 조특법 제73조 제3항에 따라 기부금 손금산입 한도를 넘어 손금에 산입하지 아니한 금액) (2) 접대비의 손금불산입액(법인세법 제25조와 조세특례제한법 제136조에 규정하는 금액). 업무와 관련한 채권의 임의 포기분에 대해 접대비한도초과액으로 계상하지 않고 대손금(기타사외유출)으로 처분하는 경우 실질이 접대비한도초과액에 해당하므로 고려해야 함 (3) 법인세법 제26조에 규정하는 과다경비 등의 손금불산입액(임원상여한도초과 및 지배주주인 임원 · 종업원의 과다보수 등) (4) 지급이자의 손금불산입액(법인세법 제28조에 규정하는 금액), 건설자금이자(유보처분)도 포함됨 (5), (6) 삭제 (7) 국제조세조정에 관한 법률 제14조의 규정("과소자본세제")에 의하여 배당으로 간주된 이자의 손금불산입 금액(통칙 63-56…9 ②) (8) 「법인세법 시행령」 제32조 제1항에 따른 감가상각시인부족액에서 같은 조에 따른 상각부인액을 손금으로 추인한 금액을 뺀 금액(국심2001서2725, 2002.2.8, 국심2006서1176, 2007.2.9. 결정 등 법제화)
감자로 인한 금액. 단, 감자 사업연도에 월할하여 계산함 [유상감자 시 지급한 1주당 금액 × 유상감자에 의하여 감소된 주식등 수 × 기획재정부령으로 정하는 율(10%)]

[순자산가치평가]

명 칭	계 산
자산총계	재무상태표상 자산가액 + 평가차액 +가산항목 − 차감항목
부채총계	재무상태표상 부채가액 + 가산항목 − 차감항목
영업권 평가액	
순자산가치	자산총계 − 부채총계 + 영업권 평가액
1주당 순자산가치	순손익액/사업연도말 발행주식수

[평가차액]

가산항목	내 용
평가차액	**평가차액=MAX**(상증세법 평가, 세무상 장부가) − 회계상 장부가 개별자산은 상증세법상 시가로 평가함이 원칙이며, 보충적평가로 산정할 경우 동 평가금액과 세무상 장부가액 중 큰 금액을 이용하여 회계상 장부금액과의 차액을 계산
유보잔액	평가차액 계산시 상증세법상 시가로 산정하지 않은 자산은 관련 유보잔액을 회계상 장부가액에 가산하여 세법상 장부금액 계산

[자산의 가산항목과 차감항목]

가산항목	내 용
자기주식	자기주식은 시가로 평가하여 자산의 가액에 포함
영업권	영업권의 평가액을 자산에 포함

차감항목	내 용
개발비	개발비의 가액은 이를 자산에서 차감하여 계산(시행규칙 제17조)
이연법인세자산	이연법인세자산은 당해 법인의 자산에서 차감함 (서면4팀-498)

[부채의 가산항목과 차감항목]

가산항목	내 용
법인세 등	평가기준일까지 발생된 소득에 대한 법인세, 농특세, 법인지방소득세
퇴직급여추계액	임원 또는 사용인 전원이 퇴직할 경우에 퇴직급여로 지급되어야 할 금액 추계액

차감항목	내 용
준비금, 충당금	충당금 중 평가기준일 현재 비용으로 확정된 것을 제외한 제 충당금 및 준비금은 차감함(대손충당금, 재고평가충당금 등은 확정되지 않았다면 부채가액에서 제외)
이연법인세부채	이연법인세부채는 당해 법인의 부채에서 차감함

[최대주주 보유주식 할증평가]

항 목	일반기업	중소기업
할증률	20%	0%

자세한 평가는 전문가의 도움을 받길 권장하며 단순화하여 '1주당 순손익가치'를 3개년치 주당이익의 가중평균, '1주당 순자산가치'를 '자본총계/주식수'로 이용하여 계산하기도 한다.

4 부동산의 가치평가

부동산의 시가를 산정하기 어려운 경우 부동산의 종류에 따라 다음 금액을 시가로 본다.

항 목	내 용
토지	• 원칙 : 개별공시지가 • 개별공시지가가 없는 경우 : 표준지공시지가, 감정가액 평균액을 이용하여 관할 세무서장이 평가한 가액 • 국세청장이 지정한 지가급등지역 : 배율방법으로 평가한 가액
주택	• 원칙 : 개별주택가격 및 공동주택가격 • 고시주택가격이 없는 경우 : 관할 세무서장이 평가한 가액
그 밖의 건물	• 오피스텔과 상업용 건물을 포함한 그 밖의 건물 : 국세청장 고시가액
그 밖의 부동산	• 지상권 : 지상권이 설정되어 있는 토지의 가액에 2%를 곱하여 계산한 금액을 해당 지상권의 잔존연수를 감안하여 아래의 식에 따라 환산한 가액 환산가액 = 각 연도의 수입금액 / [1/(1.1)^n] n = 평가기준일부터의 경과연수 • 부동산을 취득할 수 있는 권리, 시설물 이용권 : 평가기준일까지 납입한 금액과 평가기준일 현재의 프리미엄에 상당하는 금액을 합한 금액 • 시설물과 구축물 : 재취득가액 – 감가상각비 상당액 • 등기된 임차권 : 아래 식에 따라 평가한 금액 MAX[(1년간의 임대료 ÷ 12%)+임대보증금, 상기평가금액]

5 영업권의 평가

영업권과 같이 형태가 없는 무형자산(세법의 명칭은 무체재산권)은 빈번하게 거래하지 않는 항목들이 많다. 따라서 세법에서는 이러한 무체재산권의 평가방법을 항목별로 자세히 정해두고 있는데 이 중 영업권은 비상장주식평가에 필수적으로 포함되는 항목으로 평가방법을 숙지하여야 한다.

무체재산권의 평가액 = MAX[①,②]

① 재산의 취득 가액에서 취득한 날부터 평가기준일까지의 「법인세법」상의 감가상각비를 뺀 금액

② 초과이익금액을 평가기준일 이후의 영업권지속연수(원칙적으로 5년으로 한다)를 감안하여 기획재정부령이 정하는 방법에 의하여 환산한 가액

[초과이익금 : 최근 3년간(3년에 미달하는 경우에는 당해 연수로 한다)의 순손익액의 가중평균액의 100분의 50에 상당하는 가액 – (평가기준일 현재의 자기자본 × 10%)]

[기획재정부령이 정하는 방법 : 각 연도의 수입금액 / [1/(1.1)^n], n = 원칙적으로 5년

나 상속세는 미리 준비가 필요합니다.

1 학습목표

학습내용	효 과
상속세의 계산구조	• 상속세의 과세를 위한 계산식을 이해한다. • 상속세의 과세대상 자산과 세율을 살펴본다.
합산과세와 상속공제	• 상속세의 절세를 위한 합산과세와 상속공제의 항목을 이해한다.

2 상속세 계산구조

상속세는 다음의 방식으로 계산한다.

[상속세 계산구조]

Case Study

A씨의 사망으로 상속이 개시되었다. A씨가 보유하던 재산이 다음과 같을 경우 상속인이 부담할 상속세를 계산하시오.

부동산 : 압구정 현대2차 아파트(전용면적 161.19m^2) 거래사례가 32억 원
금융자산 : 10억 원(예적금, 사망보험금 포함)
주식 : 비상장주식 (주)A 10,000주, 주당 가치 120,000원, 주식가치 12억 원(일반주주)
일반장례비용 2천만 원(증빙수취) / 채무 2억 원(은행 차입금)
상속인 : 배우자 1인, 자녀 2인, 법정상속지분비율대로 상속

계산구조	금 액	비 고
상속세 과세가액	51.9억 원	32억 원+10억 원+12억 원-2.1억 원
(-) 배우자 상속공제	22.2억 원	배우자 상속비율(3/7), 51.9억 원*3/7=22.2억 원
(-) 기초공제	-	2억 원(일괄공제 적용)
(-) 기타 인적공제	-	5천만 원 *2인=1억 원(일괄공제 적용)
(-) 일괄공제	5억 원	MAX[기초공제+기타인적공제, 5억 원]
(-) 기타 상속공제	2억 원	금융재산상속공제[10억 원*20%=2억 원]
(=) 과세표준	22.7억 원	50만 원 미만인 경우 부과하지 않음
(x) 세율		한계세율 40%, 누진공제 1.6억 원
(=) 산출세액	7.5억 원	
(-) 증여세액공제	-	상속재산에 가산한 증여재산에 대한 증여세액 (증여 당시의 증여재산에 대한 증여세산출세액)
(-) 기타 세액공제	0.22억 원	신고세액공제(3%)
결정세액	7.24억 원	

상속세의 계산에서 각종의 상속공제와 세액공제가 전체 과세가액에서 차지하는 비중이 적지 않은 것을 볼 수 있다. 따라서 이하에서는 과세가액의 계산과 과세표준을 계산하기 위해 차감하는 상속공제에 대해 중요하게 배워보도록 한다.

3 상속세 과세대상 자산

상속세는 피상속인의 사망을 원인으로 대가없이 이전되는 재산을 상속인의 소득으로 보아 과세한다. 이때 과세되는 재산의 종류와 비과세 대상 자산, 상속공제 등이 상속세 계산의 중요한 고려 대상이 된다.

항 목	내 용
과세대상 자산	피상속인이 거주자인 경우 국내외 모든 자산 보험금이나 신탁재산, 퇴직금 등은 요건을 충족한 경우 과세대상 자산에 포함됨 **[과세대상 요건]** **• 보험금 : 피상속인이 계약자이거나 보험료를 실질적으로 부담하는 것** **• 신탁재산 : 피상속인이 신탁한 재산. 단, 타인이 신탁의 이익 받을 권리 보유시 해당 금액 제외** **• 퇴직금 : 퇴직금 등 유사한 금액이 피상속인의 사망으로 인하여 지급되는 것. 단, 각종 법에 따라 지급되는 유족연금 등 제외**
비과세 대상	• 국가, 지방자치단체나 공공단체에 유증(사망으로 인하여 효력이 발생하는 증여를 포함)한 재산 • 국가지정문화재 및 시·도 지정문화재와 같은 법에 따른 보호구역에 있는 토지 • 종중재산 중 일정 범위의 재산 • 정당에 유증 등을 한 재산 • 사내근로복지기금 등의 단체에 유증 등을 한 재산 • 사회통념상 인정되는 이재구호금품, 치료비 및 이와 유사한 것 • 상속재산 중 상속인이 신고기한 이내에 국가, 지방자치단체 또는 공공단체에 증여한 재산

피상속인이 거주자인 경우 피상속인이 보유한 모든 자산이 상속세의 과세대상 자산에 포함되고, 비거주자인 경우에는 국내에 있는 모든 재산이 과세대상 자산이 된다. 이때 세법에서는 과세대상에 포함하는 특정 자산의 종류와 비과세 대상으로 보는 자산을 별도로 열거하고 있다.

4 상속은 10년과 5년을 챙겨야 합니다. –상속세 과세가액

상속은 비교적 장기간에 걸쳐 취득한 재산에 과세하기 때문에 재산의 형성 과정에서 발생한 거래에 영향을 많이 받는다. 예를 들어 상속의 개시 전에 주변인에게 재산을 증여할 수도 있고 피상속인에게 귀속되는 세금이나 채무가 있을 수도 있다. 따라서 상속세의 과세대상을 오로지 피상속인의 상속개시일 현재의 재산만으로 구성한다면 과거의 거래에 따라 납세의무자 과세액이 크게 달라져 합리적이지 못하다. 따라서 세법에서는 상속세 과세가액에 필요경비 성격의 금액을 차감하고 증여가산가액을 가산하도록 하고 있다.

상속세 과세가액 = 상속재산의 가액 - 공과금 등 차감액 + 기간 내 증여가산금액	
차감액	• 공과금 : 상속개시일 현재 피상속인이 납부할 의무가 있는 것으로서 상속인에게 승계된 조세·공공요금 기타 이와 유사한 것 • 장례비용 : 아래의 장례비용 공제 ✓ 1. 피상속인의 사망일부터 장례일까지 장례에 직접 소요된 금액[봉안시설 또는 자연장지의 사용에 소요된 금액을 제외]. 이 경우 그 금액이 500만 원 미만인 경우에는 500만 원으로 하고 그 금액이 1천만 원을 초과하는 경우에는 1천만 원으로 한다. ✓ 2. 봉안시설 또는 자연장지의 사용에 소요된 금액. 이 경우 그 금액이 500만 원을 초과하는 경우에는 500만 원으로 한다. • 채무 (상속개시일 전 10년 이내에 피상속인이 상속인에게 진 증여채무와 상속개시일 전 5년 이내에 피상속인이 상속인이 아닌 자에게 진 증여채무는 제외)
가산액	• 상속개시일 전 10년 이내에 피상속인이 상속인에게 증여한 재산가액 • 상속개시일 전 5년 이내에 피상속인이 상속인이 아닌 자에게 증여한 재산가액 (증여세가 비과세되는 거래나 합산배제증여재산가액은 위의 증여한 재산가액에 포함하지 않음)

5 상속은 공제해 주는 항목이 많아요. -상속공제

상속재산을 취합한 다음에는 해당 자산의 합계에서 세법에서 정한 항목별 공제금액을 차감하여 소득금액을 계산한다. 상속재산에는 피상속인이 일생에 걸쳐 취득한 재산이 포함되어 있기 때문에 이를 그대로 과세하면 상속세의 부담이 가중되는 특징이 있다. 따라서 합리적인 사유별로 공제항목을 규정하여 사유에 해당하는 경우 공제금액을 차감하도록 하고 있다.

항 목	내 용
기초공제	• 2억 원
가업상속공제	• 상속재산 중에 아래의 재산이 있는 경우 한도 이내로 공제함 ① 가업의 상속에 대해 200억(10년~20년), 300억(20년~30년), 500억(30년 이상)의 금액을 한도로 가업상속재산가액(주식 등)을 공제함 ✓ 가업의 종류 : 중소기업이나 중견기업, 3개 과세기간의 매출액 평균이 3천억 원 미만, 특수관계인 지분 포함 50% 이상을(상장법인은 30%) 10년 이상 경영한 기업(대표이사로서 재직한 기간 기준 별도) ② 영농의 상속에 대해 15억 원을 한도로 영농상속재산가액을 공제함
배우자 상속공제	• 배우자가 실제 상속받는 금액을 아래의 한도로 공제함 한도 = MIN[① 30억 원, ② 아래의 산식에 따른 금액] 한도산식 = (A - B + C) × D - E A : 상속재산합계 - 비과세 상속재산 - 공과금 및 채무 - 공익법인 등 공익신탁재산의 과세가액 불산입 금액 B : 상속재산 중 상속인이 아닌 수유자가 유증 등을 받은 재산의 가액 C : 상속개시일 전 10년 이내에 피상속인이 상속인에게 증여한 재산 가액

항 목	내 용
	D : 「민법」 제1009조에 따른 배우자의 법정상속분(공동상속인 중 상속을 포기한 사람이 있는 경우에는 그 사람이 포기하지 아니한 경우의 배우자 법정상속분을 말한다) E : 상속재산에 가산한 증여재산 중 배우자가 사전증여받은 재산에 대한 증여세 과세표준 • 배우자가 실제 상속받은 금액이 없거나 상속받은 금액이 5억 원 미만이면 5억 원을 공제
기타 인적공제	• 아래의 금액을 합산하여 공제함 1. 자녀 1명에 대해서는 5천만 원 2. 상속인(배우자는 제외한다) 및 동거가족 중 미성년자에 대해서는 1천만 원에 19세가 될 때까지의 연수(年數)를 곱하여 계산한 금액 3. 상속인(배우자는 제외한다) 및 동거가족 중 65세 이상인 사람에 대해서는 5천만 원 4. 상속인 및 동거가족 중 장애인에 대해서는 1천만 원에 상속개시일 현재 「통계법」 제18조에 따라 통계청장이 승인하여 고시하는 통계표에 따른 성별·연령별 기대여명(期待餘命)의 연수를 곱하여 계산한 금액 • 제1호에 해당하는 사람이 제2호에 해당하는 경우 또는 제4호에 해당하는 사람이 제1호부터 제3호까지 또는 제19조(배우자)에 해당하는 경우에는 각각 그 금액을 합산하여 공제
일괄공제	• 기초공제와 기타 인적공제의 합계액이 5억 원을 넘지 않는 경우 두 공제를 제외하고 5억 원을 공제할 수 있음
기타상속공제	• 금융재산상속공제 : 순금융자산가액의 20% 공제(한도 : 2억 원) ✓ 순금융재산가액의 20%가 2천만 원 미달시 2천만 원을 공제 ✓ 순금융재산가액이 2천만 원에 미달하는 경우 순금융재산가액 공제 • 동거주택상속공제 피상속인과 상속인이 10년 이상 동거한 1세대 1주택을 무주택 상속인이 상속받은 경우 주택가액의 80%를 5억 원 범위 내에서 공제

가업상속공제의 자세한 사항은 [가업승계특례와 가업상속공제] 단원을 참고하자.

6 상속세 및 증여세의 세율

상속세 및 증여세에 대한 세율은 다음 표와 같다.

과세표준 구간	세 율	누진공제
1억 이하	10%	–
5억 이하	20%	1천만 원
10억 이하	30%	6천만 원
30억 이하	40%	1억 6천만 원
30억 초과	50%	4억 6천만 원

예를 들어 상속세나 증여세의 과세표준이 25억 원인 경우 세율 구간은 40%로서 25억 원에서 40%를 곱하고 1억 6천만 원을 차감하여 8억 4천만 원의 산출세액이 계산된다.

7 상속세와 증여세의 신고세액공제

상속세 및 증여세 과세표준을 신고한 경우에는 상속세산출세액이나 증여세산출세액에서 다음 각 호의 금액을 공제한 금액의 100분의 3에 상당하는 금액을 공제한다.

1. 문화재자료 등에 대한 상속세의 징수유예 규정에 따라 징수를 유예받은 금액
2. 이 법 또는 다른 법률에 따라 산출세액에서 공제되거나 감면되는 금액

8 상속세의 납부재원 마련 방안

상속세는 상속개시일로부터 6개월 이내에 신고와 납부를 해야 하지만 일반적인 자산가의 상속세 납부액이 고액이기 때문에 물납이나 연부연납, 분할납부의 제도를 운영중이다. 이때 상속개시일이란 사망일 또는 실종선고일을 말한다.

항 목	내 용
물납	상속받은 재산(상속재산에 가산하는 증여재산 중 상속인 · 수유자가 받은 증여재산으로 제한) 중 부동산과 유가증권(상장주식과 비상장주식을 제외하되, ① 상장주식의 경우 처분이 제한된 경우는 포함 ② 비상장주식의 경우 다른 상속재산이 없는 경우 등은 포함)의 가액이 전체 재산가액의 1/2을 초과하고 납부세액이 2천만 원을 초과하며 상속세 납부세액이 상속재산 중 금융재산가액을 초과하는 경우에는 상속받은 부동산이나 유가증권으로도 세금을 납부할 수 있도록 하고 있다. 비상장주식은 납부할 상속세가 비상장주식 등(해당 자산에 담보된 채무액을 차감한 가액)을 제외한 상속재산으로 상속세를 납부하기 부족한 경우 그 부족분에 대해서만 물납이 가능하다.
연부연납	납부할 세액이 2천만 원을 초과하는 경우 납부기한 내에 일부를 납부하고 나머지는 세무서에 담보를 제공하고 연부연납기간 내에 나누어 낼 수 있다. 연부연납기간은 연부연납허가일로부터 일반적인 경우에는 5년 내로 하며, 상속재산 중 가업상속재산이 차지하는 비율이 50% 미만이면 연부연납허가일로부터 10년 또는 허가 후 3년이 되는 날부터 7년, 50% 이상이면 연부연납허가일로부터 20년 또는 허가 후 5년이 되는 날부터 15년 내로 한다.
분할납부	납부할 세액이 1천만 원을 초과하는 경우에는 세액의 일부를 납부기한이 지난 후 2개월 이내에 나누어 낼 수 있다. • 납부할 세액이 2천만 원 이하인 경우에는 1천만 원을 초과하는 금액 • 납부할 세액이 2천만 원을 초과하는 경우에는 납부할 세액의 50% 이하의 금액

상기의 납부지연제도를 이용하더라도 상속세의 부담이 큰 경우 미리 상속세 예상액을 준비해나갈 필요가 있다. 예를 들어 피상속인을 위한 사망보험에 가입하는 경우 사망시점에 거액의 보험금을 받아 충당할 수 있다. 다만 보험의 계약자나 보험료를 부담한 자가 피상속인인 경우 사망보험금도 상속세로 과세된다.

증여세는 정확한 계산이 필요합니다.

1 학습목표

학습내용	효 과
증여세의 계산구조	• 증여세의 계산구조를 살펴본다. • 증여세의 과세대상과 세율을 이해한다.
부담부증여	• 부담부증여의 정의와 특징을 이해한다.

2 증여세 계산구조

증여세는 다음의 방식으로 계산된다.

Case Study 증여세의 계산 구조

A씨는 사전 증여를 통한 절세를 위해 재산을 자녀에게 증여하고자 한다. 증여 조건이 다음과 같을 경우 부담할 증여세를 계산하시오.

부동산 : 압구정 현대2차 아파트(전용면적 161.19m2) 거래사례가 32억 원
현재 임대중이며, 임차인이 지급한 임차보증금 10억 원 함께 이전

계산구조	금 액	비 고
증여세 과세가액	22억 원	시가 - 담보채무 = 22억 원
(-) 증여재산공제(인적공제)	0.5억 원	자녀에게 증여시 5천만 원
(-) 감정평가 수수료	-	-

계산구조	금 액	비 고
(=) 과세표준	21.5억 원	50만 원 미만인 경우 부과하지 않음
(x) 세율		
(=) 산출세액	7억 원	한계세율 40%, 누진공제 1.6억 원
(–) 납부세액공제		–
(–) 기타 세액공제	0.21억 원	신고세액공제(3%)
결정세액	6.79억 원	

증여세는 과세대상의 종류가 다양하기 때문에 과세대상을 면밀히 파악하고 사례별로 과세가액을 계산하는 것이 중요하다. 이하에서는 증여세의 과세대상으로서 과세항목을 자세히 배워보도록 하자.

3 증여세 과세가액의 계산

증여세 과세가액은 증여세를 과세하는 항목들의 증여재산가액의 합계로 계산할 수 있다. 먼저 증여세를 과세하는 열거 항목은 다음과 같다.

항 목	내 용
신탁이익	• 신탁계약을 통해 신탁의 이익을 타인에게 다음과 같이 지급하는 경우 1. 원본을 받을 권리를 소유하게 한 경우에는 수익자가 그 원본을 받은 경우 2. 수익을 받을 권리를 소유하게 한 경우에는 수익자가 그 수익을 받은 경우
보험금	• 생명보험이나 손해보험에서 보험사고로 인한 보험금이 지급되는 경우 1. 보험금 수령인과 보험료 납부자가 다른 경우(보험금 수령인이 아닌 자가

<table>
<tr><th>항 목</th><th>내 용</th></tr>
<tr><td></td><td>보험료의 일부를 납부한 경우를 포함한다) : 보험금 수령인이 아닌 자가 납부한 보험료 납부액에 대한 보험금 상당액
2. 보험계약기간에 보험금 수령인이 재산을 증여받아 보험료를 납부한 경우 : 증여받은 재산으로 납부한 보험료 납부액에 대한 보험금 상당액에서 증여받은 재산으로 납부한 보험료 납부액을 뺀 가액</td></tr>
<tr><td>저가양수
고가양도</td><td>• 특수관계인 간에 재산(전환사채, 상장주식 제외)을 시가보다 낮은 가액으로 양수하거나 시가보다 높은 가액으로 양도한 경우로서 그 대가와 시가의 차액이 기준금액(Min[시가의 30%, 3억 원]) 이상인 경우

증여재산가액 : 대가와 시가와의 차액에서 기준금액을 뺀 금액

• 특수관계인이 아닌 자 간에 거래의 관행상 정당한 사유 없이 재산을 시가보다 현저히 낮은 가액으로 양수하거나 시가보다 현저히 높은 가액으로 양도한 경우로서 그 대가와 시가의 차액이 시가의 30% 이상인 경우

증여재산가액 : 그 대가와 시가의 차액에서 3억 원을 뺀 금액

만약 위의 거래가 개인과 법인 간의 거래로서 법인세법상 시가에 해당하는 금액으로 거래를 한 경우에는 과세하지 않음</td></tr>
<tr><td>초과배당</td><td>법인의 최대주주가 다음의 상황으로 인해 그 최대주주 등의 특수관계인이 본인이 보유한 주식 등에 비하여 높은 금액의 배당 등을 받은 경우
✓ 본인이 지급받을 배당 등의 금액 전부 또는 일부를 포기
✓ 본인이 보유한 주식 등에 비례하여 균등하지 아니한 조건으로 초과배당 받음
수증자에게 「소득세법」에 따른 소득세 또는 「법인세법」에 따른 법인세가 부과되어도 법인이 배당 등을 한 날을 증여일로 하여 초과배당받은 금액을 증여재산가액으로 본다. 이때 초과배당금액에 대한 증여세액이 초과배당금액에 대한 소득세 상당액보다 적은 경우에는 과세하지 않는다.</td></tr>
<tr><td>기타사유</td><td>• 채무면제, 부동산 무상사용, 금전 무상대출, 재산사용 및 용역 제공
• 합병, 증자, 감자, 현물출자, 법인의 조직변경
• 전환사채 등의 주식전환 등
• 주식 등의 상장, 합병에 따른 상장, 재산취득 후 재산가치의 증가</td></tr>
</table>

앞의 증여재산에 대하여 초과배당을 제외하고, 수증자에게 「소득세법」에 따른 소득세 또는 「법인세법」에 따른 법인세가 부과되는 경우에는 증여세를 부과하지 않는다.

상기 열거항목에 대해 증여재산가액의 계산을 위한 거래별 증여재산가액의 계산원칙을 다음과 같이 참고하도록 하자.

항 목	내 용
재산 또는 이익의 무상이전	증여재산의 시가 상당액
재산 또는 이익을 저가매입 저가양도	시가와 대가의 차액. 다만, 시가와 대가의 차액이 3억 원 이상이거나 시가의 100분의 30 이상인 경우로 한정
재산 취득 후 해당 재산의 가치가 증가하는 경우	증가사유가 발생하기 전과 후의 재산의 시가의 차액으로서 각 방법에 따라 계산한 재산가치상승금액. 다만, 그 재산가치상승금액이 3억 원 이상 등인 경우로 한정

4 부담부증여

부담부증여란 재산을 증여하는 시점에 수증자가 해당 증여재산에 담보된 채무나 관련 증빙으로 확인되는 채무를 인수하는 경우, 증여재산가액에서 해당 채무를 차감하여 증여세 과세가액을 경감하는 것을 말한다. 예를 들어 주택을 주택의 임차인으로부터 수수한 임대보증금과 함께 증여하는 경우 해당 임대보증금은 임차인에게 지급할 채무로 증여재산가액에서 차감된다. 이렇게 부담부증여를 통해 수증자는 과세가액과 함께 증여세액을 낮출 수 있기 때문에 상증세법은 직계존비속 간의 부담부증여에 대해 다음의 증빙으로 채무를 입증하도록 하고 있다.

- 국가 · 지방자치단체 및 금융회사 등에 대한 채무는 해당 기관에 대한 채무임을 확인할 수 있는 서류
- 제1호 외의 자에 대한 채무는 채무부담계약서, 채권자확인서, 담보설정 및 이자지급에 관한 증빙 등에 의하여 그 사실을 확인할 수 있는 서류

이때 증여재산가액에서 차감하는 채무에 대해서는 증여자에게 양도소득세가 과세된다. 채무를 승계하게 되는데 그 실질이 부채 상당액을 매매한 것이기 때문이다. 증여세 과세대상에서는 차감되어 증여세 부담액이 줄어들지만 채무부담액만큼 양도소득세가 과세되므로 부담부증여 시 증여세뿐만 아니라 양도소득세 부담액도 함께 고려하여야 한다.

5 배우자 등에 양도한 재산에 대한 증여추정

배우자 또는 직계존비속에게 대가를 받고 재산을 양도한 경우 과세대상이라면 당연히 양도소득세가 과세되어야 하지만 증여세법에서는 이를 양수자에 대한 증여로 추정하도록 하고 있다. 이는 배우자 또는 직계존비속과의 사이에 매매 등의 유상양도를 가장하여 재산을 양도함으로써 발생할 수 있는 증여세의 포탈을 방지하기 위함이다. 따라서 양도소득세의 과세대상 재산에 대해 증여로 추정될 경우 당초 양도자와 양수자에게 양도로 소득을 부과하지 않고 배우자 또는 직계존비속에게 증여세를 부과한다.

특수관계인에게 재산을 양도하고 그 특수관계인이 양수일로부터 3년 이내에 당초 양도인의 배우자나 직계존비속에게 그 재산을 양도하는 경우 당초 양도자가 그의 배우자 등에게 직접 증여한 것으로 추정

하는데 이는 배우자나 직계존비속에게 재산권을 이전하는 과정에서 제3자적 위치에 있는 특수관계인의 명의를 거쳐서 이전케 함으로써 증여세를 회피하는 것을 방지하기 위한 규정이다.

만약 당초 양도인이 부담한 양도소득세와 특수관계인 양수인이 당초 양도인의 배우자 등에게 양도시 부담한 양도소득세 합계가 당초 양도인의 배우자 등이 증여받은 것으로 추정하여 계산한 증여세보다 큰 경우에는 증여세를 회피할 목적이 없는 것으로 보아 증여세를 과세하지 아니한다. 또한 증여추정 규정은 아래의 어느 하나에 해당할 경우 적용하지 않는다.

- 법원의 결정으로 경매절차에 따라 처분된 경우
- 파산선고로 인하여 처분된 경우
- 「국세징수법」에 따라 공매(公賣)된 경우
- 「자본시장과 금융투자업에 관한 법률」 제8조의 2 제4항 제1호에 따른 증권시장을 통하여 유가증권이 처분된 경우. 다만, 불특정 다수인 간의 거래에 의하여 처분된 것으로 볼 수 없는 경우로서 대통령령으로 정하는 경우(시간 외 매매)는 제외한다.
- 배우자 등에게 대가를 받고 양도한 사실이 명백히 인정되는 경우로서 대통령령으로 정하는 경우
  - ✓ 권리의 이전이나 행사에 등기 또는 등록을 요하는 재산을 서로 교환한 경우
  - ✓ 당해 재산의 취득을 위하여 이미 과세(비과세 또는 감면받은 경우를 포함한다)받았거나 신고한 소득금액 또는 상속 및 수증재산의 가액으로 그 대가를 지급한 사실이 입증되는 경우
  - ✓ 당해 재산의 취득을 위하여 소유재산을 처분한 금액으로 그 대가를 지급한 사실이 입증되는 경우

6 증여세가 비과세되는 항목들

상증세법에서 열거한 비과세되는 항목은 다음과 같다.

항 목	내 용
비과세 대상	• 국가, 지방자치단체나 공공단체에 유증(사망으로 인하여 효력이 발생하는 증여를 포함)한 재산 • 국가지정문화재 및 시·도 지정문화재와 같은 법에 따른 보호구역에 있는 토지 • 종중재산 중 일정 범위의 재산 • 정당에 유증 등을 한 재산 • 사내근로복지기금 등의 단체에 유증 등을 한 재산 • 사회통념상 인정되는 이재구호금품, 치료비 및 이와 유사한 것 • 상속재산 중 상속인이 신고기한 이내에 국가, 지방자치단체 또는 공공단체에 증여한 재산

사업을 물려주고 싶다면 세 가지 특례를 체크해야 합니다.

1 학습목표

학습내용	효 과
가업승계특례	• 주식 증여를 통한 가업승계시 특례세율 적용 방법을 이해한다.
가업상속공제	• 가업 상속시의 과세가액 공제제도를 살펴본다.

2 사업의 이전과 과세

사업의 형태는 법인사업과 개인사업으로 나눌 수 있다. 이때 법인의 형태로 사업을 수행한다면 사업의 소유자는 주식을 가지게 되고 주식은 재산적 가치가 있어 증여나 상속시에 재산가액의 과세대상에 포함된다. 또한 개인사업을 이전하는 경우에도 사업에 사용하는 자산이 함께 이전되기 때문에 상속세/증여세 등이 과세되는 것은 마찬가지이다. 따라서 사업의 증여와 상속은 모두 과세된다. 이때 세법에서는 가업승계를 위하여 주식이나 사업자산 등이 사업주의 자녀 등에게 이전되는 경우 가업의 연속성을 인정하여 일정한 세금을 공제하여 주고 있다.

항 목	이전 재산	과 세	공 제
법인사업	주식	상증세법	• 가업상속공제 • 가업승계특례
개인사업	사업자산		

③ 가업승계특례

가업승계특례는 사전 증여를 통하여 가업을 자녀에게 이전할 수 있게 지원해 주는 제도이다. 가업상속공제와 가장 큰 차이점은 상속이 발생하기 전에 적용된다는 점이다. 기업의 경영자가 사전에 가업승계를 목적으로 자녀에게 주식을 증여하는 경우 일반 증여세율이 아닌 특례세율을 적용할 수 있다. 가업승계특례 적용시 적용되는 세율은 100억 원을 한도로 하여 5억 원은 기본 공제하고 10%(과표 30억 원 초과분은 20%) 세율을 적용한다.

가) 수증자 요건

① 증여일 현재 18세 이상이고 거주자인 자녀
② 가업 주식을 증여받은 수증자 또는 그 배우자가 증여세 신고기한(증여일의 말일부터 3개월)까지 가업에 종사
③ 증여일로부터 5년 이내에 대표이사에 취임
④ 최대주주 등의 자녀 1인에 대해서만 적용 가능

나) 증여자 요건

① 가업주식의 증여일 현재 중소기업 또는 중견기업

② 10년 이상 계속하여 경영
③ 60세 이상인 수증자의 부모(증여 당시 부모가 사망한 경우에는 그 사망한 부모의 부모를 포함)
④ 증여자와 그의 친족 등 특수관계에 있는 자의 주식 등을 합하여 해당 법인의 발행주식 총수 또는 출자총액의 100분의 50(상장법인은 100분의 30) 이상의 주식 등을 10년 이상 계속하여 보유

다) 사후관리

가업 주식의 증여일부터 7년 이내에 정당한 사유 없이 정상적으로 사후관리를 이행하지 아니한 경우에는 해당 가업 주식의 가액을 일반 증여재산으로 보아 이자상당액과 함께 기본세율(10~50%)로 증여세를 다시 계산하여 납부하여야 한다.

| 참고 | **이자상당액**

결정한 증여세액 × 당초 증여받은 주식 등에 대한 증여세과표 신고기한의 다음날부터 추징사유 발생일까지 일수 × 2.5/10,000

라) 사후관리 위반 사유

① 가업 주식을 증여받은 수증자가 증여세 신고기한까지 가업에 종사하지 아니한 경우
② 증여일로부터 5년 이내에 대표이사에 취임하지 아니하거나 증여일로부터 7년까지 대표이사직을 유지하지 아니하는 경우
③ 가업의 주된 업종을 변경하는 경우
④ 7년 이내에 가업을 1년 이상 휴업(실적이 없는 경우 포함) 또는 폐업하는 경우
⑤ 수증자가 증여받은 주식을 처분하는 경우
⑥ 증여받은 주식을 발행한 법인이 유상증자 등을 하는 과정에서 실권 등으로 수증자의 지분율이 낮아지는 경우
⑦ 수증자와 특수관계에 있는 자가 주식 등을 처분하거나 유상증자시 실권하여 수증자가 최대주주 등에 해당하지 아니하게 된 경우

4 가업상속공제

가업상속공제는 상속공제 중에 기업의 원활한 가업승계를 지원하기 위한 제도이다. 10년 이상된 기업이 상속인에게 승계되는 경우에 최대 500억 원까지 공제를 해주어 상속세 부담을 줄여주고 또한 가업승계를 지원해 주고 있다.

가) 가업상속공제액

구 분	가업상속공제액
10년 이상	200억 원
20년 이상	300억 원
30년 이상	500억 원

나) 가업상속재산

구 분	가업상속공제액
개인기업	가업에 직접 사용되는 토지, 건축물, 기계장치 등 사업용 자산의 가액에서 해당 자산에 담보된 채무액을 뺀 가액
법인기업	가업에 해당하는 법인의 주식 · 출자지분(사업무관 자산(*)비율 제외)

(*) 사업무관 자산 : 비사업용토지, 업무무관자산, 대여금, 과다보유 현금(직전 5년 평균 현금보유액의 150% 초과액), 주식 및 금융상품 등

다) 가업상속공제 요건

구 분	기 준	내 용
가업	계속 경영	피상속인이 10년 이상 계속하여 경영
	중소기업/ 중견기업	상속개시일이 속하는 과세기간의 직전 과세기간 또는 사업연도말 현재 중소기업/중견기업 요건을 모두 갖춘 기업
피상속인	주식보유기준	피상속인을 포함한 최대주주 등 지분 50%(상장법인은 30%) 이상을 10년 이상 계속하여 보유
	대표이사재직요건 (3 중 1가지 충족)	가업 영위기간의 50% 이상 재직
		7년 이상의 기간 (상속인이 피상속인의 대표이사 등의 직을 승계하여 승계한 날부터 상속개시일까지 계속 재직한 경우)
		상속개시일부터 소급하여 10년 중 5년 이상의 기간
상속인	연령	18세 이상
	가업종사	상속개시일 전 2년 이상 가업에 종사
	취임기준	신고기한까지 임원취임 및 신고기한부터 2년 이내 대표이사 취임
	배우자	배우자가 요건 충족시 상속인요건 충족으로 봄
기타	중견기업인 경우	가업상속재산 외에 상속재산의 가액이 해당 상속인이 상속세로 납부할 금액의 2배를 초과하지 않을 것

라) 사후관리

가업 상속인이 상속개시일부터 7년 이내에 정당한 사유 없이 가업상속공제 사후관리 요건을 이행하지 아니한 경우에는 이자상당액과 함께 공제받은 금액에 위반 기간별 추징률을 곱한 금액을 상속개시 당시의 상속세 과세가액에 다시 산입하여 상속세를 다시 납부해야 한다.

| 참고 | **이자상당액**

사후관리 위반에 따른 상속세액 × 당초 상속받은 가업상속재산에 대한 상속세 과세 표준 신고기한의 다음날부터 해당사유 발생일까지 일수 × 상속세 부과당시 국기법 시행령 제43조의 3 제2항에 따른 이자율(현재 2.1%) / 365

마) 사후관리 위반 사유

① 가업용 자산의 20%(상속개시일부터 5년 이내에는 10%) 이상을 처분한 경우(불가피한 처분 예외 확대 예 업종변경에 수반되는 처분)
② 상속인이 대표이사 등으로 종사하지 아니하는 경우
③ 가업의 주된 업종을 변경하는 경우(중분류 이내 허용 및 위원회 심의로 중분류 외 변경 허용)
④ 가업을 1년 이상 휴업(실적이 없는 경우를 포함)하거나 폐업하는 경우
⑤ 상속인이 상속받은 주식 등을 처분하는 경우
⑥ 유상증자 시 상속인이 실권하여 지분율이 감소되는 경우
⑦ 상속인과 특수관계에 있는 자가 주식 등을 처분하거나 유상증자시 실권하여 상속인이 최대주주 등에 해당하지 아니하게 된 경우
⑧ 각 사업연도의 상시 근로자 수의 평균이 기준고용인원의 100분의 80에 미달하는 경우(매년 판단)
⑨ 상속개시된 사업연도말부터 7년간 정규직 근로자 수의 평균이 기준고용인원의 100분의 100(중견기업도 동일)에 미달하는 경우(7년 후 판단)

| 참고 | **상시 근로자 수**

상시 근로자 (조세특례제한법)	근로기준법에 따른 근로계약 체결 근로자 중 이하 제외 - 근로소득세 원천징수 미확인자 - 계약기간 1년 미만 근로자 - 단시간 근로자
기준고용인원	상속이 개시된 사업연도의 직전 2개 사업연도의 정규직근로자 수의 평균

5 창업자금 사전증여

창업을 지원하기 위해 조세특례제한법에서는 18세 이상인 자가 중소기업을 창업할 목적으로 60세 이상의 부모로부터 토지, 건물 등을 제외한 일정한 재산을 증여받는 경우 증여세 등을 감면해 주는 제도를 두고 있다. 감면을 위해 인적요건, 업종, 창업시기, 자금사용기간, 증여재산의 종류 요건을 충족하여야 하며, 요건을 충족하는 경우 증여세 과세가액에서 5억 원을 공제하고 10%의 저율로 과세[증여세 과세가액 30억 원(창업을 통하여 10명 이상을 신규 고용한 경우에는 50억 원)을 한도)한다. 감면요건은 다음과 같다.

<table>
<tr><th>항 목</th><th colspan="2">내 용</th></tr>
<tr><td>인적요건</td><td colspan="2">• 수증자 18세 이상 자녀, 증여자 60세 이상 부모</td></tr>
<tr><td>업종</td><td>• 광업
• 제조업(제조업과 유사한 사업으로서 대통령령으로 정하는 사업을 포함한다. 이하 같다.)
• 건설업
• 음식점업
• 출판업
• 영상·오디오 기록물 제작 및 배급업(비디오물 감상실 운영업은 제외한다)
• 방송업
• 전기통신업
• 컴퓨터 프로그래밍, 시스템통합 및 관리업
• 정보서비스업(뉴스제공업, 블록체인 기반 암호화자산 매매 및 중개</td><td>• 「학원의 설립·운영 및 과외교습에 관한 법률」에 따른 직업기술 분야를 교습하는 학원을 운영하는 사업 또는 「근로자직업능력 개발법」에 따른 직업능력개발훈련시설을 운영하는 사업(직업능력개발훈련을 주된 사업으로 하는 경우에 한한다)
• 「관광진흥법」에 따른 관광숙박업, 국제회의업, 유원시설업 및 대통령령으로 정하는 관광객이용시설업
• 「노인복지법」에 따른 노인복지시설을 운영하는 사업
• 「전시산업발전법」에 따른 전시산업
• 인력공급 및 고용알선업(농업노동자 공급업을 포함한다)
• 건물 및 산업설비 청소업</td></tr>
</table>

항 목	내 용	
	업은 제외한다) • 연구개발업 • 광고업 • 그 밖의 과학기술서비스업 • 전문디자인업 • 전시·컨벤션 및 행사대행업 • 창작 및 예술관련 서비스업(자영예술가는 제외한다) • 대통령령으로 정하는 엔지니어링 사업 • 대통령령으로 정하는 물류산업	• 경비 및 경호 서비스업 • 시장조사 및 여론조사업 • 사회복지 서비스업 • 보안시스템 서비스업 • 통신판매업 • 개인 및 소비용품 수리업 • 이용 및 미용업 • 번역 및 통역서비스업, 경영컨설팅업, 콜센터 및 텔레마케팅 서비스업 등 (세세분류 기준 97개 업종 추가)
창업시기	• 증여받은 날부터 2년 이내	
자금사용 기간	• 증여받은 날부터 4년이 되는 날까지 창업자금을 모두 해당 목적 사용	
증여재산 종류	• 양도소득세 과세 대상 자산을 제외한 자산으로 사업용자산의 취득이나 사업장의 임차보증금 및 임차료 지급에 사용할 자금	

기업지배구조 개선

1 학습목표

학습내용	효 과
기업지배구조	• 기업지배구조의 정의와 학습목표를 이해한다.
지배구조개선의 방안	• 합병, 분할 등 지배구조개선을 위한 항목의 정의와 특징을 이해한다. • 항목별 과세제도와 과세특례제도를 살펴본다.

2 기업지배구조의 정의와 지배구조개선 목표

기업지배구조(Corporate Governance)란 현재 자본주의 시장경제의 기둥인 기업, 특히 주식회사가 그 목표를 달성하기 위하여 경영에 관한 권한을 주주, 경영진 및 감독기관 사이에 어떻게 나누어 행사할 것인가에 관한 체제를 말한다(우리나라 기업지배구조의 현황과 개선방안, 정동윤, 강영기, 2018). 이는 회사를 둘러싸고 있는 이해관계자들 사이에 권리와 의무를 정의하고 기업의 경영권에 영향을 미칠 수 있는 당사자를 정해나가는 절차를 수반하게 된다. 따라서 효율적인 사업의 운영과 신속한 의사결정이 중요한 중소·중견기업에게는 기업지배구조를 분석하고 효과적인 지배구조를 계획하는 일이 필수적이다.

③ 지배구조개선 방안

기업지배구조의 변동을 일으키는 항목은 상법에 주로 기술되어 있는데 이 중 중요한 항목을 정리하면 다음과 같다.

항 목	내 용	과세 대상
법인전환	개입사업형태의 사업을 법인으로 이전	개인사업자
특정주식	상환전환우선주의 발행	–
합병	두 개 이상의 회사가 하나의 실체로 구성	소멸법인, 소멸법인 주주 등
분할	하나의 회사가 두 개 이상의 실체로 분절	분할법인, 분할법인 주주 등
현물출자	현금 이외의 자산을 제공하여 증자	자산소유자
주식교환	타회사 주식을 100% 인수하고 대가로 증자	주식보유자

위의 제도는 대부분 회사에 대한 지배력의 변동을 불러와 주주 등 이해관계자의 부의 이동이 발생하게 된다. 우리나라의 세법에서는 이러한 부의 이동에 대해 과세하는 규정을 두고 있고, 기업의 신속한 지배구조재편을 돕기 위해 과세의 이연제도도 동시에 두고 있다. 따라서 상기된 항목을 기업에 적용하기 위해서는 사전에 과세내역과 조세특례에 대한 검토가 필요하다.

가) 합병

(1) 정의와 사용법

합병은 두 회사를 하나의 회사로 합치면서 사라지는 회사의 주주에게 남게 되는 회사의 주식을 나누어 주는 방식의 지배구조변동을 말한다. 합병의 방식은 다음과 같다.

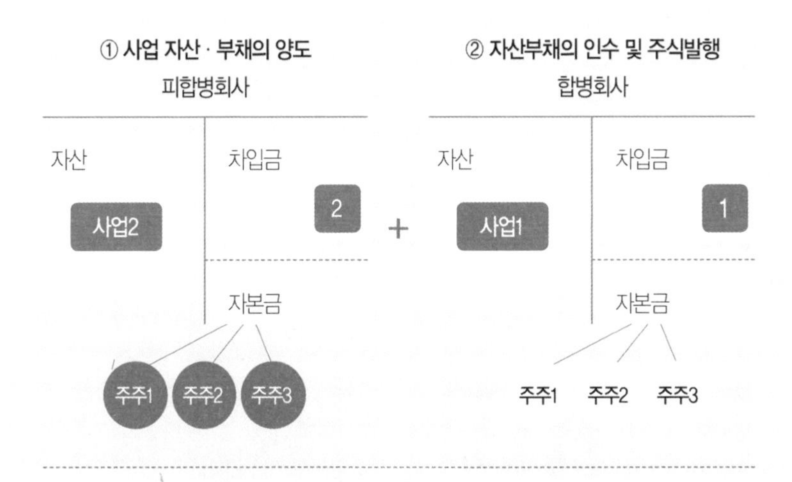

③ 합병 전 회사의 주식가치 비율에 따라 지분율 구성

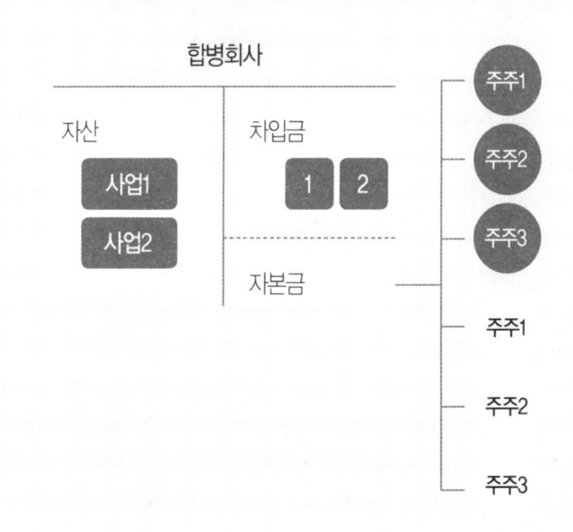

합병은 두 회사의 주주가 하나의 회사의 주주로 통합되므로 두 회사의 기업가치에 따라 합병 후 회사의 주주 지분율이 결정되게 된다. 따라서 합병시에 각기 주주의 지분율을 어떻게 인정할지 결정해야 하고 이는 기업가치에 따라 결정된다. 합병비율의 계산은 다음과 같이 정해질 수 있다.

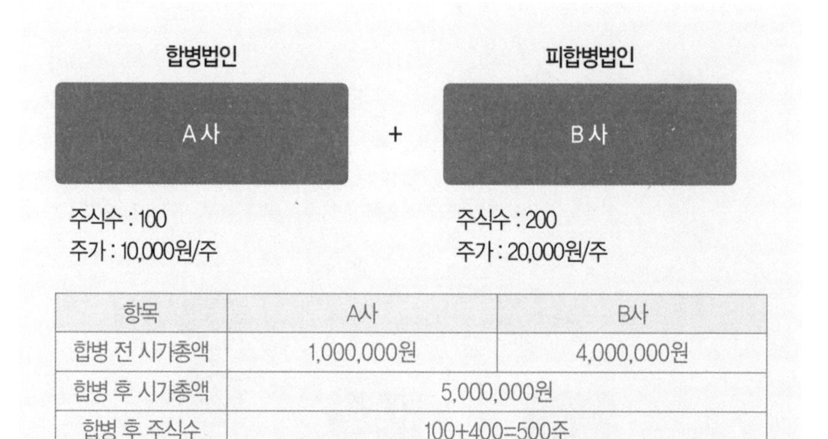

항목	A사	B사
합병 전 시가총액	1,000,000원	4,000,000원
합병 후 시가총액	5,000,000원	
합병 후 주식수	100+400=500주	
합병 후 주가	5,000,000/500=10,000원	

? 피합병법인 주식 1주당 발행할 합병법인 주식 수는?

$$\frac{\text{피합병법인 주가 : 20,000원}}{\text{합병법인 주가 : 10,000원}} = 2\text{주}$$

? 주주 부의 변동은?

피합병법인 주주 : 20,000-(10,000*2)=0
합병법인 주주 : 10,000-10,000=0

합병은 합병으로 소멸하는 회사의 주주가 합병 후 남아있는 회사의 주주가 되기 때문에 특정 회사의 주주가 되기 위해 합병을 이용할 수 있다. 이때 기업가치의 비율에 따라 신규 주주의 지배력이 결정되기 때문에 조건에 따라 해당 회사의 지배력을 얻을 수도 있다. 합병은 주식의 양도를 통한 지배력의 취득과 비교해 현금이 필요하지 않고 조세특례제도를 이용할 수 있다는 장점이 있다.

(2) 과세와 조세특례

합병시에는 두 회사와 두 회사의 주주 등 총 4인의 이해관계자가 과세대상에 해당한다. 그리고 세법에서는 기업의 지배구조개편을 돕기 위해 일정 요건을 충족하는 경우 과세를 이연하는 제도를 두고 있다.

항 목	내 용
과세대상	• 합병법인 : 승계자산에 대한 합병매수차익 • 피합병법인 : 승계자산에 대한 양도차익 • 합병법인의 주주 : 부당행위계산부인, 증여의제, 의제배당 • 피합병법인의 주주 : 부당행위계산부인, 의제배당
특례요건	• (사업영위) 합병등기일 현재 1년 이상 사업을 계속하던 내국법인 간의 합병 • (사업의 계속성) 합병법인이 합병등기일이 속하는 사업연도의 종료일까지 피합병법인으로부터 승계받은 사업을 계속 • (고용승계) 합병등기일 1개월 전 당시 피합병법인에 종사하는 합병법인이 승계한 근로자의 비율이 80% 이상이고, 합병등기일이 속하는 사업연도의 종료일까지 그 비율을 유지 • (지분 연속성) 피합병법인의 주주 등이 합병으로 인하여 받은 합병대가의 총합계액 중 합병법인의 주식 등의 가액이 80% 이상이거나 합병법인의

항 목	내 용
	모회사의 주식 등의 가액이 80% 이상인 경우로서 그 주식 등이 법 소정의 방식에 따라 배정되고, 법 소정의 피합병법인의 주주 등이 합병등기일이 속하는 사업연도의 종료일까지 그 주식 등을 보유
사후관리	합병법인에 2년 내 아래의 사건이 발생하는 경우 과세 • 합병법인이 피합병법인으로부터 승계받은 사업을 폐지 • 피합병법인의 일정 지배주주 등이 합병법인으로 받은 주식 등을 처분 • 각 사업연도 종료일 현재 합병법인에 종사하는 근로자 수가 합병등기일 1개월 전 당시 피합병법인과 합병법인에 각각 종사하는 근로자 수의 합이 80% 미만으로 하락

상기의 조세특례는 특례요건을 충족하면 과세가 이연되며, 사후관리요건을 유지하지 않는 경우 과세를 실행하도록 한다. 따라서 합병의 실행 이후에도 사후관리 요건을 유지해야 하는 점을 유의하여야 한다.

나) 분할

(1) 정의와 사용법

분할은 하나의 회사를 둘로 나누면서 새로운 회사를 설립하는 방식의 지배구조변동을 말한다. 이때 새롭게 설립되는 회사의 주주를 누구로 할지 두 가지 방법을 정할 수 있다.

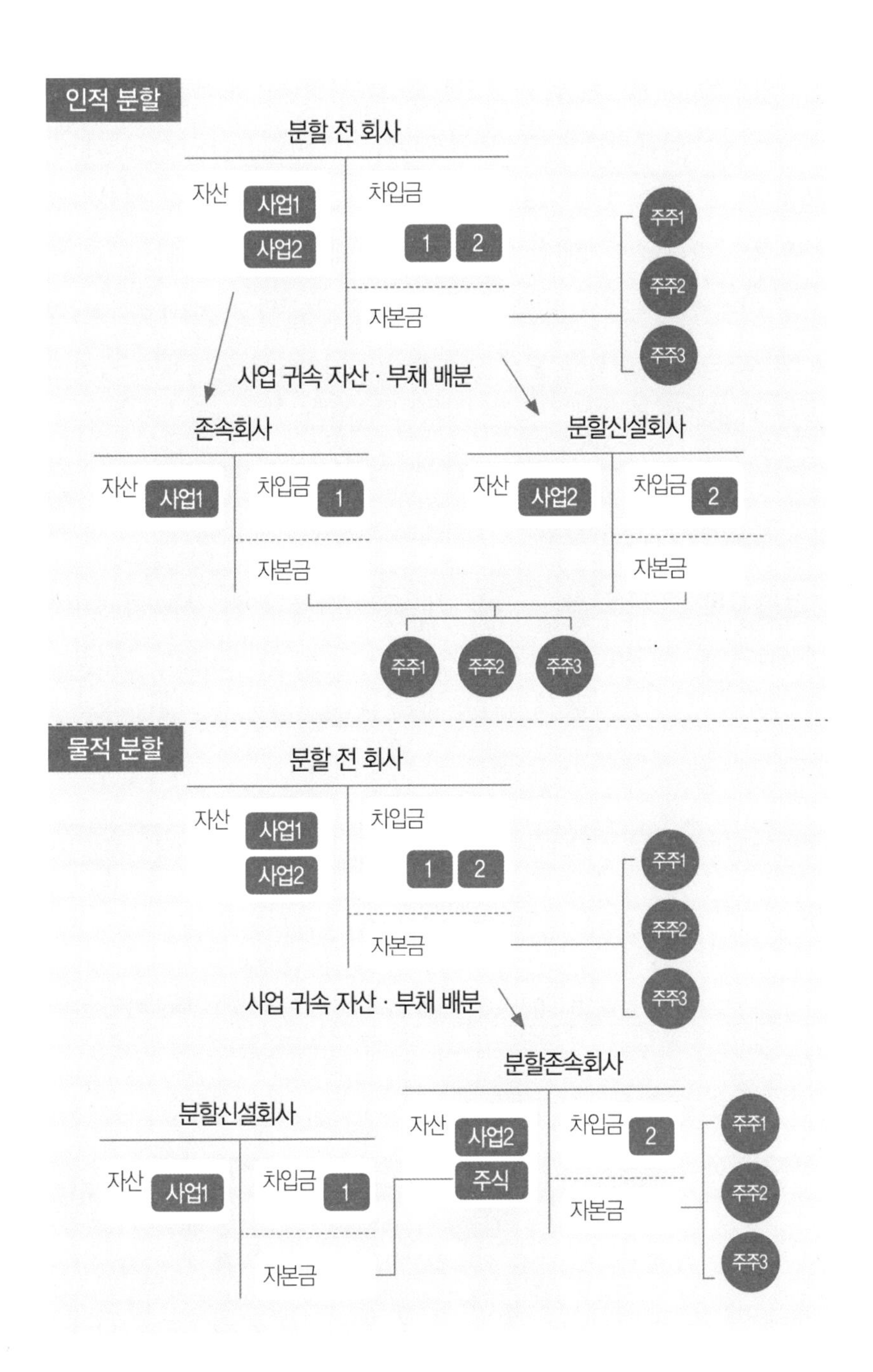
인적 분할
분할 전 회사
자산
사업1
사업2
차입금
1
2
자본금
주주1
주주2
주주3
사업 귀속 자산 · 부채 배분
존속회사
자산
사업1
차입금
1
자본금
분할신설회사
자산
사업2
차입금
2
자본금
주주1
주주2
주주3
물적 분할
분할 전 회사
자산
사업1
사업2
차입금
1
2
자본금
주주1
주주2
주주3
사업 귀속 자산 · 부채 배분
분할존속회사
자산
사업2
주식
차입금
2
자본금
주주1
주주2
주주3
분할신설회사
자산
사업1
차입금
1
자본금

인적분할은 기존 회사의 주주가 신규회사의 주주로서 지분율이 유지되는 방식이고, 물적분할은 기존회사가 신규회사의 100% 지분을 보유하는 형태의 방식이다. 각기 지배구조의 변동 방식이 다르므로 사용법도 다른데 인적분할은 지주회사로 개편하는 과정에서 기존 주주의 지배력을 늘리는 방식으로 주로 이용되어 왔고, 물적분할의 경우 자회사가 된 회사의 주식을 매각하여 사업부를 정리하는 방식에 주로 사용되고 있다.

(2) 과세와 조세특례

분할시에는 두 회사와 두 회사의 주주 등 총 4인의 이해관계자가 과세대상에 해당한다. 하지만 세법에서는 기업의 지배구조개편을 돕기 위해 일정 요건을 충족하는 경우 과세를 이연하는 제도를 두고 있다.

항 목	내 용
과세대상	• 분할법인 : 승계자산에 대한 양도차익 • 분할신설법인 : 승계자산에 대한 분할매수차익 • 분할법인의 주주 : 의제배당, 불공정 증여의제 • 분할신설법인의 주주 : 불공정 부당행위계산부인, 증여의제

(가) 분할법인의 과세이연

항 목	내 용
특례요건	• 사업영위기간 요건 : 분할등기일 현재 5년 이상 사업을 계속하던 내국법인이 다음의 요건을 모두 갖추어 분할 ㉠ 분리하여 사업이 가능한 독립된 사업부문을 분할

항 목	내 용
	㉡ 분할하는 사업부문의 자산 및 부채가 포괄적으로 승계 ㉢ 분할법인 등만의 출자에 의하여 분할 • 지분의 연속성 요건 : 분할법인이 분할신설법인으로부터 받은 분할대가의 전액이 주식 등이고, 분할법인이 분할등기일이 속하는 사업연도의 종료일까지 그 주식 등을 보유 • 사업의 계속성 요건 : 분할신설법인이 분할등기일이 속하는 사업연도의 종료일까지 분할법인 등으로부터 승계받은 사업을 계속 • 고용승계 요건 : 분할등기일 1개월 전 당시 분할하는 사업부문에 종사하는 법 소정의 근로자 중 분할신설법인이 승계한 근로자의 비율이 80% 이상이고, 분할등기일이 속하는 사업연도 종료일까지 그 비율을 유지
사후관리	분할법인에 2년 내 아래의 사건이 발생하는 경우 과세 • 분할신설법인이 분할법인으로부터 승계받은 사업을 폐지 • 분할법인이 분할신설법인의 발행주식총수 또는 출자총액의 50% 미만으로 주식 등을 보유하게 되는 경우 • 각 사업연도 종료일 현재 분할신설법인에 종사하는 근로자 수가 분할등기일 1개월 전 당시 분할하는 사업부문에 종사하는 근로자 수의 80% 미만으로 하락 아래의 경우 비율에 따라 과세한다. • 분할법인이 분할신설법인으로부터 받은 주식 등을 처분 • 분할신설법인이 분할법인으로부터 승계받은 감가상각자산, 토지 및 주식 등을 처분

(나) 분할신설법인의 과세이연

항 목	내 용
특례요건	분할법인의 특례요건과 같음(적격분할)
사후관리	분할법인에 2년 내 아래의 사건이 발생하는 경우 과세 • 분할신설법인이 분할법인으로부터 승계받은 사업을 폐지 • 분할법인 등의 일정 지배주주가 분할신설법인 등으로 받은 주식을 처분

항 목	내 용
	• 각 사업연도 종료일 현재 분할신설법인에 종사하는 근로자 수가 분할등기일 1개월 전 당시 분할하는 사업부문에 종사하는 근로자 수의 80% 미만으로 하락

상기의 조세특례는 특례요건을 충족하면 과세가 이연되며, 284p 중간 기재한 내용과 같다. 따라서 분할의 실행 이후에도 사후관리 요건을 유지해야 하는 점을 유의하여야 한다.

다) 현물출자

(1) 정의와 사용법

현물출자는 기업이 주주에게 신규 주식을 발행하는 대가로 현금이 아닌 현물을 납입받는 방식의 증자를 말한다. 현물출자는 사업에 필요한 자산을 직접 회사에 납입하여 사업을 위한 자산을 간편하게 이전할 수 있도록 도입된 제도이지만 지배구조변동을 위해 주식을 현물출자하는 경우가 많다. 최근에는 앞서 살펴본 인적분할 후에 신규 회사의 주식을 기존회사에 현물출자하여 지주회사제도를 위한 지분율을 충족하는 방식으로 주로 이용된다.

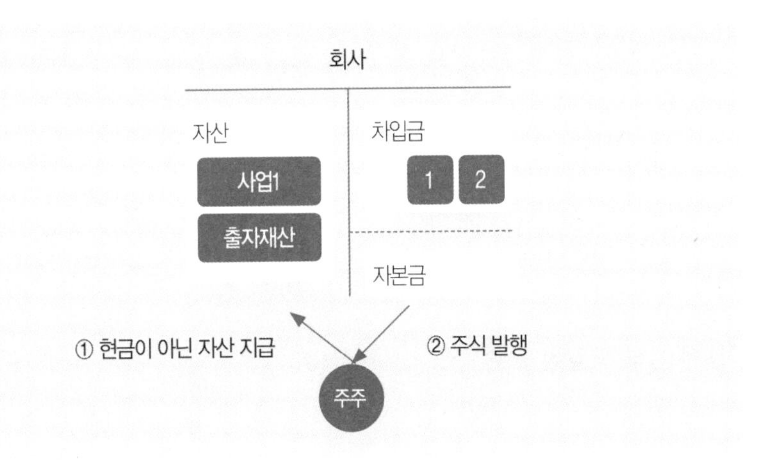

(2) 과세와 조세특례

현물출자는 자산의 소유권을 이전하고 주식으로 대가를 받는 방식의 양도에 해당하고, 현물출자를 실행한 당사자가 개인의 경우 양도소득세를 과세하거나 법인의 경우 법인세가 과세될 수 있다. 이때 세법에서 정한 요건을 충족하는 경우 조세특례를 적용받을 수 있다.

항 목	내 용
과세대상	• 개인출자자 : 자산의 양도소득세(과세대상 자산일 경우) • 법인출자자 : 자산의 양도차익에 대한 법인세
특례요건	• (사업영위) 출자법인이 현물출자일 경우 현재 5년 이상 사업을 계속한 법인일 것 • (사업의 계속성) 피출자법인이 그 현물출자일이 속하는 사업연도의 종료일까지 출자법인이 현물출자한 자산으로 영위하던 사업을 계속할 것 • (특수관계) 다른 내국인 또는 외국인과 공동으로 출자하는 경우 공동으로 출자한 자가 출자법인의 특수관계인이 아닐 것 • (지분 연속성) 출자법인 및 상기에 따라 출자법인과 공동으로 출자한 자가 현물출자일 다음 날 현재 피출자법인의 발행주식총수 또는 출자총액의

항 목	내 용
	80% 이상의 주식 등을 보유하고, 현물출자일이 속하는 사업연도의 종료일까지 그 주식 등을 보유할 것
사후관리	아래의 사건이 발생하는 경우 과세한다. • (출자법인) 피출자법인으로부터 받은 주식 등을 처분 • (피출자법인) 승계받은 감가상각자산, 토지 및 주식 등을 처분

라) 주식의 포괄적 교환

(1) 정의와 사용법

한 회사가 보유한 주식을 모두 인수하고 해당 주주에게 회사의 주식을 부여하는 것을 주식의 포괄적 교환이라고 한다. 이는 회사의 주식을 발행하면서 상대회사의 주식을 전액 인수하므로 목적회사가 회사의 100% 자회사가 되고, 해당 회사의 주주는 모회사의 주주로 전환된다는 특징이 있다.

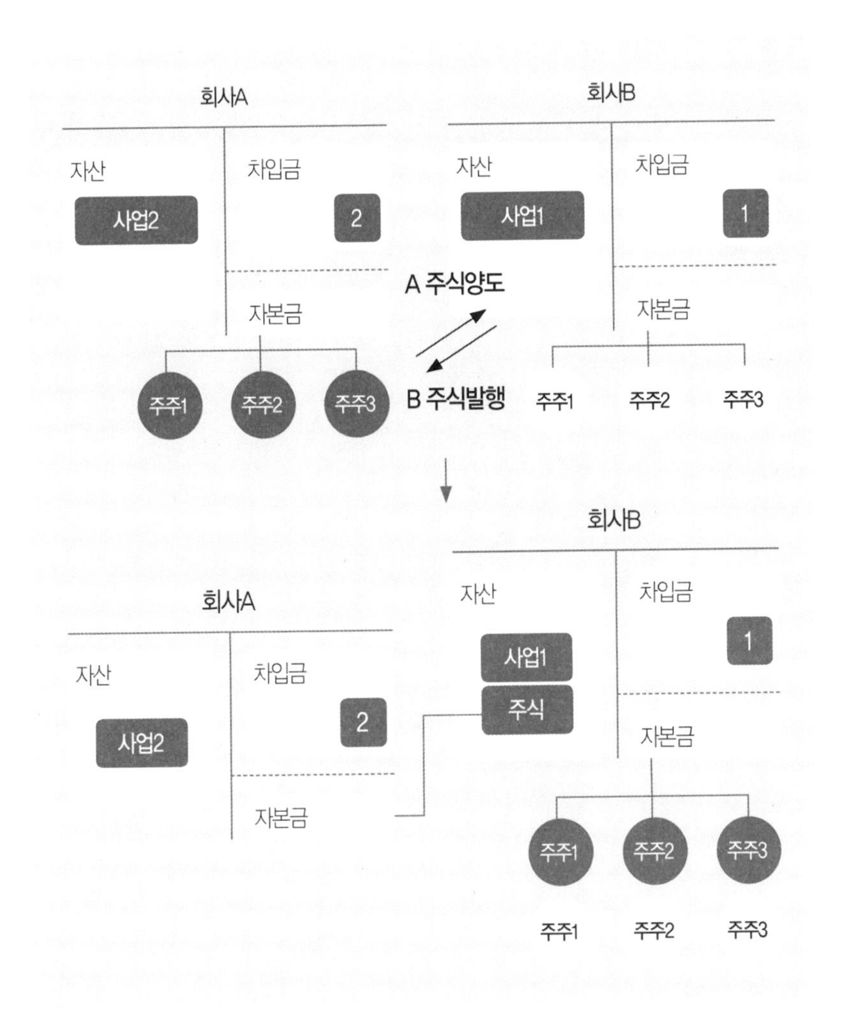

(2) 과세와 조세특례

주식의 포괄적 교환 시에 기존회사의 주주는 주식을 이전하는 대가로 모회사의 주식을 분여받아 주식의 양도소득세 과세대상에 해당한다.

하지만 세법에서는 이 경우 기업의 지배구조개편을 돕기 위해 일정 요건을 충족하는 경우 과세를 이연하는 제도를 두고 있다.

항 목	내 용
과세대상	• (자회사 주주) 개인주주는 양도소득세, 법인주주는 법인세 • (모회사) 승계자산에 대한 매수차익
특례요건	• 주식의 포괄적 교환 · 이전일 현재 1년 이상 계속하여 사업을 하던 내국법인 간의 주식 포괄적 교환 • 완전자회사의 주주가 완전모회사로부터 교환 · 이전대가를 받은 경우 그 교환 · 이전대가의 총합계액 중 완전모회사 주식의 가액이 80% 이상이거나 그 완전모회사의 완전모회사 주식의 가액이 80% 이상으로서 그 주식이 하기와 같이 배정되고, 완전모회사 및 완전자회사의 지배주주가 주식의 포괄적 교환 등으로 취득한 주식을 교환 · 이전일이 속하는 사업연도의 종료일까지 보유 • 완전자회사의 주주에게 교환 · 이전대가로 받은 완전모회사의 주식을 교부할 때에는 지배주주 등에게 완전모회사가 교환 · 이전대가로 지급한 완전모회사 등 주식의 주식의 총합계액에 해당 지배주주의 완전자회사에 대한 지분비율 이상의 완전모회사 등 주식을 교부 • 완전자회사가 교환 · 이전일이 속하는 사업연도의 종료일까지 사업을 계속
사후관리	2년 내에 아래의 사건이 발생하는 경우 과세 • 완전자회사가 사업을 폐지 • 완전모회사 또는 완전자회사의 지배주주 등이 주식의 포괄적 교환 등으로 취득한 주식을 처분

상기의 조세특례는 특례요건을 충족하면 과세가 이연되며, 284p 중간 기재한 내용과 같다. 따라서 주식의 포괄적 교환의 실행 이후에도 사후관리 요건을 유지해야 하는 점을 유의하여야 한다.

4 지주회사제도

공정거래법에서는 지주회사를 자산총액 1,000억 원 이상으로서 자회사의 주식가액합계액이 자산총액의 100분의 50 이상인 회사로 규정하고 있다. 지주회사제도를 공정거래법에서 정하고 있는 이유는 지주회사를 통해 소액자본으로 거대자본을 지배할 수 있다는 우려가 제기된 이후 법령을 통해 지주회사제도를 허용하는 대신 법에서 정한 제한규정을 따르도록 했기 때문이다.

과거 기업집단의 순환출자방식으로 기업을 지배하여 투자시장의 활성화를 저해한다는 지적에 따라 지주회사제도가 대두되기 시작했고 현재 세법에서는 순환출자방식에서 지주회사방식으로의 전환을 유도하고 있다. 따라서 지배구조변동에 따라오는 과세이슈를 완화하기 위해 과세를 이연하는 조세특례제도가 도입되어 상당수의 대기업이 지주회사제도로 전환하였다. 여기에는 투명한 지배구조의 도입이라는 목적 외에 각 기업이 처한 지배력 확대나 경영권 승계에 관한 문제를 해결하는 과정에서 조세특례를 이용할 수 있다는 장점이 있었기 때문인 것으로 해석된다. 따라서 지주회사제도의 다양한 이용 사례를 참고하고 회사의 목적에 맞게 도입을 고려해볼 필요가 있다.

PART 05

사례로 이해하는 세금전략

가. 보험과 세금

나. 지분이전 및 차등배당 플랜

다. 상속세 준비

가 보험과 세금

1 학습목표

학습내용	효 과
보험상품의 종류	• 보험 제도를 이해하고 보험상품의 종류와 특징을 살펴본다.
보험상품을 통한 절세전략	• 보험상품이 세법에서 과세되는 방식과 조세특례제도를 이해한다.

2 Talk

선생님, 법인을 대상으로 영업할 때 세무지식이 정말 필요하더라구요. 그런데 보험상품을 제안하다 보면 고객분들께서 회계처리에 대한 질의를 많이 하시는데 어떻게 답변을 드려야 할지 잘 모르겠습니다.

네, 회사가 계약당사자가 되어 가입하는 금융상품은 보통 법인이 투자한 자산으로 회계처리가 됩니다. 장부상에는 투자자산으로 분류되어 있는 경우가 많습니다. 반면 비용처리가 가능한 금융상품인 경우에는 자산으로 인식하지 않고 당기에 비용으로 인식합니다.

보험을 제안할 때마다 비용처리가 항상 헷갈리더라구요. 좀 더 구체적으로 설명 부탁드립니다.

상품의 특성에 따라서 자산처리하거나 비용처리하게 되는데요. 일반적으로 법인에서 가입한 금융상품이 소멸성이면 비용처리, 저축성이면 자산으로 기록합니다. 저축성격의 상품이라고 하더라도 일부 소멸성 비용에 대해서는 비용처리할 수 있습니다.

영업을 하는 사람으로서 기본적인 회계처리와 세무처리는 이번 기회에 반드시 이해해야 할 것 같습니다.

그렇습니다. 이번 기회를 통하여 보험 등 금융상품을 어떻게 법인에서 회계처리하고, 세금을 납부하는지 이해하면 좋겠네요.

3 납입보험료의 회계와 법인세법 처리

법인을 계약자로 하는 보험은 법인에서 보험료를 납부하는 시점에 자산 또는 비용으로 회계처리하는데, 적립보험료는 자산으로 처리하고, 소멸되는 보험료는 비용으로 처리하는 것이 일반적이다.

토막지식 보험상품의 회계처리

적립성 : (차) 장기금융상품(자산) XXX (대) 현금 XXX
소멸성 : (차) 보험료(비용) XXX (대) 현금 XXX

회계상 비용으로 처리한 금액이라도 세무상 손금으로 인정되지 않는 경우에는 손금불산입 세무조정을 해야 한다. 예를 들어 당기 납부한 보험료가 미래에 환급받게 되는 금액이거나 부리를 위한 적립금인 경우에는 손금으로 인정되지 않는다. 반면 보험료의 성격이 소멸성 보험료인 경우에는 기간에 따라 손금에 산입할 수 있다.

그러므로 저축성 보험의 경우에는 납입보험료의 대부분이 적립성이므로 자산으로 처리하고 약간의 사업비에 해당하는 금액은 소멸성 비용이므로 당기 손금으로 인정된다. 일반적으로 저축성 보험의 손금 인정 비율은 10% 정도이다.

반면 보장성 보험은 저축성 보험보다 손금으로 인정되는 보험료 비율이 높다. 사업비와 위험보험료에 해당하는 소멸성 보험료 비중이 크기 때문이다. 하지만 보장성 보험이라 하더라도 보험료의 일부는 적립되어 만기환급금 또는 해약환급금을 지급하기 위한 재원으로 운용되므로 이처럼 적립 성격의 보험료는 자산으로 처리해야 한다. 상품의 특성에 따라서 편차가 있지만 보장성 보험료는 최대 30%까지 소멸성 보험료로 보아 손금으로 처리하고 있다.

보험료 = 해약환급금/만기환급금에 상당하는 적립보험료(자산처리)
+ 사업비/위험보험료 성격의 소멸성보험료(비용처리)

그런데 당기 보험료 납부액 중에서 적립보험료와 소멸성보험료를 정확하게 구분하는 것은 매우 어려운 일이기 때문에 보험회사에서는 이를 구분한 자료를 고객들에게 제공하고 있다. 법인은 결산 시 당기

납입한 보험료가 있는 경우 이 내역을 보험회사에 요청하여야 하는데 이 서류를 손비처리내역서라고 한다.

손비처리내역서

계약자		계약자 번호	
주소	경기		
대상기간	2020.01.01 ~ 2020.12.31		

상품명 계약번호	피보험자	보험기간	납입방법	납입보험료	1회 보험료	손비금액
무배당 삼일화재 재물보험 탄탄대로 513206****0000		2013.10.17 ~ 2021.10.17	월납	60,000,000원	5,000,000원	12,750,180원
합계						12,750,180원

사용목적	제출용

위와 같이 보험계약에 대한 손비처리금액을 알려드리오니 참고하시기 바랍니다.

관련법령

법인세법 기본통칙 19-19…9

【장기손해보험계약에 관련된 보험료의 손금산입범위】

보험기간 만료 후에 만기 반환금을 지급하겠다는 뜻의 약정이 있는 손해보험에 대한 보험료를 지급한 경우에는 그 지급한 보험료액 가운데 적립보험료에 상당하는 부분의 금액은 자산으로 하고 기타부분의 금액은 이를 기간의 경과에 따라 손금에 산입한다.

관련예규

기획재정부 법인세제과-306, 2015.4.20.

내국법인이 퇴직기한이 정해지지 않아 퇴직시점을 예상할 수 없는 임원(대표이사 포함)을 피보험자로, 법인을 계약자와 수익자로 하는 보장성보험에 가입하여 사전에 해지환급금을 산정할 수 없는 경우, 법인이 납입한 보험료 중 만기환급금에 상당하는 보험료 상당액은 자산으로 계상하고, 기타의 부분은 이를 보험기간의 경과에 따라 손금에 산입하는 것이다.

국세청 법규법인 2013-397, 2013.10.24.

내국법인이 임원(대표이사 포함)을 피보험자로 계약자와 수익자를 법인으로 하는 보장성보험에 가입한 경우, 법인이 납입한 보험료 중 만기환급금에 상당하는 보험료 상당액은 자산으로 계상하고 기타의 부분은 이를 보험기간의 경과에 따라 손금에 산입하는 것이다.

4 보험계약의 평가

근로자는 근로에 대한 대가로 급여를 받고, 주주는 회사의 이익을 배당을 통하여 배분받는다. 회사는 급여 또는 배당을 지급할 때 회사가 보유하고 있는 금융상품으로 그 대가를 지급할 수 있는데 이때 지급하는 금융상품의 가치가 주요한 이슈가 된다. 보험증서로 배당을 지급하는 경우에 배당으로 지급하는 보험증서가 얼마짜리인지를 알아야 하기 때문에 평가의 문제가 생기는 것이다.

보통 금융상품(보험상품)의 가치를 기납입보험료로 평가해야 한다는 의견과 해약환급금으로 평가해야 한다는 의견이 존재한다. 일반적으로 보험상품은 상속세 제63조의 규정을 적용하여 기납입보험료와 이자상당액을 합한 금액으로 평가한다. 이러한 금융상품의 평가 방법에 따라 부담해야 하는 세금이 크게 달라질 수 있기 때문에 이에 대한 주의가 필요하다.

Case Study 보험상품의 평가

① 기납입보험료로 평가

기납입보험료는 일반적으로 보험계약자가 보험회사를 상대로 보험계약 체결 시부터 현재까지 납입한 보험료의 합계를 말한다.

현재 세법(상증법 제63조)에서는 유가증권에 대하여 납입한 보험료와 이자상당액을 합한 금액으로 평가하도록 하고 있으며, 수많은 예규와 판례 역시 위 조항을 인용하고 있다.

금융상품(보험)의 계약자를 변경하여 권리의무의 주체가 변경되었다고 하더라도 당장 이를 해약하였을 때 기납입보험료만큼을 수령할 수 없음에도 불구하고 세금(증여세, 소득세 등)은 기납입보험료를 기준으로 내야 한다는 문제점이 존재한다.

② 해약환급금으로 평가

보험계약이 해지되었을 때 보험회사가 보험계약자에게 돌려주는 금액을 말한다. 보험상품은 은행의 저축상품과는 달라 납입한 보혐료의 원금이 그대로 적립되는 것이 아니므로 해약환급금은 납입한 보험료보다 적거나 아예 없을 수도 있다. 현재 계약자 변경 등을 통하여 이전되는 금융상품의 권리가액을 지금 당장 해약하는 경우 수령할 수 있는 금액으로 보고 평가할 수 있다.

그런데 해약환급금을 기준으로 금융상품(보험)을 평가하게 된다면 저해지 상품을 이용하게 되면 세금부담이 현저하게 낮아진다는 문제가 발생한다. 일정한 기간이 지나기 전에는 해약환급금이 거의 없는 상품이므로 해약환급금이 매우 낮을 때 금융상품의 계약자를 변경하여 이전이 가능하기 때문이다.

관련법령

상속세및증여세법 제63조【유가증권 등의 평가】

④ 예금·저금·적금 등의 평가는 평가기준일 현재 예입(預入) 총액과 같은 날 현재 이미 지난 미수이자(未收利子) 상당액을 합친 금액에서 「소득세법」 제127조 제1항에 따른 원천징수세액 상당 금액을 뺀 가액으로 한다. (2010.1.1. 개정)

관련예규

상속증여세과-339, 2013.07.09

보험사고가 발생하지 않은 경우에는 보험금의 상속, 증여 규정이 적용되지 않으며, 피상속인이 납부한 보험료 상당액은 상속재산에 해당하는 것으로 이는 상속개시일까지 피상속인이 납부한 보험료의 합계액과 납부한 보험료에 가산되는 이자수입상당액을 합계하여 평가(상속인이 상속개시 후에 보험계약을 해지한 경우에는 해약환급금 상당액으로 평가 가능함)하는 것임

5 CEO 플랜

가) Talk

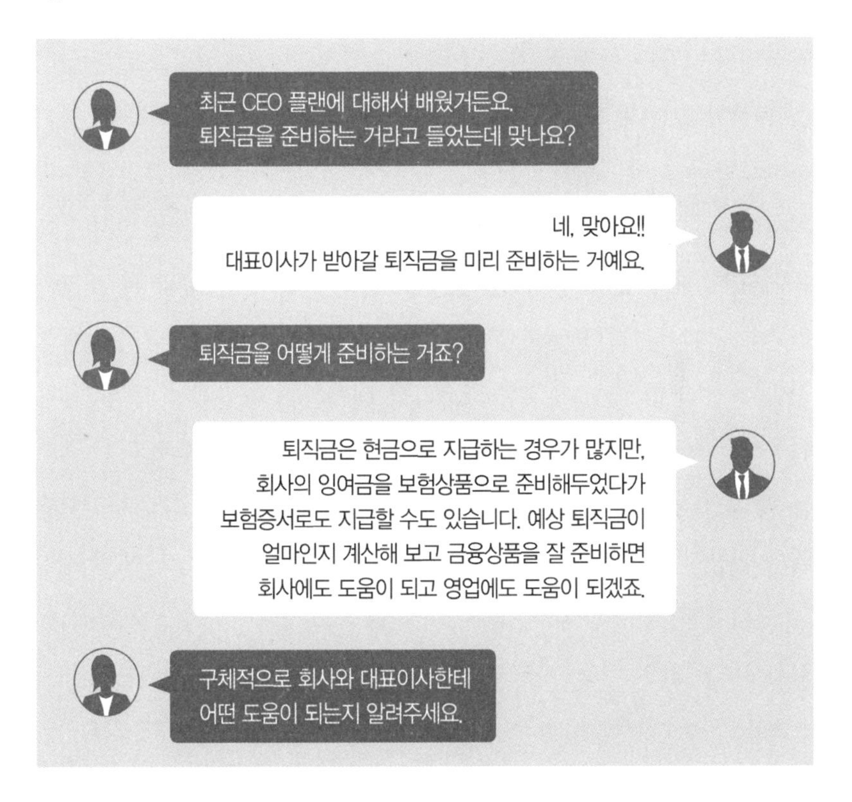

회사에서는 CEO 플랜으로 가입한 보험료 중 일부를 비용처리할 수 있습니다. 만약 회사의 유동성이 부족한 경우라면 중도인출 기능을 활용해서 회사의 운용자금으로 사용할 수도 있습니다. 대표이사는 보험상품으로 퇴직금을 지급받으므로 절세 혜택을 보면서 동시에 보험의 혜택도 같이 누릴 수 있어요.

나) CEO 플랜의 개요와 퇴직급여

CEO 플랜은 회사가 대표이사에게 지급할 퇴직금을 보험 상품 등으로 준비하고, 퇴직시 계약자 변경을 통하여 대표이사에게 이전하는 방식이다. CEO 플랜은 퇴직금을 현금이 아닌 금융상품으로 지급하는 특징이 있는데, 보험이라는 기능을 활용하면서 퇴직금으로도 사용가능하므로 목적에 맞는 적절한 상품을 잘 활용하면 CEO뿐만 아니라 회사에도 유리할 수 있다. 퇴직금을 지급할 시점은 먼 훗날이지만 대표이사의 재직 등에 일정금액을 퇴직금 명목으로 적립해 둘 필요가 있는데, 퇴직금 적립만을 목적으로 한다면 DC형 계좌에 담아두면 되지만 혹시 모를 회사 경영상 리스크를 대비하는 측면에서 보험상품을 활용하면 좋다. 만약에 CEO가 갑작스런 사망에 이르게 된다면 회사는 경영상 위험에 처할 수 있지만 종신보험에 가입한 경우 사망보험금을 이용하여 CEO 부재에 대한 리스크를 대비할 수 있고, 또한 시장의 변화에 따른 유동성 위기가 발생하더라도 보험상품은 언제든 유동자산으로 활용이 가능하다. 반면에 DC형 계좌에 담아둔 재원은 퇴직금으로만 사용가능한 유동자금으로 사용이 불가능한 차이가 있다.

구 분	항목	내 용
보험상품 (종신형, 저축형)	장점	• 종신형 상품으로 준비하는 경우 대표자 사망에 대한 리스크 대비가 가능함 • 경영상 급하게 유동자금이 필요한 경우 중도인출 등을 통하여 자금을 활용할 수 있음
	단점	• 매년 납입하는 보험료 중 일부(소멸성 보험료)만 비용처리 가능 • 단, 퇴직금을 지급하는 시점에 일시에 비용처리할 수 있음
확정기여형 퇴직급여(DC형)	장점	• 매년 납입하는 금액에 대한 비용처리가 가능
	단점	• 퇴직금 용도 이외에 사용이 어려움

| 참고 | **퇴직급여 지급규정과 관련 법률**

항 목	임 원	근로자
지급기준	정관 규정, 주주총회 결의 법인세법 한도 적용	근로자퇴직급여 보장법

퇴직금은 근로관계 종결을 이유로 퇴직자에게 일시금으로 지급하는 금액을 말한다. 이때 임원과 근로자의 퇴직금은 처리방법에 차이가 있다. 근로자퇴직급여 보장법에서는 근로자의 안정적인 노후생활 보장을 위해서 회사로 하여금 일정한 퇴직금을 지급하도록 강제하는 반면에 임원의 퇴직금 지급규정은 상법에 따라 정관에 정하여 지급하도록 한다. 정관에 그러한 규정이 없는 경우에는 주주총회 결의로 이를 정하도록 하고,(상법 제388조) 세법에서도 이를 인정하여 임원에게 지급하는 퇴직금은 정관이나 정관에서 위임한 퇴직급여 지급규정에 따라 결정된 금액을 지급하거나 만약 정관에 규정이 없는 경우에는 다음의 금액을 한도로 손금을 인정한다.

임원이 퇴직하는 날부터 1년 동안 받은 총급여액 X 10% X 근속연수

정리하면 정관에서 정하고 있는 퇴직금 지급규정에 따라 임원은 퇴직금을 지급받는데, 법인세법에서는 정관 규정에 따른 퇴직금 규모를 초과하여 지급한 금액에 대하여 법인의 비용(손금)으로 인정하지 않고 있다. 따라서 회사가 지급하는 퇴직금을 손금으로 인정받기 위해서는 정관에 퇴직금에 대한 기준이 상세하게 기술되어야 한다. 그러므로 현재의 정관 규정을 살펴보고, 대표이사 등이 퇴직 시 받을 수 있는 퇴직금 규모를 이해하고 분석할 필요가 있다.

다) 퇴직소득의 과세와 정관변경

정관 규정에 따라 지급하는 퇴직급여는 법인의 손금으로 인정되어 법인세액을 감소시키는 효과가 있다. 그렇다면 정관에서 정한 금액 이내의 퇴직금은 항상 법인의 손금으로 인정받을 수 있을까? 그렇지 않다. 일반적으로 사회통념상 범위 내에서 지급하는 퇴직금을 정관의 규정에 따라 지급하는 경우는 법인의 손금으로 인정 가능하다. 하지만 특정 임원만을 위한 과다지급 규정이 있거나 현실적인 퇴직을 원인으로 한 퇴직이 아닌 경우에는 이를 법인의 손금으로 인정하지 않는다. 또한 퇴직금을 지급받는 임원은 퇴직소득에 대해 소득세가 과세되는데 소득세법에서는 임원퇴직금 중에서 다음의 ①과 ②의 합계를 초과하는 금액에 대해 근로소득으로 보아 과세하고 있다.(소득세법 제22조 제3항)

① 2011년 12월 31일에 퇴직하였다고 가정하였을 때 지급받을 퇴직소득금액

② 퇴직한 날부터 소급하여 3년(근무기간이 3년 미만인 경우에는 해당 근무기간으로 한다)동안 지급받은 총급여의 연평균환산액 $\times \frac{1}{10} \times \frac{\text{2012년 1월 1일 이후의 근무기간}}{12} \times 2$

관련예규

법인, 조심-2018-중-3379,2018.12.27.

사전에 재입사할 것을 약정하고 쟁점퇴직금을 지급받은 것으로 보이는 점 등에 비추어 대표이사 사임을 법인세법상 현실적인 퇴직으로 인정하기는 어려운 것으로 보이므로 처분청이 쟁점퇴직금을 손금불산입하여 법인세를 과세한 처분은 달리 잘못이 없음

법인, 조심2013서1578,2013.11.29.

청구법인의 주총에서 결정한 임원퇴직금 지급규정은 특정임원의 퇴직을 앞두고 특정임원만을 위한 것으로 손금으로 용인될만한 퇴직금 지급규정으로 보기 어려움

법인, 조심2013서0894,2013.06.28.

청구법인이 이해당사자만 참석하는 임시 주주총회를 개최하여 청구법인의 대표이사와 이사에게만 차별적으로 많이 지급되도록 정관을 변경한 것으로 보이므로 청구주장은 받아들이기 어려움

근로소득과 퇴직소득은 과세방식이 다르다. 일반적으로 퇴직소득이 근로소득에 비해 세금이 저렴하다고 알려져 있다. 근로소득은 매년 1년을 기준으로 과세하지만 퇴직소득은 장기간에 걸쳐서 발생한 소득이 한꺼번에 지급되므로 소득금액의 규모가 커져 과세하면 과세액이 높아지는 문제가 발생하기 때문이다. 소득세법은 이러한 문제를 해결하기 위해 매년 다른 소득과 합산하여 누진세율로 과세하는 근로

소득과 다르게 퇴직소득은 다른 소득과 합산하지 아니하고 별도로 과세할 뿐만 아니라 연분연승법이라는 과세방식을 통하여 퇴직소득의 세 부담이 과중되는 문제를 조정하고 있다. 이를 정리하면 다음과 같다.

항 목	근로소득	퇴직소득
과세방식	종합과세(종합소득 합산 누진 과세)	분류과세(단독과세)
세율적용	일반	연분연승법 적용 (다기간 누적소득 조정)
소득공제	근로소득공제	근속연수공제

근로소득과 퇴직소득의 실부담세율을 비교하기 위해 각각 1억, 2억을 지급받는 경우에 과세되는 금액을 비교하여 보자.

(1) 근로소득

총급여	1억	2억	5억
근로소득금액	8,525만 원	1억 8,325만 원	4억 7,725만 원
과세표준	7,012만 원	1억 6,462만 원	4억 4,810만 원
소득세율	24%	38%	40%
산출세액	1,161만 원	4,315만 원	1억 5,384만 원
소득세 결정세액	1,000만 원	4,154만 원	1억 5,223만 원
지방소득세	100만 원	415만 원	1,522만 원
소득세 및 지방세 부담률	11.0%	22.8%	33.5%
건강보험료(회사부담분포함)	7%	7%	7%
실부담세율	18%	29.9%	40.5%

*4인 가정(배우자, 자녀 2인), 보험료 100만 원, 연금저축 200만 원, 교육비 300만 원 가정

(2) 퇴직소득

- 2년 근무, 2019년 퇴직을 가정

퇴직소득	1억		2억	
과세방식	종전규정	개정규정	종전규정	개정규정
과세표준	59,400,000	340,960,000	119,400,000	730,960,000
환산 산출세액	148,500,000	110,984,000	298,500,000	271,603,200
산출세액	14,830,000	18,497,333	37,612,000	45,267,200
적용비율 적용 후 산출세액	17,763,866		43,736,160	
지방소득세	1,776,386		4,373,616	
실부담세율	19.54%		24.05%	

- 10년 근무, 2019년 퇴직을 가정

퇴직소득	1억		2억	
과세방식	종전규정	개정규정	종전규정	개정규정
과세표준	56,000,000	46,660,000	116,000,000	112,660,000
환산 산출세액	28,000,000	5,978,400	58,000,000	24,531,000
산출세액	5,376,000	4,982,000	14,268,000	20,442,500
적용비율 적용 후 산출세액	5,060,800		19,207,600	
지방소득세	506,080		1,920,760	
실부담세율	5.57%		10.56%	

- 10년 근무, 2019년 퇴직을 가정

퇴직소득	10억		20억	
과세방식	종전규정	개정규정	종전규정	개정규정

퇴직소득	10억		20억	
과세표준	596,000,000	730,180,000	1,196,000,000	1,510,180,000
환산 산출세액	298,000,000	271,275,600	598,000,000	598,875,600
산출세액	158,628,000	226,063,000	382,944,000	499,063,000
적용비율 적용 후 산출세액	212,576,000		475,839,200	
지방소득세	21,257,600		47,583,920	
실부담세율	23.38%		26.17%	

근로소득과 퇴직소득의 특징을 비교해 보면 다음과 같다.

토막지식 근로소득과 퇴직소득의 비교

① 근로소득

1) 근로소득공제와 기타소득공제 등으로 인하여 예상보다 실부담세율이 낮다.
2) 금액이 커질수록 급격하게 실효세율이 증가하는 점을 알 수 있다.

② 퇴직소득

1) 일반적으로 세 부담률이 가장 낮은 것으로 알고 있었으나, 근로소득으로 나누어 받아가는 것과 한번에 퇴직소득으로 받아가는 것의 실부담세율에 큰 차이가 없다.
(근로소득 10년간 매년 1억 VS 퇴직소득 10억)
2) 근로기간이 길수록 현저하게 실부담세율이 줄어든다.

Case Study 퇴직금 수령액의 계산

아래의 경우에 절세목적으로 대표이사가 받을 최적의 퇴직금 규모를 예측해 보자.

- 월급여 : 7백만 원(세전)
- 퇴직금 배수 : 2배수
- 근무시작연도(설립일자) : 2010년 1월 1일

3년간 연평균 총급여 : 84,000,000원
1년간 적립가능 퇴직금 : 8,400,000 X 2배수 = 16,800,000원
2019년말 퇴직 가정시 퇴직금 규모 : 16,800,000원 X 10년 = 168,000,000원

2039년말 퇴직을 가정하여(앞으로 20년 더 근무 희망) 퇴직금을 많이 받아가기 위해서 퇴직 직전 3년간 급여를 월 14백만 원 정도로 올린 경우를 가정했을 때 퇴직금 규모를 예측해 보자.

3년간 연평균 총급여 : 168,000,000원
1년간 적립가능 퇴직금 : 16,800,000 X 2배수 = 33,600,000원
2039년말 퇴직 가정시 퇴직금 규모 : 33,600,000원 X 30년 = 1,008,000,000원

위의 경우 급여를 받지 않고 퇴직금으로 전부 받아오는 것이 가장 유리한 것일까?

그렇지 않다. 근로소득과 퇴직소득의 특징을 이해하면 어느 정도로 퇴직금 규모를 정하는 것이 유리한지 예측이 가능하다. 무조건 퇴직소득이 근로소득보다 세 부담이 적다고 생각하는 것은 잘못된 생각이다. 얼마를 어떻게 받는지에 따라서 세 부담률은 크게 달라지기 때문이다.

예를 들어 매출/순이익 규모가 높지 않아 이익잉여금 규모가 크지 않지만 근속연수가 긴 경우라면 오히려 퇴직금으로 받아오는 것보다 근로소득으로 받아오는 것이 유리할 수 있다. 오랜 기간동안 나누어 급여를 받게 되면 매년 근로소득이 낮아져 낮은 세율로 과세하기 때문이다. 그러므로 회사의 CEO가 생각하고 있는 노후생활자금을 퇴직금과 급여 등으로 적절하게 배분하여 효율적인 관리가 필요하다.

토막지식 퇴직금 배수에 따른 소득의 종류 구분

정관 규정 : 5배수의 퇴직급여를 지급하는 경우 소득자의 과세소득의 종류와 금액
퇴직소득세 과세 : 2배수
근로소득세 과세 : 3배수

소득세법에서는 2012년도 이후 기간에 대한 임원의 퇴직금은 3년 평균 급여의 10%의 2배수로 한도도 퇴직소득으로 과세한다. 그러므로 한도를 초과하여 지급받는 퇴직금은 근로소득으로 과세되어 퇴직소득으로 과세되는 것보다 많은 세금을 부담할 수 있다. 퇴직금 한도를 초과한 부분과 기존의 근로소득이 합산되어 과세되므로 과세단위가 커져 누진세율로 과세되는 효과가 생기는 것이다. 자연스럽게 부담하는 세액이 늘어나게 된다.

일반적으로 소득세법에서 정하고 있는 퇴직금 한도까지 퇴직금으로 받아오는 것이 유리하다. 또한 퇴직금 규모 자체를 늘리기 위해 퇴직금 산정의 기초가 되는 급여를 올려서 퇴직금으로 과세되는 금액을 합리적인 수준에서 늘릴 수도 있다. 보다 근본적으로 회사에서 지급 가능한 퇴직금 규모를 정하여 정관상에 임원퇴직금 규정을 정비하여야 한다. 이미 정관에 규정이 있는 경우라도 대표이사가 원하는 수준의 퇴직금 규모인지, 혹은 소득세 부담이 과도하지 않은지를 체크하여야 한다. 만약 정관에 퇴직금 규정이 없는 경우라면, 임원 퇴직금 규정을 삽입하여 정관을 변경하여야 한다.

영업 포인트 **컨설팅 Flow**

1. 회사의 정관 확인_퇴직금 규정 체크
2. 회사의 대표이사 등이 원하는 은퇴자금과 퇴직금 규모 논의
3. 정관 변경 : 퇴직금 규정 삽입
4. 퇴직금 준비를 위한 보험상품 제안

6 적정급여의 설정

[TALK]

퇴직금을 많이 받기 위해 급여를 올릴 수 있다는 건 이해가 되었습니다. 그런데 대표님들께 급여를 올려야 한다고 말씀드리면 소득세가 늘어난다고 싫다고들 하세요.

그렇죠. 급여가 늘어나면 당연히 소득세가 늘어날 수밖에 없습니다. 그런데 소득세가 늘어나는 만큼 법인세가 줄어들기도 하거든요. 이 부분도 생각을 하셔야 해요.

법인세는 왜 줄어들어요?

대표님의 급여가 늘어가면 법인의 비용이 늘어나는 것이구요. 늘어난 급여만큼 회사의 당기순이익이 줄어들게 되죠. 이익이 줄었으니 법인세로 납부할 금액 역시 줄어드는 것이죠.

아! 법인의 이익이 줄어서 세금도 줄어드는 거군요. 건강보험료가 많이 늘어난다고 걱정하시는 분들도 많으시던데요.

그것도 맞는 말이예요. 급여가 늘어나면 당연히 건강보험료 부담이 늘어납니다. 급여 설정시에는 건강보험료도 생각하셔야 합니다. 회사부담분의 경우에는 급여처럼 법인의 비용으로 처리가 가능하구요.

그럼 회사부담분 건강보험료는 법인세 혜택이 있겠네요.

그렇죠. 결국 소득세와 건강보험료가 늘어나는 부분과
법인세가 줄어드는 부분을 계산해 보고 적정한 급여를
설정하는 것이 중요합니다.

급여는 어느 정도까지 늘리는 것이 좋을까? 급여가 상승하는 경우 근로소득세와 4대보험이 따라 증가하게 된다. 따라서 이를 고려하여 급여의 변화에 따라 부담하는 소득세와 건강보험료의 변화를 비교하여 보자.

연봉	36,000,000	60,000,000	100,000,000	150,000,000
월급	3,000,000	5,000,000	8,333,333	12,500,000
과세표준*	13,468,246	33,522,676	70,120,727	117,368,291
적용세율	15.0%	15.0%	24.0%	35.0%
결정세액(지방세포함)**	–	2,396,242	10,998,872	27,025,792
소득세담세율	0.0%	4.0%	11.0%	18.0%
건강보험료 부담률 (회사부담분 포함)	7.0%	7.0%	7.0%	7.0%
총조세부담률	7.0%	11.0%	18.0%	25.0%
법인세절세금액*** (11% 적용)	4,098,793	6,831,322	11,385,536	17,078,304
법인세 공제 후 담세율	–4.38%	–0.38%	6.62%	13.64%

* 근로소득공제 적용, 다른 소득 없음 가정, 4인가정 가정(배우자, 자녀2), 신용카드소득공제 300만 원 일괄적용

** 세액공제 가정
: 연금저축 20만 원, 보잔성보험 100만 원, 교육비 300만 원

*** (연봉 + 건강보험료 회사부담분) × 11%

* 국민연금(4.5%) 효과는 배제(노후에 연금으로 수령하게 되는 금

액이며, 월 급여가 486만 원을 초과하는 경우 국민연금은 최고 한도 금액인 2,624,400원이 적용된다. 연봉 58,320,000 초과시 국민연금 부담금액은 동일하다. 연봉은 증가하므로 부담 효과는 더 미미해짐.)

* 건강보험료 7%(2019년 기준) = 6.46% * (1 + 8.51%)

구 분	기준액	보험료율	근로자	사업주
건강보험료	보수월액	6.46%	3.23%	3.23%
장기요양보험료	건강보험료	8.51%	가입자부담 50%	사업주부담 50%

월 급여가 3백만 원인 경우 근로소득을 계산해 보면 소득공제, 세액공제 효과로 납부할 소득세 부담은 0원이지만 건강보험료를 부담하여 총부담세율이 7%가 된다. 이때 회사는 연간 급여와 건강보험료 회사 부담분은 회사가 적용받는 법인세율만큼 법인세가 줄어드는 효과가 있다. 급여가 올라가면 소득세, 건강보험료 부담이 늘어나지만, 법인세가 줄어드는 점도 고려할 필요가 있다. 월 급여를 5백만 원으로 늘리더라도 소득세(지방소득세 포함), 건강보험료로 660만 원 정도를 부담하게 되지만, 법인세가 680만 원 줄어들게 된다. 전체적으로 보았을 때는 세 부담이 늘어나는 것은 아니다. 물론 월 급여가 3백만 원인 경우 건강보험료 252만 원을 부담하지만 법인세는 410만 원 줄어들기 때문에 5백만 원으로 올리는 것보다 더 유리하다고 판단할 수 있다. 당장 내야 하는 세금만 생각한다면 급여가 적을수록 유리하다. 법인세의 이익으로 남겨두고 소득세로 과세되지 않았기 때문이다.

소득세로 과세되지 아니한 이익은 법인의 미처분이익잉여금으로 남아 있게 된다. 미처분이익잉여금이 유동화되는 과정에서 어떤 방식으로든 세금은 부과된다. 대개 급여, 배당 또는 퇴직금의 형식으로 처리되는데 각 처리 방식에 따른 소득세가 발생하기 때문이다.

그런데 미처분이익잉여금을 일시에 처리하게 되면 훨씬 많은 세금을 부담하여야 한다. 소득세는 누진과세되므로 일시에 많은 소득을 가져오면 높은 세금이 부과되는 것이다. 앞선 CEO 플랜 전략에서 퇴직금으로 무조건 많이 가져오는 것이 꼭 유리하지만은 않은 이유와 같은 논리가 적용된다. 소득세 부담이 증가하더라도 적정한 금액까지는 급여를 올려서 법인의 이익을 급여로 처리하는 것이 좋다.

CEO 플랜 전략에서 대표자가 생각하는 노후생활자금을 설정하고, 적정한 퇴직금과 급여수준을 정하는 방법을 살펴보았다. 퇴직금 규모를 예상하여 적절한 급여수준을 설정하는 것이다. 그런데 회사의 영업이익을 예상하기 어려운 경우라면, 매년 이익 규모를 고려해서 적정한 급여 수준을 정할 수 있다.

사 례

- 법인세 11% 세율을 적용받는 회사
  급여수준을 6천만 원으로 설정시
  소득세 240만 원 + 건강보험료 420만 원 = 660만 원
  법인세 (−)680만 원((60,000,000 + 2,100,000) × 11%)

  법인세 22% 세율을 적용받는 회사
  급여수준을 1억 3천만 원으로 설정시
  소득세 2,000만 원 + 건강보험료 900만 원 = 2,900만 원
  법인세 (−)2,960만 원((130,000,000 + 4,500,000) × 22%)

영업 포인트

앞에서 알아본 방식으로 급여를 설정하게 되면 소득세 부담과 법인세 감소분이 비슷해져 소득세 부담이 크지 않으면서 법인의 유보 금액을 최소한으로 남겨두는 방법이라는 생각을 할 수 있다.
개인별 소득과 지출 내역에 따라 실 부담세율은 달라질 수 있으므로, 정확한 컨설팅을 위해서 대표자의 급여 외 소득도 추가 확인이 필요하다. 만약 급여 외 다른 소득이 많은 경우라면 전문가와 협의하여야 한다.

컨설팅 Flow

1. 대표자 급여 확인
2. 법인세율 확인
3. 회사의 이익잉여금 규모 확인
4. 개인 소득세 계산과 법인세 절감액 분석
5. 적정한 급여 산출

나 지분이전 및 초과배당 플랜

1 학습목표

학습내용	효 과
지분이전 방안	• 절세를 위한 지분이전의 방법을 이해한다.
초과배당 방안	• 불균등배당의 방법과 과세방법을 이해한다.

2 Talk

법인의 주식가치를 평가해 보면 생각했던 것보다 높게 평가되더라구요. 비상장주식은 사실상 거래가 되기도 어려운 거 같은데 높은 가치로 인한 세금부담이 매우 큰 것 같아요.

맞아요. 주식회사 대표님들은 법인을 주식이라는 형태로 소유하고 있습니다. 혹시나 대표님이 사고로 사망하게 되면 대표님들이 소유한 주식이 상속재산에 포함되어 상속세를 계산하게 됩니다. 상증세법상 정하고 있는 방법으로 평가하고 있다보니 거래가 어려운 비상장 주식이라고 하더라도 가치가 높고 상속세 부담이 늘게 되는 것이죠.

주식가치를 낮추는 것도 한계가 있잖아요.
상속세 부담을 줄일 수 있는 다른 방법은 없을까요?

맞아요. 주식가치를 줄여야 하지만 영업이익이 계속적으로 발생하는 회사는 사실상 가치를 줄이는 것도 어렵습니다. 그럼 주식을 증여하거나 양도하는 플랜이 필요합니다. 상속재산에 포함되지 않도록 미리 사전증여 또는 양도를 하는 것이죠.

이미 주식가치가 매우 높은 경우에는 증여나 양도시 세 부담이 너무 크지 않을까

그래서 회사가치가 커지기 전에 빨리 주식을 이전해 주는 것이 유리합니다. 법인 대표님들을 만나실 때 회사가치가 어느 정도인지를 보시고 현재가 회사 가치가 낮은 시점이라고 판단이 되시면 증여나 양도를 제안해 볼 수 있는 것입니다.

③ 지분이전 전략

주식회사의 경영권은 보유지분(주식)율로 결정된다. 그래서 경영권 이전을 위한 가업승계 과정에서 지분이 자녀에게 넘어가게 되는데 세법에서는 지분의 이전 시점에 주식가치를 기준으로 세금을 부과하고 있다. 따라서 주식의 가치가 낮은 시점을 활용하여 이전하는 것이 가장 주요한 절세전략이 되는 것이다. 주식의 이전은 양도와 증여, 상속의 방법을 이용할 수 있는데 각각 자금의 필요요건이나 과세되는 방법이 다르므로 이는 이전 단원을 참고하도록 하자. 이후에는 지분의 이전이 궁극적으로 상속의 방법으로 이전된다고 할 때 지분이전에 대한 상속세의 절세 관점에서 서술하도록 한다.

4 사전증여 활용

상속세 절세의 가장 기본 원칙은 사전 증여이다. 고액 자산가의 경우 이미 상속세 최고세율 구간을 적용받는다면 사전 증여를 통해 절세가 가능하다. 예를 들어, 부동산을 여러 채 보유하고 있으며 재산평가액이 50억 넘는 고액 자산가인 경우 평가액이 5억인 아파트를 자녀에게 증여하는 경우를 생각해 보자.

가) 사전증여하지 않는 경우

상속재산가액의 평가액이 30억이 넘기 때문에 상속공제 등을 적용하더라도 이미 상속세 최고 세율 구간인 50%를 적용받을 가능성이 크다. 5억 원의 아파트를 상속받게 되면 50% 세율이 적용되어 2억 5천만 원을 세금으로 납부해야 하는 꼴이다.

5억 * 50% = 2억 5천

나) 사전증여하는 경우

사전증여 이후 10년이 지난 이후에 상속이 발생하게 되면 사전증여한 재산은 상속재산에 합산되지 않는다. 이러한 경우 사전증여시 부담한 증여세가 최종 세 부담이 된다.

(5억 - 5천만 원) * 20% = 8천만 원

5억 원에 5천만 원을 공제한 4억 5천만 원이 증여재산가액이 되며, 5억이 안되므로 20%의 세율을 적용받는다. 증여세 부담액은 8천만 원으로, 상속으로 과세되어 50%를 적용받은 것보다 1억 7천만 원의 세금을 절약할 수 있다. 사전증여함으로써 상속세로 과세될 금액에서 제외되는 것이며, 과세표준 금액을 줄임으로써 적용되는 세율이 낮아지는 효과가 발생하였다. 누진과세의 장점을 활용한 것이다. 법인의 주식도 마찬가지로 사전증여의 대상이 될 수 있다. 특히 회사의 가치가 낮은 시점에 증여하면 더 큰 효과를 누릴 수 있다. 증여 이후 가치 상승분만큼 상속세가 절감되는 효과가 있기 때문이다.

Case Study 지분이전의 시기에 따른 과세액의 차이

① 자본금 1억(10,000주, @10,000원) 원으로 주식회사를 설립하고 설립시에 50% 지분을 증여한 경우 : 수증자가 성인이라면 증여재산가액 5천만 원에서 증여재산공제 5천만 원이 차감되어 납부할 세금이 없다.

② 10년 동안 1억의 당기순이익을 가정하였을 때, 설립시에 증여하지 않고 10년 후 50% 지분을 증여한 경우 가치 상승분에 대한 증여세를 절세할 수 있다.

주식평가액 : 1주당 순손익가치 ≈ 100,000원
1주당 순자산가치 ≈ 110,000원
1주당 가치 ≈ 104,000원(100,000*3 + 110,000*2)

자녀가 증여받는 주식의 평가액 : 104,000원 * 5,000주 = 520,000,000원
증여세 과세표준 : 520,000,000원 - 50,000,000원 = 470,000,000원
증여세 과세액 : 470,000,000원 * 증여세율(20%) = 84,000,000원

③ 사전증여 없이 지분을 상속하는 경우

사전 증여로 인한 상속세 과세액 : 520,000,000원 * 50%(다른 재산이 30억이 넘는 경우로 가정) = 260,000,000원

Case Study 당기순이익 규모에 따른 주식가치 평가액 차이

당기순이익이 증가함에 따라 주식의 평가금액은 증가할 수밖에 없다. 당기순이익 금액만큼 미처분이익잉여금이 증가하므로 주식의 평가시에 순자산가액이 증가하게 되고, 순손익가치도 당기순이익에 비례하므로 당기순이익이 높은 회사는 순손익가치도 높게 평가되어 최종 주당 가치가 높아지게 된다.

자본금 1억(10,000주, @10,000원)인 회사에서 10년간 당기순이익이 1억인 경우와 설립초기 5년은 무실적이였지만 최근 5년간 2억 원의 이익을 낸 경우의 회사가치를 비교하면 다음과 같다.

1) 매년 1억인 경우(총10년) : 한주당 가치 ≈ 104,000원
주식평가액 : 1주당 순손익가치 ≈ 100,000원
1주당 순자산가치 ≈ 110,000원
1주당 가치 ≈ 104,000원(100,000*3 + 110,000*2)

2) 처음 5년 당기순이익 무, 최근 5년 당기순이익 2억(총10년) :
한 주당 가치 ≈ 164,000원
주식평가액 : 1주당 순손익가치 ≈ 200,000원
1주당 순자산가치 ≈ 110,000원
1주당 가치 ≈ 164,000원 (200,000원*3 + 110,000원*2)

이처럼 당기순이익 높은 회사는 회사의 미래가치가 높은 것으로 보아 평가액에 그 효과가 반영된다. 회사 내에 쌓여있는 이익잉여금은 10억으로 같음에도 불구하고 평가기준일 과거 3년 당기순이익이 높은 회사의 최종 평가액은 더 높게 평가가 되는 것이다. 그래서 회사의 이익률이 더 높아지기 전에 주식을 자녀 등에게 증여한다면 상속세 및 증여세를 절감할 수 있는 효과가 발생하는 것이다.

5 지분 이전 절차

가) 주식가치 평가

비상장주식의 경우 시가를 알기 어려우므로 상속증여세법에서 정하고 있는 보충적 평가방법에 의하여 평가한 금액을 시가로 적용하는 경우가 많다. 회사의 일정 지분을 자녀 등에게 이전하기 위해서는 회사의 평가액을 정확하게 알아야 의사 결정을 할 수가 있다. 예를 들어 회사가치가 아직 높지 않은 경우 자녀 등에게 많은 지분을 이전할 수 있다. 그러나 이미 가치가 높아져 있는 경우라면 높은 증여세율을 부담하면서까지 지분을 이전하는 것이 옳은지는 다시 한 번 생각해 보아야 한다. 그리고 지분이전을 결정하는 경우 어느 정도의 금액을 이전할지 결정하기 위해서 회사 가치 평가가 선행되어야 한다.

나) 지분 이전(계약서 작성 및 명의개서)

주주명부의 이름만 고친다고 해서 주식이 이전되는 것은 아니다. 누가 누구에게 어떻게 지분을 이전했는지 정해야 하는 것이다. 이때 대가 없이 지분을 이전하게 된다면 이는 증여에 해당하는데 앞서 회사에 대한 평가가 이루어지면 정확하게 누구에게 몇 주를 언제 줄지를 정할 수 있게 된다. 부모 자녀 간의 증여에도 정확한 근거를 남겨두는 것이 좋으므로, 증여계약서를 작성하는 것이 좋다. 증여 계약에 따라 회사에 명의개서를 신청하고, 증여일자로 주식은 이전된 것이므로 법인세 신고시 주식 등 변동상황명세서상 지분이 이전된 것임을 정확하게 기재하여야 한다.

다) 증여세 신고

자녀 등이 증여받은 지분의 가치가 증여재산공제(5천만 원, 미성년자 2천만 원) 금액을 초과하는 경우에는 반드시 증여세 신고가 필요하다. 신고를 누락하는 경우에 미신고에 대한 가산세가 부과될 수 있다. 그러므로 증여일이 속하는 달의 말일로부터 3개월 내에 증여세 신고는 반드시 해야 한다. 주식은 부동산과 같은 등기가 되는 자산이 아니므로, 비상장주식의 경우에는 기록을 남기지 않으면 주주가 누구인지 아무도 알 수가 없다. 그래서 증여신고를 통하여 회사의 주인이 다른 주주로 바뀌었다는 것을 세무당국에 알려주는 효과가 있는 것이다. 증여계약은 당사자 간에만 효력이 있을 뿐이지만 증여세 신고는 공적인 신고 업무에 해당한다. 따라서 증여재산공제 범위 내에서 증여재산가액을 정하여 납부할 신고 금액이 없는 경우에도 이렇게 근거를 남기기 위하여 납부세액이 없는 것으로 증여세를 신고한다.

영업 포인트

법인 기업을 운영하는 큰 장점 중의 하나가 주식을 통해서 부분적으로 소유하거나 이전이 가능하다는 것이다. 개인사업자와 달리 주식을 통해 회사의 일부만 소유하고 지배할 수 있다. 이러한 법인의 성격을 잘 활용하여 자녀에게 일부의 주식을 이전해 줄 수 있다. 영업이익이 발생하는 회사는 설립 시점에 그 가치가 가장 낮다. 그러므로 회사를 설립할 때 자녀에게 일정 지분을 넘겨주는 것이 가장 좋은 방법이다. 이미 회사의 가치가 커지고 나서 이전하려고 하면 그만큼 세 부담이 커질 수밖에 없기 때문이다. 회사 설립 후 3년이 지나기 전이라면 순자산가치로만 평가가 이루어지므로 평가액이 크게 증가하지 않을 가능성이 있다. 그러므로 설립 시 회사의 지분을 이전하지 못하였다면 3년 이내에 자녀 등에게 지분을 이전하는 것도 좋은 방법이다.

만약 이러한 시기들을 모두 놓쳤다면 상증세법상 평가액이 낮아지는 시점을 예측해볼 필요가 있다. 시장 경기의 문제로 크게 손실이 발생하였거나, 혹은 특정연도에 퇴직금을 많이 지급하였다면 가치가 크게 낮아질 수 있음을 유의하자.

6 초과배당

[Talk]

대표가 자녀에게 주식을 증여하고 싶지만 이미 회사의 주식가치가 높아져 있어서 5천만 원 가량의 주식을 증여하더도 1% 비율밖에 이전이 불가능하더라구요. 그렇게라도 해서 이전을 해주는 것이 절세가 가능하다는 점은 잘 알겠는데요. 아무래도 너무 지분비율이 작네요. 추가적으로 해줄 수 있는 플랜은 없을까요?

초과배당을 활용해 보시길 추천드립니다. 자녀가 주주로 등재가 되고 나면 주주로서 배당을 받을 수 있는 권리가 생깁니다. 이때 대표인 대주주가 배당을 포기하고 소액주주인 자녀에게 포기한 배당금을 지급할 수 있습니다. 이렇게 초과배당을 실시하면 법인의 잉여금을 줄이면서 자녀의 소득재원을 만들어 줄 수 있습니다. 이렇게 회사의 잉여금이 줄어 상속재산으로 과세되는 금액은 감소하는 것이죠. 더욱이 소득이 적은 자녀 등에게 배당소득세가 과세되어 소득세도 줄어드는 효과가 생기기도 합니다.

아! 1%의 주식만으로도 초과배당을 실시하게 되면 자녀가 많은 배당금을 받아 올 수 있는 것이군요.

맞아요.
다만 증여세로 과세가 될 수 있으므로 사전증여가 있었는지 확인이 필요하구요. 다른 소득이 있는 경우에는 종합과세될 수 있으므로 초과배당금액을 얼마로 할지를 전문가와 협의하시는 것이 좋습니다.

가) 절세 목적의 초과배당

초과배당이란 주주에게 지분율에 비례하지 않은 금액으로 지급하는 배당을 말한다. 모든 주주에게 지분율에 비례하여 배당을 지급하는 것이 원칙이지만 일부 주주가 본인에게 배정될 배당금을 포기하는 경우 해당 배당금을 다른 주주에게 추가로 배분하여 지급할 수 있다. 또한 배당금을 지급하게 되면 회사의 이익잉여금은 감소하게 된다. 이때 이익잉여금이 감소에 따른 주식가치평가액이 낮아져 상속 · 증여시 주식에 대한 상속 · 증여 세율을 낮출 수 있다. 이하에서는 초과배당의 절세효과를 자세히 살펴보도록 하자.

나) 소득세 절세효과

초과배당을 실시하게 되면 이미 높은 소득세율이 과세되고 있는 대표의 소득을 자녀에게 분산할 수 있으므로 결과적으로 납부하는 소득세를 줄일 수 있다. 다음의 예시를 살펴보자.

사 례 **연봉 1억 5천만 원 & 배당소득 1억 원 가정시 초과배당 효과**

구분	일반배당	초과배당			
	대표	대표	배우자	자녀1	자녀2
총급여	150,000,000	150,000,000	–	–	–
배당소득금액	100,000,000	25,000,000	25,000,000	25,000,000	25,000,000
총납부세액 (지방세포함)	56,467,950	33,700,042	3,850,000	3,850,000	3,850,000
소득월액 건강보험료(*)	4,620,000				
평균세율	24.4%	19.3%	15.4%	15.4%	15.4%

(*) 금융소득이 3,400만 원을 초과하는 경우 소득월액보험료 추가로 건강보험료 부담이 발생함

상기의 표는 대표이사가 홀로 배당을 받는 경우와 초과배당을 통하여 배당소득을 분산하는 경우를 보여주고 있다. 대표이사 혼자서 배당을 받는 경우에는 약 5,660만 원의 소득세와 약 460만 원의 건강보험료를 추가로 부담하지만, 초과배당을 하게 되면 약 4,500만 원 소득세를 부담하게 된다. 전체적으로 약 1,580만 원의 세금을 절세할 수 있다. 또한 대표이사는 근로소득으로 이미 1억 5천만 원이 있는 상황이기 때문에 추가로 배당소득 발생 시 종합소득금액이 증가하게 되어 세 부담이 커지게 된다. 즉 과세표준이 1억 5천만 원을 초과하여 명목세율은 38%를 적용받게 되며, 배당소득에 대한 이중과세 조정으로 배당세액공제를 적용하더라도 실효세율이 24.4%로 증가한다. 하지만 이러한 배당소득금액을 소득이 없는 배우자, 자녀 등에게

분산하여 지급하게 되면, 소득금액을 분산하는 효과로 소득세 부담이 줄어드는 것을 확인할 수 있다. 특히나 초과배당을 지급받는 자가 배당소득 이외에 다른 소득이 전혀 없는 경우라면 배당소득금액만 종합소득으로 과세되므로 낮은 세율구간(15.4%)이 적용가능하고, 대표이사가 적용받는 세율구간(38%)보다 적은 소득세를 부담할 수 있다.

사 례 **연봉 1억 5천만 원 & 배당소득 2억 원 가정시 초과배당 효과**

구분	일반배당	초과배당			
	대표	대표	배우자	자녀1	자녀2
총급여	150,000,000	150,000,000	–	–	–
배당소득금액	200,000,000	50,000,000	50,000,000	50,000,000	50,000,000
총납부세액 (지방세포함)	91,143,048	41,529,345	7,700,000	7,700,000	7,700,000
추가 건보료	11,636,178	1,121,559	1,121,559	1,121,559	1,121,559
평균세율	29.4%	21.3%	17.6%	17.6%	17.6%

상기의 두 번째 예시는 초과배당금액이 2억인 경우를 보여준다. 대표이사 혼자서 배당을 받는 경우에는 약 9,100만 원의 소득세와 약 1,160만 원의 건강보험료를 추가로 부담하여 총 약 1억 260만 원이 되지만, 초과배당을 하게 되면 소득세 약 6,460만 원과 건강보험료 약 450만 원을 추가로 부담하여 총 약 6,900만 원을 부담하게 된다. 전체적으로 약 3,360만 원의 세금을 절세할 수 있는 것이다. 초과배당금액이 3,400만 원을 초과하게 되면 초과분의 약 7%에 해당하는 금액이 건강보험료와 장기요양보험료로 부과가 된다는 점을 유의해

서 실행해야 한다. 그리고 배당소득금액이 2천만 원을 초과하게 되면 분리과세가 아닌 종합과세 대상이 되므로 5월에 종합소득세 신고의무가 추가로 발생한다. 이중과세 조정효과로 인하여 배당소득 이외에 다른 소득이 전혀 없는 경우에는 약 1억 3천만 원(**)까지는 초과배당으로 받더라도 분리과세시 적용되는 세율인 15.4%(지방세 포함)가 실효세율로 적용된다. 종합소득세를 별도로 신고해야 하는 번거로움이 생기기는 하지만 소득세 부담 측면에서는 유리하므로 초과배당시 활용하면 좋다.

[배당소득 1억 3천만 원 수령시 실효세율 계산]

배당소득금액(a)	130,000,000
Gross-up(b)	12,100,000
종합소득금액(c=a+b)	142,100,000
소득공제(기본공제만 적용)(d)	1,500,000
과세표준(e=c-d)	140,600,000
세율(f)	35%
산출세액(g=e*f)	30,110,000
배당세액공제(h)	12,000,000
결정세액(i=g-h)	18,110,000
지방소득세(j=i*10%)	1,811,000
총부담세액(k=i+j)	20,020,000
부담률(k/a)	15.4%

다) 상속세 절세효과

배당은 회사의 미처분이익잉여금을 주주에게 이전하는 것으로 회사의 순자산가액이 감소한다. 배당소득세 부담이 발생하지만 이익잉여금을 계속 회사에 남겨두게 되면 언젠가 상속세로 과세될 수 있다. 예를 들어 최대출자자인 대표이사가 사망하였을 때 대표이사가 보유하고 있는 주식이 상속인에게 이전되는데, 이때 상속되는 주식의 가치를 기준으로 해서 상속세를 부담하게 된다. 그러므로 법인의 미처분이익잉여금을 남겨둔다는 것은 당장 과세되는 금액은 없지만 대표이사 사망시 상속세 등으로 과세될 금액은 커질 수 있다는 것을 뜻한다. 그러므로 소득세를 부담하더라도 그 부담이 크지 않은 범위에서 초과배당을 실시하는 것이 유리할 수 있다.

초과배당으로 매년 1억씩 10년을 자녀에게 배당했다고 가정해 보자. 법인의 순자산은 배당한 금액만큼 감소되고, 이는 자녀에게 이전된다. 자녀에게 다른 소득이 전혀 없는 경우라고 가정한다면 15.4%에 해당하는 소득세(지방소득세 포함)를 부담하고 이전받은 것이다. 그런데 초과배당을 실시하지 않은 경우라면 동 배당금액만큼이 회사의 자산으로 남아 있어 그만큼 주식가치가 증가하게 된다. 대표자가 가지고 있는 재산이 상속공제를 적용받더라도 30억을 초과하여 한계세율이 50%라면 법인의 주식가치 중 50%에 해당하는 금액은 상속세로 납부해야 하는 것이다. 결국 초과배당을 실시한 경우라면 10억의 배당금을 자녀 등에게 이전하면서 15.4%로 세금을 납부하는 것과 초과배당을 실시하지 않아 주식가치 10억을 50% 세율을 적용하여 상속세를 납부하는 차이가 생기는 것이다.

초과배당시	초과배당 실시하지 않은 경우
매년 5천만 원씩(총1억) 자녀 2명에게 초과배당(10년간)	-
소득세 부담 : 1억 * 15.4% * 10년 = 1억 5,400만 원	상속세 50% 세율 가정시 10억 * 50% = 5억
건강보험료 추가 부담금 (5천만 원 - 3,400만 원) * 7% * 2명 * 10년 = 2,240만 원	
총 부담세액 : 1억 7,640만 원	총 부담세액 : 5억
절세액 : 3억 2,360만 원	

7 초과배당의 효과

[Talk]

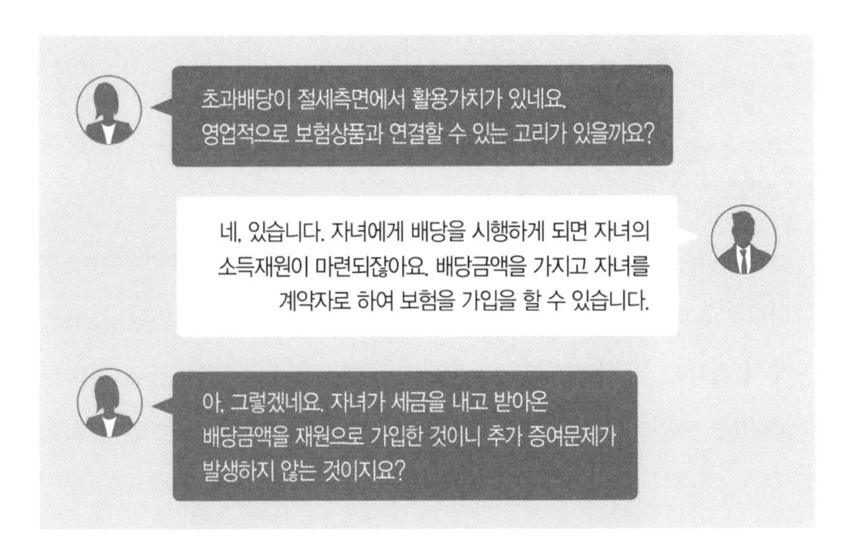

그렇죠. 현금 등 재산을 증여받아서 보험을 가입한 경우에는 추후에 보험금을 수령하게 되면 보험금 상당액과 당초 증여받은 재산의 차이만큼을 증여로 보아 과세하는 규정이 있습니다.(상속증여세법 제34조) 그런데 초과배당은 증여받은 재산으로 가입한 보험은 아니므로 동 규정에 적용되지 않는 것으로 판단됩니다.

보통 부모님이 가입한 계약의 경우에 사망보험금이 나오면 사망보험금도 상속재산에 포함되어 결국 세금을 내고 나머지만 자녀가 받게 되더라구요.
그럼 초과배당을 통하여 자녀가 계약자가 되어 가입한 보험금은 상속재산에도 포함되지 않는 것이네요.

그렇습니다. 상속재산에 포함되는 사망보험금은 피상속인이 보험계약자인 보험계약을 말합니다.
(상증세법 제8조)

아, 그래서 상속재산에 포함되지 않아서 상속세 절감 효과가 발생하는 것이군요.

가) 비과세 효과

초과배당을 통해서 보험을 가입한다고 무조건 비과세가 되는 것은 아니다. 초과배당을 실시하면 자녀에게 소득이 발생하고 그 재원을 통해서 자녀가 직접 보험을 가입할 수 있다. 보통 미성년자인 자녀를 두고 있는 대표가 자녀를 계약자로 한 보험을 가입하기는 쉽지 않은 일이다. 왜냐하면 미성년자인 자녀에게 소득이 없는 경우가 대부분이기 때문이다. 그래서 자녀가 경제활동을 하기 전까지는 부모님을 계약자로 한 보험을 가입하였다가 자녀에게 소득이 발생하게 되면 그때 계약자 변경을 고려할 수 있다. 그런데 계약자 변경 여부에 따라 보험차익에 대한 비과세 여부 판단에 차이가 있다. 현행세법은 월 150만 원 이하인 월 적립식 보험을 5년 이상 납입하고 10년간 유지하는 요건을 충족하게 되면 보험차익에 대하여 이자소득으로 과세하지 않고 있다. 그런데 계약자 변경을 하게 되면 계약자 변경 시점부터 다시 10년을 유지해야 보험차익에 대하여 비과세 적용이 가능하다.

다음의 사례에서처럼 자녀가 초과배당을 통하여 매년 2천만 원의 배당을 받아서 배당소득세를 납부한 나머지 금액인 1,690만 원(2천만 원 - 2천만 원 * 15.4%)을 월 적립식 상품으로 가입한 경우를 살펴보자. 처음 가입 시점부터 10년을 유지하게 되면 보험에서 발생한 차액에 대하여 비과세를 받을 수 있다. 그런데 중간에 계약자 변경을 한다면 변경시점부터 다시 10년을 유지해야 비과세가 되는 것이다.

Case Study 초과배당 사례

초과배당 실시 : 2천만 원
배당소득세 납부 : 308만 원(2천만 원 X 15.4%)
자녀가 받는 순 배당금액 : 1,692만 원(2천만 원 - 308만 원)
월 적립가능한 보험료 : 140만 원(1,692만 원/12개월)

관련법령

소득세법 시행령 제25조(저축성보험의 보험차익)

③ 법 제16조 제1항 제9호 가목에서 "대통령령으로 정하는 요건을 갖춘 보험"이란 보험계약 체결시점부터 다음 각 호의 어느 하나에 해당하는 보험을 말한다.

2. 다음 각 목의 요건을 모두 갖춘 월 적립식 저축성보험
가. 최초납입일부터 납입기간이 5년 이상인 월 적립식 보험계약일 것
나. 최초납입일부터 매월 납입하는 기본보험료가 균등(최초 계약한 기본보험료의 1배 이내로 기본보험료를 증액하는 경우를 포함한다)하고, 기본보험료의 선납기간이 6개월 이내일 것
다. 계약자 1명당 매월 납입하는 보험료 합계액[계약자가 가입한 모든 월적립식 보험계약(만기에 환급되는 금액이 납입보험료를 초과하지 아니하는 보험계약으로서 기획재정부령으로 정하는 것은 제외한다)의 기본보험료, 추가로 납입하는 보험료 등 월별로 납입하는 보험료를 기획재정부령으로 정하는 방식에 따라 계산한 합계액을 말한다]이 150만 원 이하일 것(2017년 4월 1일부터 체결하는 보험계약으로 한정한다)

⑥ 제3항 제1호 및 제2호의 보험계약과 2013년 2월 15일 전에 체결된 보험계약(대통령령 제24356호 소득세법 시행령 일부개정령 부칙 제35조에 따라 종전의 제25조 제1항을 적용하는 보험계약을 말하며, 이하 이 항에서 "종전의 보험계약"이라 한다)에 대하여 다음 각 호의 어느 하나에 해당하는 변경(종전의 보험계약에 대해서는 제3호의 변경으로 한정한다)이 있는 때에는 그 변경일을 해당 보험계약의 최초납입일로 한다. 다만, 제3항 제2호의 보험계약에 대하여 제1호 또는 제2호에 해당하는 변경이 있을 때에는 계약변경일까지의 보험료 납입기간은 제3항 제2호 가목에 따른 납입기간에 포함하고, 계약변경 전에 납입한 보험료는 계약변경 이후에도 제3항 제2호 나목의 요건을 충족한 것으로 본다.
1. 계약자 명의가 변경(사망에 의한 변경은 제외한다)되는 경우
2. 보장성보험을 저축성보험으로 변경하는 경우
3. 최초 계약한 기본보험료의 1배를 초과하여 기본보험료를 증액하는 경우

나) 사전증여 및 소득재원 마련 효과

초과배당을 활용하면 회사의 이익잉여금을 낮은 세금으로 자녀 등에게 이전할 수 있다. 배당소득세를 납부해야 하지만 분리과세 세율인 15.4%만 납부할 수 있는 금액으로 조정가능하다. 따라서 사례에서처럼 초과배당을 활용하여 월 적립식 보험으로 가입을 유도할 수 있다. 자녀 명의의 통장에 배당금을 쌓아두어도 무방하지만 적립을 강제하기 위한 목적도 있다. 이렇게 가입된 보험은 자녀가 받은 배당

금으로 가입된 보험이기 때문에 추후에 자녀 명의로 주택 등 부동산을 구입할 때 보험에 적립된 금액 중 일부를 중도인출하더라도 문제가 없다. 또한 초과배당을 통해 회사의 잉여금을 자녀에게 이전하면서 일부 세금을 내지만 그때 납부하는 세금은 사전증여시 납부하는 세금과 비슷하거나 오히려 적다. 일정 금액 이상 재산을 보유하고 있다면 상속세 절세를 위해 상속이 발생하기 10년 전에 사전증여를 통해서 상속세로 과세되는 재산을 줄이는 플랜을 실행하는 것이 일반적이다. 초과배당도 이와 같은 효과가 있다. 또한 배당을 실시하면 회사의 잉여금이 줄어들고, 회사의 잉여금이 줄어들면 상속되는 주식의 가치가 떨어진다. 결국 회사의 가치를 줄여서 미래의 상속세를 절감할 수 있게 된다. 상속시 적용세율이 40%, 50% 이상인 회사의 대표라면 초과배당을 통해서 상속을 대비해야 하는 것이다. 주의할 점은 사전증여는 증여 후 10년이 지나야 상속재산에서 배제되는 효과를 완전히 누릴 수 있다는 것이다. 중간중간에 계속하여 증여를 한다면 증여하는 재산이 이전에 증여한 재산과 합산되어 납부해야 하는 증여세 금액이 커질 수 있다. 그런데 초과배당을 통하여 자녀에게 이전하는 금액은 증여재산가액으로 합산되지 않는다. 그러므로 상속세가 걱정되는 회사의 대표라면 사전증여와 함께 초과배당을 함께 시행하는 것이 유리하다. 다만 초과배당과 사전증여를 함께 시행할 때에는 초과배당금액을 결정할 때 사전증여 금액에 따라서 그 효과가 달라질 수 있으므로 전문가와 협의가 반드시 필요하다.

다 상속세 준비

1 학습목표

학습내용	효 과
종신보험	• 종신보험을 이용한 상속세 납부 재원의 마련 방안을 이해한다.

2 종신보험을 활용한 상속세 준비

사람은 죽으면 가죽을 남기는 것이 아니라 세금을 남긴다는 이야기가 있다. 망자가 보유하고 있는 재산을 기준으로 상속세가 부과되기 때문이다. 죽음은 피할 수 없다. 그러므로 상속세 또한 피할 수 없다. 사전증여 플랜을 통하여 일정 상속세를 절감할 수 있지만 상속으로 발생된 세금 자체를 감면받을 수는 없다. 그러므로 상속세가 어느 정도 부과될 것인지 예측하고 상속세를 준비할 필요가 있다.

사망이라는 리스크를 헷지할 수 있는 대표적인 상품이 바로 종신보험이다. 사망 시 수령하게 되는 사망보험금은 보통 가장의 빈자리로 인한 생활비로 사용하거나 대표이사의 부재에 따른 문제를 해결하기 위한 자금으로 활용될 수 있다. 같은 논리로 상속재산이 많아 상속세를 납부해야 하는 상황이라면 상속세 납부재원으로 사용할 수 있다.

상속세를 납부하기 위한 목적으로 종신보험을 가입하는 사람들이 많다. 갑작스레 맞이한 상속의 상황에서 상속세로 납부할 세금이 없어서 상속받은 재산을 급하게 처분할 수 밖에 없는 상황을 피하기 위함이다. 상속세는 상속일이 속하는 달의 말일로부터 6개월 내에 납부해야 한다. 분할납부(2개월 이내)나 연부연납(5년 이내)도 신청할 수 있지만 당장 일정금액 이상은 납부가 필요하다. 상속세를 피할 수 없는 세금이라는 점을 인지하다면 상속재산을 지키기 위한 수단으로 재산 포트폴리오에 상속세를 납부하기 위한 종신보험을 구성하는 지혜가 필요한 것이다.

그런데 피상속인이 보험의 계약자인 경우에는 사망보험금이 상속재산에 포함된다.(상증법 제8조) 아래 case 1.은 부모가 계약자인 보험에 가입하여 사망보험금이 상속재산에 포함되는 상황이다. 보험의 소유권을 판단하는 기준은 계약자이다. 계약자인 부모님이 보험금을 납부하였으며, 자녀가 상속을 받은 것이므로 자녀가 수령하는 사망보험금 역시 상속으로 수령하게 되는 금액이 되는 것이다. 그래서 사망보험금은 상속재산에 포함되어 상속세를 계산하게 된다. 만약 적용되는 상속세율이 50%라면 사망보험금 10억 중에 5억은 상속세로 납부하고 나머지 금액인 5억만 수령하게 되는 것이다. 반면 case 2.는 계약자가 자녀이고 피보험자만 부모님인 상황이다. 보험금은 계약자인 자녀가 납부한 것이므로 동 계약은 자녀의 재산에 속한다. 계약자인 자녀가 납입한 보험금을 자녀가 수령하게 되는 것이므로 피상속인의 상속재산에 포함되지 않는다.

상속세를 준비하기 위한 종신보험은 case 2.처럼 자녀를 계약자로 하여 가입할 필요가 있다. 계약자를 자녀로 하더라도 피보험자가 실질적으로 보험료를 납부한 사실이 확인된 때에는 case 1.처럼 사망보험금을 상속재산으로 보아 상속세를 과세할 수 있다.(상증세법 제8조) 그러므로 소득재원이 마련된 자녀가 부모님을 피보험자로 하여 종신보험을 가입하는 것이 가장 좋은 방법이다.

항 목	case 1.	case 2.
계약자	부모님	자녀
피보험자	부모님	부모님
수익자	자녀	자녀
사망보험금	10억	10억
상속세(50% 가정) 납부 후 수령하는 금액	5억	10억

3 상속세의 납부재원

상속인은 상속세를 납부할 의무가 있다. 상속세 납세의무자인 상속인은 상속개시일(피상속인의 사망일)이 속하는 달의 말일부터 6개월 이내에 상속세를 신고 · 납부하여야 한다.(상증법 제67조 제1항, 제70조 제1항) 상속세로 납부할 금액이 1천만 원을 초과하는 경우에는 납부기한이 지난 후 2개월 이내로 분할납부할 수 있다.(상증법 제70조 제2항) 상속세로 납부할 금액이 2천만 원을 초과하는 경우에는 연부연납을 신청할 수 있다. (상속세법 제71조 제1항) 거액의 세금을 일시에 금전으로 납부하기 어려운 경우에 납세자의 세금납부에 따른 자금 부담을 덜어주기 위하여 세금을 여러 차례에 걸쳐 분할하여 납부할 수 있도록 세금납부의 기간편의를 제공하는 제도이다. 납세자는 납세담보를 제공해야 하며, 이자상당액을 연부연납가산금(현재 2.1%)으로 추가 부담하여야 한다.

이처럼 상속세는 거액을 일시에 준비해야 하는 부담이 생길 수 있다. 이를 대비하기 위한 좋은 방법이 종신보험이다. 상속개시와 동시에 사망보험금을 수령하게 되므로, 사망보험금으로 상속세 납부가 가능하기 때문이다. 상속세로 납부할 금융재산이 부족하다면 부동산이나 주식 등을 처분하거나 물납해야 한다. 그리고 급매로 처분하게 되는 경우 부동산의 적정가치만큼을 인정받지 못할 수 있다. 또한 비상장주식을 물납하는 것이 까다로울 뿐만 아니라 경영에도 큰 위험이 될 수 있다. 그러므로 상속세 납부로 인한 재산가치 하락이나 경영권 방어를 위한 준비가 필요하며, 피상속인을 피보험자로 하는 종신보험을 미리 준비하는 전략이 필요한 것이다.

[읽어보기] 상속세를 내기 위한 방안

구광모 회장, 판토스 판 돈에 대출 보태…1차 상속세 1536억 납부

머니투데이 박소연 기자 2018.12.02. 16:56

LG그룹은 구광모 회장 등 상속인들이 고(故) 구본무 회장으로부터 물려받은 ㈜LG 주식에 대한 상속세 9215억 원을 과세당국에 신고했다고 지난달 30일 밝혔다. 상속세의 약 6분의 1에 해당하는 1차 상속세액 1536억 원은 지난달 29일에 납부했다. 상속인들은 연부연납 제도를 통해 앞으로 최대 5년간 나눠 남은 상속세를 납부할 방침이다. 상속세 연부연납은 상속인이 담보를 제공하고 연이자 1.8%를 적용해 여섯 차례 나눠서 내는 방식이다.

구광모 회장은 구본무 회장으로부터 ㈜LG 지분 8.8%(1512만 2169주)를 물려받으면서 총 7200억 원의 상속세를 내야 한다. 지분평가액인 1조 1890억 원에 20%를 가산한 1조 4268억 원을 기준으로 50%의 상속세를 적용받았다. 구 회장은 판토스 보유 지분(7.5%) 매각 대금(약 1000억 원) 등을 이용해 1차 상속세를 냈으며 주식담보대출로 나머지 상속세 납부 자금을 마련할 것으로 알려졌다. 앞서 ㈜LG는 지난달 2일 구본무 회장이 보유했던 ㈜LG 주식 11.3%(1945만 8169주)에 대해 장남 구광모 회장 8.8%(1512만 2169주), 장녀 구연경씨 2.0%(346만 4000주), 차녀 구연수씨 0.5%(87만 2000주)로 각각 분할 상속받았다고 2일 공시했다. 구 회장은 선대 회장의 주식 상속에 따라 ㈜LG 지분율은 기존 6.12%에서 14.72%에 달해 최대주주가 됐다. 구 회장이 내야 할 상속세는 역대 최대 액수이다. LG그룹 관계자는 "상속인들은 국내 역대 상속세 납부액 가운데 최대가 될 것으로 예상되는 ㈜LG 주식에 대한 상속세를 관련 법규를 준수해 투명하고 성실하게 납부할 계획"이라고 밝혔다.

저 자 소 개

주인규

2012년도 세무사 자격을 취득하고 2014년도 서울시립대학교 세무전문대학원을 졸업, 이후 삼일회계법인에 입사하였다. 법인세 신고, 이전가격 검토, 세무진단 및 조사대응 등의 업무를 삼일회계법인 조세본부에서 수행하였다. 2017년도부터는 미래에셋생명 세무컨설팅팀에서 중소기업 가치평가 및 세무컨설팅 업무를 담당하였다. 현재는 삼성생명 세무팀장으로 자문 업무를 하고 있으며, 세무법인 신율 청담 지점의 대표 세무사로서 세무 전문 역량을 발휘하고 있다.

- e-mail : igjoo@naver.com

윤상철

2010년 한국공인회계사 시험을 합격하고 같은 해 10월 삼일회계법인에 입사하였다. 삼일회계법인에서는 재무자문과 가치평가 및 실사업무, 세무업무를 수행하였다. 실무 업무를 바탕으로 현재 교육부서에서 삼성과 현대자동차, CJ, 롯데와 같은 대기업과 각종 중소기업 그리고 금융감독원, 한국무역보험공사, 서울회생법원과 같은 공공기관 등을 대상으로 회계와 법인세, 가치평가의 주제로 강의를 이어가고 있다.

- e-mail : scyoon34@gmail.com